La Casa de la Riqueza
Estudios de Cultura de España, 18

LA CASA DE LA RIQUEZA
ESTUDIOS DE CULTURA DE ESPAÑA
18

El historiador y filósofo griego Posidonio (135-51 a.C.) bautizó la península ibérica como «La casa de los dioses de la riqueza», intentando expresar plásticamente la diversidad hispánica, su fecunda y matizada geografía, lo amplio de sus productos, las curiosidades de su historia, la variada conducta de sus sociedades, las peculiaridades de su constitución. Sólo desde esta atención al matiz y al rico catálogo de lo español puede, todavía hoy, entenderse una vida cuya creatividad y cuyas prácticas apenas puede abordar la tradicional clasificación de saberes y disciplinas. Si el postestructuralismo y la deconstrucción cuestionaron la parcialidad de sus enfoques, son los estudios culturales los que quisieron subsanarla, generando espacios de mediación y contribuyendo a consolidar un campo interdisciplinario dentro del cual superar las dicotomías clásicas, mientras se difunden discursos críticos con distintas y más oportunas oposiciones: hegemonía frente a subalternidad; lo global frente a lo local; lo autóctono frente a lo migrante. Desde esta perspectiva podrán someterse a mejor análisis los complejos procesos culturales que derivan de los desafíos impuestos por la globalización y los movimientos de migración que se han dado en todos los órdenes a finales del siglo XX y principios del XXI. La colección «La casa de la riqueza. Estudios de Cultura de España» se inscribe en el debate actual en curso para contribuir a la apertura de nuevos espacios críticos en España a través de la publicación de trabajos que den cuenta de los diversos lugares teóricos y geopolíticos desde los cuales se piensa el pasado y el presente español.

LA CÁMARA Y EL CÁLAMO

Ansiedades cinematográficas
en la narrativa hispánica de vanguardia

Gustavo Nanclares

Finalista del Premio de Ensayo Caja Madrid 2009

IBEROAMERICANA • VERVUERT • 2010

We would like to thank the Book Support Committee of the College
of Liberal Arts and Sciences of the University of Connecticut
for their financial support.

ISBN 978-84-8489-535-0 (Iberoamericana)
ISBN 978-3-86527-570-7 (Vervuert)
Depósito legal: SE-4297-2010

Foto de la cubierta © Gabriel Sanz
Diseño de la cubierta: Carlos Zamora

The paper on which this book is printed meets the requirements of ISO 9706

Impreso en España por Publidisa

CONTENIDO

Agradecimientos.   7

Introducción   9

Capítulo 1. Los narradores de vanguardia y el cine: crónica de un
deslumbramiento   17

Capítulo 2. Estructura e imaginario de la narrativa de vanguardia:
montaje, *découpage* y fotogenia.   49

Capítulo 3. Expresión y caracterización: el procedimiento
fisiognómico.   87

Capítulo 4. Ensoñación cinematográfica: la hibridación de mundos
ficcionales.   117

Capítulo 5. Apariencias fantasmáticas y sexualización de la mirada. . .   143

Capítulo 6. A modo de conclusión: la neurosis *cinegráfica* y el final
de la utopía   177

Bibliografía.   195

Índice onomástico   207

AGRADECIMIENTOS

Este libro no hubiera podido escribirse sin el apoyo de numerosas instituciones y personas a las que estoy profundamente agradecido. Dos becas del Program for Cultural Cooperation Between the Spanish Ministry of Culture and American Universities me permitieron trabajar en los archivos y bibliotecas de Madrid durante los veranos de 2004 y 2006. Otra beca de la Research Foundation de la Universidad de Connecticut fue fundamental para la elaboración de la primera versión del manuscrito.

Varias secciones de este libro, sobre todo partes del tercer capítulo y el último, aparecieron publicadas respectivamente en el número 35.2 de *Anales de la Literatura Española Contemporánea* y en el número 20 de *Texto Crítico*. Agradezco a los profesores Luis González del Valle y Alfredo Pavón la publicación de estos artículos en su momento y el haberme permitido incluir parte de los mismos en el presente trabajo.

Una versión anterior de este libro quedó finalista del Premio de Ensayo Caja Madrid 2009, a los miembros de cuyo jurado, Fernando Savater, Joaquín Estefanía y Víctor Pérez Díaz, así como a la Fundación Caja Madrid, agradezco la concesión de este reconocimiento.

Aprovecho también la ocasión para expresar mi agradecimiento a la editorial Iberoamericana/Vervuert y, en especial, a Anne Wigger y Klaus Vervuert, por su excelente labor en la edición del libro, así como a José-Carlos Mainer, por la acogida de mi trabajo en esta serie. Gracias también al Book Support Committee del College of Liberal Arts and Sciences de la Universidad de Connecticut por la adjudicación de una beca para cubrir parte de los costes de producción del libro.

Son muchísimas las personas que de manera generosa y desinteresada me han ayudado a lo largo de estos años en las universidades del País Vasco, Bologna, Wright State University, Idaho, California-Santa Barbara y Connecticut. Aunque se trate de un muestrario forzosa e injustamente limitado, quiero consignar aquí los nombres de Santi de Pablo, Jon Juaristi, Juanjo Lanz, Patrizio Rigobon, Rosa Campanyà, David Garrison, Richard Keenan, Margaret Van Epp Salazar, Ricardo Etxepare, Brian Frazier, Viola Miglio, Joao Camilo dos Santos, Jorge Checa, Jorge Luis Castillo, Guillermo Gahan, Fernando Gómez, y tantos y tantos otros. De los numerosos profesores y amigos de la Universidad de California, Santa Barbara, quiero destacar a mi maestro y mentor Víctor Fuentes, con quien he contraído una deuda de gratitud que nunca podrá ser del todo resarcida. Mención especial merece Cristián Ricci por muchos motivos, pero especialmente por los días de estudio en Madrid y las noches de asueto en Castel Gandolfo. Por último, quiero dejar constancia aquí de mi agradecimiento más sincero hacia mis actuales compañeros de la Universidad de Connecticut, que me han hecho sentirme como en casa desde el primer momento y cuyo trato y amistad son un constante estímulo intelectual y personal.

No puedo cerrar este capítulo de agradecimientos sin incluir en él a mis padres, Emilio y Gemma, y a mis hermanos, Emilio y María, Luis y Blanca, Guillermo, Gabriel, Juncal y Josu, sin cuyo apoyo y cariño incondicionales nada de esto sería posible. A Feri bácsi, Márti néni, Márta y Uldis les debo su generosidad ilimitada y el marco insuperable en el que cada año renazco y me renuevo. Mención especial merecen mis dos sobrinas, Lola y Julcsi, que pese a su corta edad están de algún modo presentes en estas páginas. Finalmente agradezco a mi mujer, Klára, la infinita paciencia que ha mostrado durante todos estos años con los autores de vanguardia (y conmigo). A ella va dedicado de manera muy especial este libro.

INTRODUCCIÓN

> Without the inspiration provided by the cinema Spanish literature of the 1920s and 1930s would have been poorer, and no study of it can afford to overlook the essential fact that the experience of watching films made writers pick up their pens and write. Our understanding of Spanish literature of those years is complete only when we recognize the fertilization of words by images and measure the enrichment of theme, emotion, and technique brought by the cinema.
>
> Cyril B. Morris, *This Loving Darkness*

El 20 de abril de 2007 se inauguraba en la Pace Wildenstein Gallery de Nueva York una exposición sobre la influencia del cine en el arte cubista de comienzos del siglo XX titulada «Picasso, Braque, and Early Film in Cubism». En el reportaje que el *New York Times* dedicó a la exposición en su edición dominical de la semana anterior, el crítico de arte Randy Kennedy afirmaba que durante más de veinte años Arne Glimcher, dueño de la galería y promotor de la exposición, «had carried around a theory, more gut feeling than scholarly conjecture, that Picasso and Braque had been seduced by that siren song of the early cinema, and that Cubism, with its fractured surfaces and multiple perspectives, owed much more to the movies than anyone had noticed». Kennedy describe la teoría de Glimcher sobre la influencia del cine en el cubismo más como un convencimiento íntimo, intuitivo, visceral, que como una conjetura o hipótesis académica. No soy crítico de arte ni este libro trata sobre la pintura cubista, pero traigo esta historia a colación porque define perfectamente el proceso en el que se ha ido fraguando este libro. Como Glimcher a propósito del arte de Picasso, también yo he vivido durante casi una década con la convicción de que la narrativa de vanguardia

—y todo el arte de vanguardia en general, aunque esto último no estoy en
condiciones de documentarlo— debió más al surgimiento del cine y a la fascinación que éste despertó en los jóvenes autores del periodo, que a cualquier otro aspecto ideológico, histórico, político, social, artístico o estético
con que en numerosas ocasiones se le ha relacionado. Este libro es de hecho
el resultado del esfuerzo por argumentar crítica e históricamente lo que em-
pezó siendo una simple intuición, creció a la categoría de hipótesis de trabajo, y ahora pretende ser una explicación comprensiva del surgimiento y desarrollo de la narrativa de vanguardia y una propuesta general de lectura e
interpretación de la misma.

La invención del cinematógrafo a finales del siglo XIX y su asentamien-
to en la sociedad y cultura modernas a lo largo del primer tercio del XX
provocó una honda transformación en todos los ámbitos y manifestacio-
nes de la vida y el arte. Su influencia fue tan amplia y decisiva y afectó tan
profundamente a la visión del mundo y de sí mismos que tenían los autores del periodo que resulta muy complicado analizar y evaluar exhaustiva-
mente los numerosos aspectos en los que se manifestó este fenómeno. La
vanguardia, por su deseo de innovación y modernidad, constituye un
campo especialmente abonado para la recepción de estas influencias y su
incorporación al quehacer artístico e intelectual. En el caso de la prosa de
vanguardia, el cinematógrafo desempeñó un papel absolutamente fundamental en la configuración de todos y cada uno de los aspectos en los que
se plasmó su proyecto de transformación del lenguaje narrativo. El espejo
en el que se miraron los escritores de vanguardia a la hora de elaborar su
nueva propuesta estética no fue la tradición literaria ni los logros de sus
predecesores en el predio de las letras, de los que se sentían muy desvincu-
lados, sino el mágico e intenso poder de sugestión de la pantalla, de la que
fueron sus más fieles seguidores y en cuyo estudio y difusión se involucra-
ron de manera decisiva.

Uno de los problemas a los que se ha enfrentado la crítica literaria a la
hora de abordar el estudio de la narrativa de vanguardia es la ausencia de
una definición coherente y comprensiva de la misma. A falta de ésta, la mayor parte de los críticos coinciden en señalar una serie de características generales que deben darse en combinación a la hora de adjudicar a una narración el marbete de vanguardista. Entre este conjunto de características
destacan el antipasatismo, la ruptura con la tradición, el anticonvenciona-
lismo, el antirretoricismo, la concepción lúdica del arte, la quiebra del principio mimético, la inorganicidad, el fragmentarismo, la estructura de *colla-*

ge, la autorreferencialidad y metanarratividad, el hibridismo de géneros, la ausencia deliberada de profundidad psicológica, el imaginismo, la profusión de metáforas, el dinamismo, el subjetivismo lírico, la preeminencia del escenario urbano, el afán cosmopolita, la devaluación de la trama, la inclusión de excursos líricos, la alienación de los personajes y el ritmo vertiginoso de la narración, entre otras, así como la pasión por todo aquello que suene a modernidad: tren, automóvil, aeroplano, teléfono, cinematógrafo, *jazz, boxing, football* y *cock-tails*. Esta multiplicidad de características temáticas y formales es un reflejo directo de la propia heterogeneidad del género, que resulta imposible de reducir a una definición precisa y comprensiva, y por tanto a duras penas puede considerarse tal cosa, asunto que ya abordó en profundidad Pérez Firmat en *Idle Fictions*. En otras palabras, ¿cuántas de las características consignadas debe reunir una novela para ser considerada vanguardista? Hay infinidad de obras que presentan bastantes de los atributos enumerados más arriba y, sin embargo, sabemos perfectamente que no forman parte de este grupo. Por mencionar el ejemplo extremo con el que ilustra este problema Domingo Ródenas de Moya, *El livro de Aleixandre*, obra de la tradición medieval, incluye reflexiones metanarrativas —que Ródenas considera la característica *dominante* de la prosa de vanguardia— y sin embargo en ningún caso puede ser considerada parte de ésta (1998: 16). Una posible solución a este problema la aportó Pérez Firmat al acotar el género de la novela de vanguardia no en función de sus características intrínsecas, sino de una serie de parámetros extrínsecos prefijados, o sea, por medio de la delimitación temporal y espacial de un corpus de unas treinta novelas que aparecieron publicadas fundamentalmente en España y México entre 1926 y 1931 (más los tres epígonos de 1934) en las colecciones «Nova Novorum», «Ulyses» y «Valores Actuales». De este modo, el farragoso problema de tener que establecer un criterio universal de pertenencia para la narrativa de vanguardia se solucionaba por medio de la identificación *a priori* del conjunto de obras que debían clasificarse como tales y que pasaban así a conformar un corpus cerrado, al que se le ha puesto el marbete de «vanguardia histórica» para distinguirla de otros proyectos experimentales y vanguardistas anteriores o posteriores. Para los propósitos de este libro, la propuesta de Pérez Firmat es fundamentalmente válida, con la salvedad de que en mi caso el corpus de esta narrativa incluye en un lugar prominente los relatos breves publicados en las mismas fechas y por los mismos autores en publicaciones periódicas como *Revista de Occidente*, *La Gaceta Literaria* y otras.

La pregunta que surge de inmediato, y a la que debemos intentar dar respuesta, es por qué motivo estos jóvenes autores se lanzaron en grupo y de modo casi febril a escribir este conjunto inclasificable de obras y en el transcurso de tan sólo media década decidieron abandonar el proyecto de manera colectiva. Desde el punto de vista de la historia de la literatura, la narrativa de vanguardia constituye un fenómeno muy poco habitual, tanto por el vigor y abundancia de su producción en términos cuantitativos como por su breve existencia en el tiempo. Resulta muy difícil encontrar antes de ésta un solo movimiento, escuela, género o subgénero que hubiera atraído a tantos autores y con tanto ímpetu en tan exiguo lapso de tiempo. Como se ha dicho ya, entre la partida de nacimiento de este género y su certificado de defunción transcurrió tan sólo un lustro. En este sentido, el surgimiento, desarrollo y desaparición fulminante de la narrativa de vanguardia puede considerarse una anomalía dentro del ámbito de la producción literaria. Mi objetivo en este libro no es elaborar un análisis crítico más o menos convencional de las características de esta narrativa, sino ofrecer una explicación razonable de su etiología o causas originarias, las peculiaridades de su desarrollo a lo largo de sus cinco años de vida y el porqué de su inmediata e irreversible desaparición. Mi concepción de la prosa de vanguardia no se ciñe por tanto a la acepción tradicional de «género» o «subgénero» con sus características y convenciones más o menos fijas, sino que abarca al conjunto heterogéneo y polimorfo de narrativas producidas como resultado de esta afección transitoria que sufrieron durante aproximadamente cinco años un conjunto de escritores, en su mayoría jóvenes, a finales de la tercera década del siglo pasado. Como explico por extenso en el primer capítulo del libro, el elemento medular en el surgimiento de tal anomalía fue sin ningún género de dudas el cine, que cautivó con su magia silenciosa las conciencias creadoras de los narradores de vanguardia.

Aunque la influencia del cine en el arte de vanguardia es algo que han señalado ya numerosos especialistas, en este libro propongo una lectura, explicación o interpretación comprensiva del género o subgénero de la narrativa de vanguardia como resultado del proceso de fusión e incorporación del lenguaje cinematográfico en el novelar y, como consecuencia directa, por tanto, de la influencia del cine sobre ella. Lo que hoy conocemos como narrativa de vanguardia vino moldeado y modelado y adquirió su forma específica como resultado del proceso de incorporación de la nueva estética del cinematógrafo a la vieja estética de la novela. En otras palabras, y dando la vuelta al argumento, la idea de fondo de este libro es que la narrativa de vanguardia tal y como la conocemos hoy no hubiera sido posible sin la influencia decisiva que ejerció sobre los jóvenes escritores de esta generación la aparición y desarrollo del cinematógrafo y la posición hegemónica que éste conquistó en los ámbitos social, artístico y cultural para mediados de los años veinte. Mi objetivo ha sido, por tanto, documentar y estudiar esta presencia e influencia en la configuración general de la nueva narrativa, y hacerlo en un sentido, si no totalizador, al menos lo más abarcador y comprensivo posible. Por este motivo, he omitido deliberadamente el análisis de todos aquellos elementos que no estuvieran directamente relacionados con el objeto de mi estudio. Asimismo, he tenido que seleccionar en cada capítulo las obras que mejor me sirvieran para mostrar los aspectos específicos que discutía allí, lo cual implicaba dejar fuera de mi análisis un número importante de relatos y novelas. Dicho de otra forma, en ocasiones he tenido que sacrificar la versatilidad y riqueza de los textos en aras de una mayor uniformidad y coherencia en mi análisis, mientras que, en otras, he optado por incluir un muestrario mayor de novelas y relatos en detrimento de la profundidad en el estudio de cada obra. En definitiva, he tratado de encontrar un punto de equilibrio entre la fuerza e intensidad de mi argumentación y el alcance o extensión de la misma.

No me gustaría terminar esta breve introducción sin hacer referencia a los numerosos críticos que me han precedido en el estudio de la narrativa de vanguardia y cuyas aportaciones han sido decisivas para este trabajo. Tras años de olvido, estas obras han sido objeto de un número muy estimable de estudios tanto por su cantidad como por su calidad a lo largo de las últimas décadas. Aunque no hay espacio aquí para un análisis detallado de las contribuciones de todos los críticos, me gustaría al menos consignar los nombres de algunos de los más destacados, desde los pioneros Ricardo Gullón, José Carlos Mainer, Darío Villanueva, Eugenio García de Nora, Víctor Fuentes y Paul Ilie, a los trabajos posteriores de Andrés Soria Olmedo, Gustavo Pérez Firmat, José Manuel del Pino, Domingo Ródenas de Moya, Ana Rodríguez-Fischer, Ramón Buckley, John Crispin, Francis Lough, Juan José Lanz, Rafael Fuentes Mollá y Óscar Ayala, entre otros muchos. En el campo más específico de las relaciones del cine con las vanguardias, y especialmente con la literatura, uno de los textos pioneros fue *This Loving Darkness* (1980) de Cyril Brian Morris, que, pese a estar centrado fundamentalmente en la poesía, dedica el último capítulo a los novelistas españoles. Víctor Fuentes (1990) ha analizado también la influencia del cine en la narrativa del periodo, sobre todo en obras de Ayala, Espina y Jarnés. Algo

semejante a lo propuesto por éstos, pero centrado en el grupo de «los contemporáneos» mexicanos, ha sido estudiado por Aurelio de los Reyes
(1991). Vicente Sánchez-Biosca (1998), por su parte, ha investigado los
proyectos culturales de los años veinte en los que confluyeron los escritores
de la vanguardia con el mundo del séptimo arte, línea de investigación que
vino a completar *Proyector de luna* de Román Gubern (1999). En una línea
semejante, Alfonso Puyal analizó en *Cinema y arte nuevo* (2003) la recepción crítica del cine y su impacto en las vanguardias artísticas de los años
veinte. En *Montajes y fragmentos* (1995) José Manuel del Pino ha examinado la estructura fragmentaria de la nueva narrativa y la influencia del montaje cinematográfico en sus principios compositivos. Otros trabajos del
mismo autor se pueden encontrar en *Del tren al aeroplano* (2004), sobre
todo los dedicados a la discusión de las estéticas teatral y cinematográfica en
los años veinte, y los trabajos de Espina sobre teoría del cine y la figura de
Charlot como nuevo héroe de la vida moderna. Por último, hay un número considerable de obras colectivas sobre la vanguardia, de las que destacaré
sólo tres que ofrecen mayor espacio a las relaciones entre cine y narrativa:
Ludus. Cine, arte y deporte en la literatura española de vanguardia (2000), en
particular el artículo de Luis García Montero sobre el cine y la mirada moderna; *La imprenta dinámica* (2001), sobre todo los trabajos de Román
Gubern, Eduardo Rodríguez Merchán, José Luis Borau y Carmen Peña; y
el más reciente *Vanguardia española e intermedialidad: artes escénicas, cine y
radio* (2005), en especial los artículos de Francis Lough, Dagmar Schmelzer
y Brigitte Magnien. A lo largo del libro irán apareciendo referencias a éstos
y otros críticos, con cuyas ideas y propuestas he tratado de establecer un
diálogo lo más fecundo posible.

Este libro está dividido en seis capítulos, de los cuales el primero y el último tienen una cierta función de apertura y cierre. El primer capítulo ofrece un panorama general de los efectos del cine sobre el campo de la producción cultural española en los años veinte y su recepción por parte de los
narradores de vanguardia. Pese a su enorme interés por el séptimo arte, la
relación de los escritores de vanguardia con el cine fue una relación cambiante y compleja, y su estudio es fundamental de cara a comprender el alcance y particularidades de la influencia que el cine ejerció sobre ellos. Tras
este primer capítulo general, los cuatro siguientes están dedicados a aspectos específicos de la narrativa de vanguardia en los que se puede apreciar
esta influencia. En el primero de ellos, el capítulo dos, analizo la incorporación de los procedimientos del montaje y el *découpage* cinematográficos

como principios articuladores de la nueva narrativa, así como la presencia en ella de la estética fotogénica, que amplía las posibilidades del protagonismo para incorporar los objetos como entidades significantes a la narración. En el tercer capítulo me centro en la influencia del lenguaje fisiognómico y corporal, especialmente el del rostro, propios de la expresión cinematográfica, en el nuevo modelo de caracterización de los personajes de vanguardia. En el capítulo cuarto me intereso por la presencia fundamental de la experiencia onírica y el mundo de los sueños en la nueva narrativa, interpretada a partir de una serie de textos críticos y teóricos sobre el lenguaje visual del cine y el lenguaje de los sueños. Finalmente, en el último capítulo de esta serie, el quinto del libro, me ocupo de la reducción ontológica de los personajes de la nueva narrativa a meras apariencias fantasmáticas, que encuentran su referente directo en las figuras mudas de luz y sombra que pueblan la pantalla, y estudio asimismo el modo de representación de los personajes femeninos por medio de una nueva mirada masculina condicionada por los placeres visuales —escopofílicos— aprendidos en el cine.

Como colofón, me ha parecido conveniente incluir al final del libro un último capítulo que hace también las veces de conclusión, dedicado al análisis de dos novelas de vanguardia, *El marido, la mujer y la sombra* de Mario Verdaguer y *Novela como nube* de Gilberto Owen. Estas novelas ofrecen una reflexión metatextual sumamente interesante desde el punto de vista de la relación entre la nueva narrativa y el cine. Aunque no quiero adelantar acontecimientos, ambos autores problematizan la posibilidad misma de fusión real de los lenguajes narrativo y cinematográfico, y en último término pronostican el destino que al cabo les esperó a ellos mismos y al resto de narradores de vanguardia.

1.

LOS NARRADORES DE VANGUARDIA Y EL CINE: CRÓNICA DE UN DESLUMBRAMIENTO

> La rivalidad entre cine y literatura es un hecho innegable de la cultura contemporánea. El desarrollo del cine amenaza sin ninguna duda la cultura de la lectura.
>
> Boris Eikhenbaum (1998a: 202)

> El nuevo poema lo oiremos con los ojos. El poema es visión, no caracoleos de aula, y la visión podrá ser transportada a la cinta, íntegramente, sin que las palabras la mancillen.
>
> Benjamín Jarnés (1927: 3)

Aunque la influencia del cine se ha dejado sentir en toda la producción artística y cultural posterior a su aparición y desarrollo, la narrativa de vanguardia constituye un caso excepcional de fusión, superposición y acoplamiento del lenguaje del cine en la prosa literaria.[1] El cine no nació con la vanguardia; sin embargo, la afirmación inversa —que la vanguardia nació con el cine, al menos en su vertiente narrativa— es una proposición que, como espero mostrar en este libro, se ajusta bastante a la realidad. El cinematógrafo Lumière fue creado en Francia en 1895, y desde entonces inició

---

[1] Numerosos críticos han señalado el interés de los narradores de vanguardia por el cine. José Manuel del Pino, por ejemplo, afirma que «el cine aparece ante los ojos de los vanguardistas como el espectáculo de masas que viene a sustituir a un teatro burgués en decadencia. La técnica cinematográfica se convierte en un objeto estético sobre el que recae gran interés. [...] Gran parte de la fascinación ante el medio está basada precisamente en ser la única forma artística a la que se puede aplicar con todo derecho el calificativo de nueva» (1995: 52-53).

un proceso imparable de crecimiento y expansión por todo el mundo. En sus momentos iniciales el cinematógrafo fue considerado un espectáculo de feria, una diversión popular «sin vocación artística» dirigida «a un público de nula cultura libresca y escasa alfabetización», como ha señalado Vicente Sánchez-Biosca (2004: 29). El cinematógrafo llegó a España pocos meses después de su nacimiento, aunque todavía en condiciones muy precarias, como las propias películas que se realizaban por entonces. No obstante, y pese a encontrarse en su etapa de tanteos iniciales, el cine suscitó un gran interés desde sus comienzos por su enorme potencial como medio de comunicación y expresión.

Una de las primeras novelas que incluye referencias al cinematógrafo en España es la nada vanguardista *Aurora roja* (1904) de Pío Baroja, novela con que culmina *La lucha por la vida*. En esta trilogía Baroja ofrece un panorama descarnado del Madrid marginal de finales del siglo XIX y comienzos del XX, periodo que comprende la llegada de los primeros cines ambulantes a España. La escena del libro que el autor dedica a una sesión de cinematógrafo constituye una muestra muy ilustrativa de su estado de desarrollo todavía muy rudimentario en el Madrid del cambio de siglo:

> Don Alonso estaba con Salomón de criado y de voceador del cinematógrafo. Tenía un frac y unos pantalones encarnados, una comida regular..., lo bastante para ser feliz. Era un buen escenario para que don Alonso luciese sus habilidades. Allí, a la puerta de la barraca, el hombre tiraba diez o doce bolas al alto y las iba recogiendo rápidamente; hacía luego danzar por el aire una botella, un puñal, una vela encendida, una naranja y otra porción de cosas.
>
> —¡Entrad, señores, a ver el cinecromovidaograph! —gritaba—. Uno de los adelantos más grandes del siglo XX. Se ve moverse a las personas. ¡Ahora es el momento! ¡Ahora es el momento! Va a comenzar la representación. ¡Un real! ¡Un real! Niños y militares, diez céntimos.
>
> Entre las películas del cinecromovidaograph había: *La marcha de un tren, La escuela de natación, Un baile, La huelga, Los soldados en la parada, Maniobras de una escuadra*, y, además, varios números fantásticos. Entre éstos, los más notables eran uno de un señor que no puede desnudarse nunca, y otro de un hombre que roba y a quien le perseguían dos polizontes, y se hace invisible y se escapa de entre los dedos de sus perseguidores y se convierte en bailarina y se ríe del juez y de los guardias (1969: 173-174).

La referencia al cinematógrafo por parte de Baroja no pasa de ser una pincelada costumbrista de tono humorístico sobre la precariedad y el ambiente de barraca en que se desenvolvieron los primeros cines ambulantes en España. A la altura de 1904 el cine era básicamente ese espectáculo de barraca de feria a caballo entre el funambulismo y la experiencia esotérica sobre el que el escritor arroja una mirada irónica y condescendiente. Sin embargo, desde la llegada de los primeros proyectores cinematográficos a España a finales del siglo XIX hasta comienzos de la tercera década del pasado siglo, el cine experimentó un desarrollo técnico y artístico realmente extraordinario. Este desarrollo se vio acompañado a su vez de un interés teórico y crítico cada vez mayor por aquel poderoso fenómeno expresivo. El primer proyecto de análisis y crítica sistemáticos sobre el cine en España es probablemente la columna semanal que Ortega y Gasset creó en su periódico *El Imparcial* a inicios de 1915. De la columna se hizo cargo primero Federico de Onís, que tuvo que dejarla en tan sólo cuatro semanas para tomar posesión de su cátedra de Literatura en la Universidad de Oviedo, y después el tándem formado por los mexicanos Alfonso Reyes y Martín Luis Guzmán, todos ellos procedentes del ámbito literario.[2] Sin embargo, harían falta diez años más de desarrollo técnico y artístico, hasta la segunda mitad de los años veinte, para llegar al periodo de auténtica eclosión de la teoría y crítica cinematográficas en España, que se corresponde exactamente con la etapa de las vanguardias históricas. Para entonces, en un intervalo de poco más de dos décadas desde su alumbramiento, el arte cinematográfico internacional había dado ya algunos de sus frutos mejores y más duraderos: el cine de géneros y la comedia muda de Hollywood, el expresionismo alemán, el cine-arte impresionista y el surrealismo francés —en el que destacan los españoles Buñuel y Dalí—, y el cine de la revolución rusa, con sus aportaciones en materia de composición y montaje.

Ya desde comienzos de la Gran Guerra algunos autores e intelectuales europeos habían venido pronosticando el efecto que la irrupción y fulgurante emergencia del cine tendría en el panorama de las artes y la cultura mundiales.

---

[2] Martín Luis Guzmán recogió las notas de su autoría en *A orillas del Hudson*. Los artículos de todos ellos —Onís, Reyes y Guzmán— se encuentran recogidos en el breve volumen *Frente a la pantalla* —título de la columna de cine que escribían en el semanario *España*—, publicado por la UNAM en su colección «Cuadernos de Cine» en 1963. En el año 2000 Héctor Perea recogió de nuevo los textos en *Fósforo, crónicas cinematográficas*. Más recientemente, Manuel González Casanova ha editado todos estos artículos junto con una extensa introducción en el volumen *El cine que vio Fósforo. Alfonso Reyes y Martín Luis Guzmán*, editado por el Fondo de Cultura Económica en 2003. En adelante citaré por esta edición.

El cinematógrafo empezaba entonces a ser visto por las vanguardias artísticas como la cifra y compendio de todas las artes. Así lo hacía por ejemplo el italiano Ricciotto Canudo en su «Manifiesto de las Siete Artes» de 1914, en el que afirmaba que toda la tradición artística occidental desembocaba y culminaba en el cine: «Finalmente el "círculo en movimiento" de la estética se cierra hoy triunfalmente en esta fusión total de las artes que se llama "Cinematógrafo"» (1998: 17). En una línea semejante, Marinetti y sus correligionarios proclamaban en su manifiesto «La cinematografía futurista» de septiembre de 1916 el final de la cultura escrita y su sustitución por el cinematógrafo, más afín a los nuevos tiempos que corrían:

> El libro, estático compañero de los sedentarios, de los nostálgicos y de los neutrales, no puede divertir ni exaltar a las nuevas generaciones futuristas ebrias de dinamismo revolucionario y belicoso [...]. El cinematógrafo futurista que estamos preparando, deformación jocosa del universo, síntesis lógica y fugaz de la vida mundial, será la mejor escuela para los jóvenes: escuela de alegría, de velocidad, de fuerza, de temeridad y de heroísmo (1998: 20).

Unos años más tarde, el crítico y cineasta húngaro Béla Balázs, en su ensayo *Der sichtbare Mensch oder die Kultur des Films* de 1924, presagiaba el fin de la cultura de la palabra, instaurada en el mundo occidental tras la invención de la imprenta, y el advenimiento en su lugar del reino de la imagen: «At present a new discovery, a new machine is at work, to turn the attention of men back to a visual culture and give them new faces. This machine is the cinematographic camera. Like the printing press, it is a technical device for the multiplication and distribution of products of the human spirit; its effect on human culture will not be less than that of the printing press» (1952: 40).[3] Al año siguiente —1925— Léon Moussinac publicaba *Naissance du cinéma*, en el que saludaba el inicio de una nueva era en la cultura artística tras la invención del cinematógrafo.[4] Por citar so-

---

[3] La referencia de Balázs al cine como «un instrumento técnico para la multiplicación y distribución de productos del espíritu humano» destaca un aspecto del cine sobre el que pocos años después reflexionaría Walter Benjamin en su artículo «La obra de arte en la época de su reproductibilidad técnica».

[4] El libro iba dedicado a uno de los primeros estudiosos franceses del cine, Louis Delluc —fallecido el año anterior—, que ha pasado a la historia de la crítica cinematográfica por ser el creador del término «fotogenia». El párrafo con que se abre el libro de Moussinac resume bien el sentimiento de novedad y cambio cultural que trajo consigo el nacimiento del sépti-

lamente un último ejemplo de los muchos que se podrían aducir, el francés Jean Cassou, en un artículo titulado «Desafección de la palabra» aparecido en *La Gaceta Literaria* el 15 de octubre de 1928, afirmaba que «estamos asistiendo a una desafección de la palabra, del Verbo», y concluía que «ahora está completa la decadencia. La ruina del teatro, los trabajos del P. Jousse, el éxito de las técnicas puras, y, en fin, el triunfo del cinematógrafo, han consagrado el ocaso del discurso» (1928: 4).

La idea de que el cine constituía el acontecimiento inaugural de una nueva etapa o ciclo histórico-artístico fue extendiéndose también en el ámbito intelectual español, especialmente entre los escritores más jóvenes y comprometidos con la renovación de los medios artísticos y estéticos. El filósofo Fernando Vela, discípulo de Ortega y muy cercano al mundo de las vanguardias en España, fue uno de los primeros en asumir y desarrollar la propuesta de Balázs sobre la revalorización de los aspectos visuales que traía consigo la cultura cinematográfica. En su artículo «Desde la ribera oscura. (Sobre una estética del cine)» de 1925, Vela afirmaba que «el cine nos enseña a ver, y con su gran lupa y su reflector nos lleva los ojos como de la mano y nos obliga a palpar ocularmente el contorno de las cosas» (209). De modo semejante, Guillermo Díaz-Plaja reivindicaba por las mismas fechas la prevalencia del «cine-cine» como «imagen expresiva, que revaloriza las superficies, la cultura sensible, el mundo exterior» (1943: 85). Por su parte el artista y crítico de arte Sebastiá Gasch afirmaba que el cine era «el arte nuevo por excelencia» (1928c: 4). El joven crítico César Muñoz Arconada iba un poco más lejos al apuntar que «la literatura no existe como gran arte» y que «la literatura —hoy— no es nada», y defendía que «la única literatura que existe —la nueva— está al servicio del cine» (1928: 4). Algo semejante defendía Concha Méndez cuando declaraba que «ninguna de las artes conocidas hoy: literatura, pintura, escultura, arquitectura, música, etc., podrán llegar en su desarrollo a lo que este nuevo arte del Cinema» (1928b: 6). Las citas que se podrían traer a colación son numerosas y todas conducen a la misma conclusión: la irrupción y desarrollo técnico del cinemató-

---

mo arte: «Nous vivons des heures admirables et profondément émouvantes. Dans le grand trouble moderne, un art naît, se développe, découvre une à une ses lois propres, marche lentement vers sa perfection, un art qui sera l'expression même, hardie, puissante, originale, de l'idéal des temps nouveaux. Et c'est une longue et dure étape, à la beauté de laquelle trop peu croient encore parce qu'ils n'en ont pas compris pleinement la formidable vérité» (1925: 7).

grafo, sus logros artísticos, su impacto social, su poder de sugestión lírica, el desarrollo de las técnicas compositivas del lenguaje cinematográfico, la cultura de la fotogenia, su particular tratamiento del espacio, en fin, todos los aspectos del cinematógrafo que crecieron y se desarrollaron de forma exponencial a lo largo de sus tres primeras décadas de vida, conmocionaron el mundo del arte y lo transformaron de manera irreversible.[5]

Uno de los primeros escritores españoles en reflexionar sobre la importancia del cine desde la narrativa literaria fue Rafael Cansinos-Asséns, antiguo director de la revista *Cervantes* y una de las personalidades poéticas más destacadas del movimiento ultraísta, del que fue cofundador. Su novela *El Movimiento VP*, de 1921, se ha solido interpretar precisamente en clave de parodia del movimiento ultraísta y, en efecto, parece obvio que muchos de los personajes de su novela fueron creados a imagen y semejanza de personas reales del ambiente literario madrileño de aquellos años. Con todo, *El Movimiento VP* es también la principal precursora en España de la novela de vanguardia y en ella aparecen ya algunos de los temas fundamentales que serán desarrollados por los narradores vanguardistas posteriores. El más importante de estos temas, expresado en la obra en clave metanarrativa, es el papel central que el cine ocupa en la novela como referente insoslayable de cualquier arte, pero especialmente el literario, que quisiera desarrollar una estética auténticamente novedosa. Esta idea se hace ya presente en las primeras arengas del «Poeta de los Mil Años» a los «viejos poetas jóvenes» al comienzo de la obra:

> —¡Oh mis viejos poetas jóvenes! ¡Salid de esas covachas donde envejecéis en un tiempo medido por los relojes más lentos! ¡Salid al tiempo nuevo, al tiempo que miden relojes de una velocidad que nunca sospechasteis! Salid de vuestra noche eterna, en la que nunca ha amanecido y del paisaje eterno en que hace tanto tiempo os inmovilizáis. Ni la ciudad ni el campo son ya como los cantáis vosotros. Galatea no es ya la moza de cántaro que sonrió a Teócrito, sino la cowgirl del Far-West, que practica todos los deportes, viste falda pantalón y maneja, como un falo portátil, desplazable y certero, el revólver norteamericano, esa múltiple maravilla: reloj, linterna, dínamo, que petrifica a los hombres y detiene a los trenes y deshiela a los ríos, y es más eficaz en una mano resuelta que la antigua testa de la Medusa. Todo, todo ha cambiado a vuestro alrededor (Cansinos-Asséns 1978: 14).

[5] Para una exposición general sobre la recepción del cine por parte de las vanguardias históricas en España y sus elaboraciones críticas y teóricas, se pueden consultar, entre otros, *Proyector de luna* de Román Gubern y *Cinema y arte nuevo* de Alfonso Puyal.

Aunque el fragmento hace referencia a los deportes, la moda, el maquinismo y otros aspectos de la modernidad que han sido destacados en numerosas ocasiones por la crítica especializada como características fundamentales del arte de vanguardia, el elemento central del nuevo signo de los tiempos de acuerdo con la novela de Cansinos son la *cowgirl* del *Far-West* y su revólver, elementos todos ellos llegados a España a través de los primeros *westerns*. En este sentido es particularmente interesante la relación de continuidad que establece el «Poeta de los Mil Años» entre la Galatea de Teócrito, símbolo de la gran tradición literaria griega y particularmente de la poesía bucólica, y la *cowgirl* armada con un revólver como un falo. Para el personaje de Cansinos, Galatea no es ya «como la cantáis vosotros» sino como la canta el cinematógrafo, medio que aparece convertido en paradigma de la expresión artística de la modernidad. Las ideas de Canudo y de los futuristas italianos, entre otros, sobre la culminación del arte y de la tradición artística occidental en el nuevo *arte total* del cine, encuentra fiel reflejo en las palabras del personaje, que aparecerán repetidas en varios lugares a lo largo de la novela. Al final de la obra, cuando el «Poeta de los Mil Años» ha fracasado en su proyecto de renovación del arte local, el poeta Renato —tradicionalmente identificado con el poeta chileno Vicente Huidobro, quien ya para entonces había escrito su muy cinematográfico *Cagliostro*— viene a recogerlo en avioneta y le invita a que vaya con él a América, sede del arte auténticamente nuevo. El «Poeta de los Mil Años» accede inmediatamente a la propuesta y, en pie sobre las alas del «pájaro nuevo», entrega a voz en grito su postrero testamento espiritual:

> —Sí; vamos a América. Siempre suspiré por esa tierra virgen, que es como una Europa redimida [...]. Por ella el arte y la cultura no podrán perecer ya [...]. Sí; ese balón rojo que cada día lanzan al mar los pies de los campeones de Eton, recógenlo allí para continuar la jugada los paladines de Harvard y Connecticut. América es la salvación de Europa. De allí llega hasta nosotros este aire grande que nos dota de alas. De allí llega también la gran misericordia del arte verdaderamente cristiano; la piedad de las typewriters que redimen los ojos de los amanuenses, y las grandes locomotoras y el fonógrafo que es la comunión de los santos y el cinematógrafo, resurrección de la carne y este nuevo paráclito, invocado por las plegarias de los inventores. Sí; vayámonos a América (ibid.: 255-256).

La referencia al cinematógrafo como el paráclito, el invocado, también intercesor y abogado, podía tener para Cansinos sentidos y connotaciones procedentes de la tradición cabalística, en la que siempre estuvo muy interesado, pero los lectores españoles al uso sólo podían entenderla como una referencia a ese *espíritu santo* de las artes que era el único auténticamente capaz de resucitar la carne moribunda de la vieja estética. El protagonista de *El Movimiento VP* se convierte así en el primero en señalar y anunciar ya desde fecha tan temprana la clave en la que reside todo el proyecto de renovación de la vanguardia literaria posterior: la venida del espíritu del cinematógrafo en forma de lenguas de fuego sobre los nuevos escritores, en un Pentecostés que estaba ya transformando profundamente el panorama de las artes.

Otro de los textos precursores de la narrativa de vanguardia en el que se puede detectar la presencia del cine como una influencia fundamental del nuevo proyecto literario, muy en consonancia con la propuesta de Cansinos, es *El incongruente* (1922) de Ramón Gómez de la Serna. Aunque su novela *Cinelandia* (1923), un año posterior, se ha considerado con frecuencia como el primer ejemplo de ficcionalización narrativa del mundo del cine —con especial énfasis en la aparición del *star system*, la actividad de las grandes productoras y estudios cinematográficos o las excentricidades de las estrellas más populares del momento (Gubern 1999: 19-21)—, es *El incongruente* la obra que de forma más original plantea la necesidad del maridaje de las técnicas narrativas con el nuevo modelo cinematográfico. La novela narra la extraña y absurda —«incongruente»— vida de Gustavo, el protagonista, a quien le suceden todo tipo de desventuras inexplicables (de naturaleza profundamente ramoniana) que han llevado a Gubern a calificar la novela de «absurdista y protosurrealista» (ibid.: 18).

Como en el caso del *Movimiento VP*, mi lectura de este texto es también fundamentalmente metanarrativa y parte de que el personaje de Gustavo puede interpretarse como un reflejo autorreferencial de la joven generación de escritores, atrapados en ese momento crítico de transición entre el viejo mundo de la narrativa tradicional que rechazaban, y el nuevo mundo, todavía no perfectamente delineado, de su propio proyecto de renovación estética. Esta lectura metanarrativa viene auspiciada por las referencias que el propio texto incluye a la afición a la escritura de Gustavo, de quien se nos llega a ofrecer todo un capítulo dedicado a las anotaciones en forma de greguerías que el personaje había ido escribiendo en un libro ficticio titulado *Mayor* (Gómez de la Serna 1922: 12-18). Las semejanzas entre la escritura del protagonista de la novela y el propio Gómez de la Serna son evidentes, y creo que no es excesivo afirmar que hay un reflejo autorreferencial de la peripecia creativa del autor en la peripecia vital de su personaje. Asimismo, la reflexión en torno al oficio de creador y el arte en general es el asunto central del capítulo XII de la novela, en el que llega a la casa de Gustavo un coleccionista de arte para tasar sendos cuadros de Velázquez y Leonardo que el protagonista tenía en su poder. El Velázquez se encontraba oculto bajo un retrato del abuelo de Gustavo, por lo que el tasador aplica una serie de productos químicos al cuadro con el fin de eliminar la capa superior de pintura y exhumar la obra original. Sin embargo, una vez desaparecido el retrato del abuelo, en lugar de la pintura de Velázquez que esperaban encontrar, lo único que queda es el lienzo en blanco, vacío. En el caso del cuadro de Leonardo, cuyo motivo era un rostro de mujer con una sonrisa tan incandescente y una expresión tan viva que la madre del protagonista solía ponerse de espaldas a él porque le parecía una presencia *demasiado real*, ni siquiera era un cuadro, sino un espejo en el que durante todos aquellos años se había reflejado una figura femenina misteriosa que nadie puede explicar. Aunque se salen de mi objeto de análisis y por tanto me limito simplemente a señalarlos, ambos pasajes contienen una propuesta sobre la valoración de la tradición artística, el papel de esta tradición en el proceso de creación, los diferentes modelos de relación de la obra de arte con su referente y otras reflexiones meta-artísticas que están en perfecta consonancia con la preocupación general en torno a la naturaleza del arte que afectó a toda la generación de la vanguardia.

La parte de *El incongruente* que más interesa a los propósitos de esta introducción es el último capítulo, en el que por medio del cine y de la fusión de la ficción novelesca con la cinematográfica se produce la curación de Gustavo y la consiguiente reconciliación del absurdo y la incongruencia vital a la que el personaje había estado condenado hasta entonces. Es esta propuesta final de sanación lo que permite hacer una lectura general del texto como una reflexión metanarrativa sobre el carácter obsoleto, absurdo, agotado —incongruente— de la escritura tradicional y la necesidad de ésta de abrazarse y fusionarse con la novedad fascinante del cinematógrafo.[6] La «incongruencia» de Gustavo, su insatisfacción vital —cuya solución en un momento de la novela va a buscar a París, como tantos otros artistas de la época— es la insatisfacción vital de toda una nueva generación de escrito-

---

[6] Como veremos, este modelo de reflexión metanarrativa sobre la fusión «amorosa» o acoplamiento de las narrativas cinematográfica y literaria sería continuado por otros autores de vanguardia como Gerardo Diego, Mario Verdaguer o el «contemporáneo» mexicano Gilberto Owen.

res, particularmente narradores, que, si bien habían decretado la muerte del arte tradicional, no habían conseguido dar todavía con la fuente de renovación de la que resurgiría su nueva estética ni los términos específicos de ésta. En el caso del incongruente Gustavo, es precisamente el cine la fuente de esa nueva inspiración, el modelo y reflejo en el que se mira a sí mismo como protagonista de la ficción en el último capítulo de la novela: el cine es para él el único medio posible de representación del mundo moderno que le rodea. El cine salva al protagonista de su dolor y ansiedad vitales, lo redime, le ofrece un nuevo modelo de expresión y representación del mundo mucho más acorde a los tiempos nuevos que corrían. En definitiva, si la obra comenzaba con el reconocimiento desesperado por parte del narrador de que «ni de la novela de esta misma época ni de la de después se pueden seguir con cierta cronología las peripecias [de Gustavo]. Tiene que ser una incongruencia la misma historia de su vida y la de la elección de capítulos» (11), al final de ésta, tras la experiencia transformadora y taumatúrgica del cinematógrafo, el propio personaje de Gustavo ha descubierto ya la respuesta a todos sus interrogantes y afirma triunfal que «si se pudiesen proyectar de alguna manera los destinos, no sería por medio de la escritura en una lectura interminable, no, sino así, por medio de la película...» (199).

Desde los inicios mismos de la narrativa de vanguardia —y las obras de estos precursores son un ejemplo muy elocuente—, los escritores plantean, aunque sea todavía en un modo muy precario, la tensión que empieza a producirse entre el cine y la narrativa literaria. Esta tensión, que es también crisis y conflicto, y que se manifestará en diferentes momentos a lo largo de la exigua vida del género en tendencias contrapuestas de atracción y repulsión, constituye a mi juicio el motivo de fondo, causa última y preocupación fundamental de los autores de la narrativa de vanguardia. Tanto la proclama de Cansinos-Asséns por boca del «Poeta de los Mil Años» como la reflexión de Ramón a través del personaje de Gustavo tenían un marcado carácter profético, como un anuncio adelantado de lo que habría de venir. Sin embargo, por más que ambos autores fueran capaces de intuir los cambios que se avecinaban, su generación no había sido abducida por el espíritu del cine de la manera en que lo sería la generación posterior, la de los narradores de vanguardia. De hecho, en las fechas en que se publican *El Movimiento VP* y *El incongruente*, a comienzos de los años veinte, ni siquiera los mismos jóvenes que liderarían la vanguardia estaban todavía seguros, al menos no a un nivel totalmente consciente, de lo que el cine podía significar en términos artísticos. Luis Buñuel, que participó en la vanguardia li-

teraria antes de dedicarse al cine, describió en sus memorias el cambio que
se produjo a comienzos de aquella década, cuando vivía en la Residencia de
Estudiantes de Madrid, en la apreciación y la opinión que del cine tenían
los jóvenes escritores de su promoción intelectual:

> Durante aquellos años se abrían en Madrid nuevos cines, que atraían a un
> público cada vez más asiduo. Íbamos al cine unas veces con alguna novia, para
> poder arrimarnos a ella en la oscuridad, y entonces cualquier película era bue-
> na, y otras, con los amigos de la Residencia. En este último caso preferíamos las
> películas cómicas norteamericanas, que nos encantaban: Ben Turpin, Harold
> Lloyd, Buster Keaton, todos los cómicos del equipo de Mack Sennet. El que
> menos nos gustaba era Chaplin.
>   El cine no era todavía más que una diversión. Ninguno de nosotros pensa-
> ba que pudiera tratarse de un nuevo medio de expresión, y mucho menos, de
> un arte. Sólo contaban la poesía, la literatura y la pintura. En aquellos tiempos
> nunca pensé que pudiera hacerme cineasta.
>   Al igual que los demás, también yo escribía poesías (1983: 76).

En los años de transición entre la segunda y tercera décadas del siglo pasado —en el caso de Buñuel, entre 1917 y 1925— el cine se percibe como
«una diversión» cuyo interés para el joven estudiante calandino parece resi-
dir más en la acogedora oscuridad que proporcionaba la sala de proyección
a las parejas de enamorados que en las películas mismas que se proyectaban
en la pantalla. Según la cita, por entonces los jóvenes estudiantes de la *Resi*
estaban todavía muy lejos de poder «pensar» siquiera en el cine como un
«arte» que compitiera con la poesía, la literatura o la pintura. Sin embargo,
ya estaba a la vuelta de la esquina ese cambio de apreciación, cuyos principales agentes durante la segunda mitad de los años veinte serían precisamente el propio Buñuel y el resto de integrantes de la alegre cuadrilla vanguardista, junto con algunos otros jóvenes escritores de los círculos
literarios del Madrid de la época: Fernando Vela, Francisco Ayala, Antonio
Espina, Benjamín Jarnés, Ernesto Giménez Caballero, Luis Gómez Mesa,
César Arconada, Miguel Pérez Ferrero, Corpus Barga, por citar sólo algunos de los más destacados.

Con todo, aquel cambio fundamental todavía no se había producido en
el periodo que Buñuel rememora y el cine aún no era lo que llegaría a ser
un par de años más tarde. En los términos acuñados por Pierre Bourdieu,
podríamos decir que el campo de la producción literaria de mediados de los
años veinte, al menos entre los jóvenes o los que se tenían por tales, estaba

dominado por la poesía, que era sin duda el género que más alto cotizaba en el mercado del capital simbólico de la época (algo que explicaría, entre otras cosas, la enorme atención crítica recibida por los poetas de la llamada Generación del 27 frente a la más escasa recibida por el grupo de narrado-res de vanguardia de este mismo periodo).[7] Buñuel afirma que por entonces al cine se iba sólo «a divertirse» y que ni siquiera pensaban que «pudiera tra-tarse de un nuevo medio de expresión, y mucho menos, de un arte. Sólo contaban la poesía, la literatura y la pintura» (1983: 76). Por aquellos años Buñuel, «al igual que los demás» jóvenes de su generación, quería ser poeta y, de hecho, llegó a escribir un poemario titulado *Un perro andaluz* que to-davía hoy es virtualmente desconocido salvo para un número bastante re-ducido de especialistas. Aquel poemario de Buñuel no aparecería publicado hasta un par de años antes de la muerte de su autor décadas más tarde, en-tre otras cosas —y ésta es la cuestión fundamental— porque durante el proceso de composición del mismo se produjo una subida radical en la co-tización de los valores cinematográficos en el mercado del capital simbólico que cambiaría para siempre el campo de la producción cultural, dentro y fuera de España. El cine, entonces sí, había pasado a ser la nueva panacea de la expresión artística. En aquel momento Buñuel tomó la decisión de ven-der todas sus acciones de poeta e invertir los magros beneficios obtenidos en su carrera cinematográfica. Y el resultado de esta operación no pudo ser mejor: el nuevo *perro andaluz* de Buñuel —y Dalí— se convirtió en un fla-mante cortometraje surrealista de 15 minutos escasos que todavía hoy críti-cos de todo el mundo siguen incluyendo en la lista de las diez mejores obras de la cinematografía universal (por más que esta opinión sea enteramente discutible). Sin ánimo de restarles un ápice de mérito a los creadores de *Un perro andaluz*, lo cierto es que con un guión escrito en una semana de vaca-ciones en la casa del padre de Dalí en Figueras y un rodaje de dos semanas financiado por su propia madre, Buñuel se convirtió de la noche a la maña-na en una de las figuras más prestigiosas y admiradas del panorama cultural europeo.

Este cambio radical en la apreciación y valoración del cine como medio de expresión artística por parte de los jóvenes escritores de aquel periodo es absolutamente decisivo de cara a comprender el fenómeno de la narrativa

---

[7] Para una explicación sobre el funcionamiento del campo de producción cultural según Bourdieu, ver su libro *Las reglas del arte. Génesis y estructura del campo literario* (1995).

de vanguardia, en cuya génesis y desarrollo el cine desempeñó un papel fundamental. Aunque muy pocos de los jóvenes escritores de esta época tuvieron la oportunidad —o las ganas o el coraje— de dedicarse al séptimo arte, todos ellos vivieron con auténtica fascinación su desarrollo artístico durante la segunda mitad de los años veinte. Los autores que participaron del ambiente cultural del Madrid de aquellos años en los que se forjó la narrativa de vanguardia —la famosa Residencia de Estudiantes, las muchas y variadas revistas en las que publicaron sus textos, las tertulias y *peñas* literarias y artísticas, el Cineclub Español— han señalado de manera constante la importancia del cine en su proceso de formación y maduración como escritores. Al caso de Buñuel, que acabamos de mencionar, se pueden añadir los de Ayala, Jarnés, Chacel, Alberti y otros. Francisco Ayala, por ejemplo, ha evocado en *Recuerdos y olvidos* la influencia que el cine ejerció sobre su obra y la de otros narradores del periodo:

> A la vez que probaba mi mano en las prosas de vanguardia, escribía también varias viñetas y algún ensayo acerca de cine, que luego iban a reunirse en un volumen. Para mí como para toda mi generación el cine constituyó una experiencia fundamental; había nacido —puede decirse— con nosotros, y forma parte de nuestra vida. La primera vez que vi una película, siendo todavía muy niño, el espectáculo se me quedó grabado indeleblemente en la memoria. [...]
>
> Mi afición al cine se hizo insaciable, y ha persistido a lo largo del tiempo hasta ahora. En la época a que me refiero compartía con mis compañeros de letras la admiración por el cine ruso, por el cine experimental, por las películas de Charlot (1984: 121-122).

El impacto de la experiencia cinematográfica fue enorme en los autores y creadores de la vanguardia, tanto en su etapa juvenil como anteriormente en su infancia, como confirma Francisco Ayala, para quien aquella primera película fue un espectáculo de carácter iniciático que se le «quedó grabado indeleblemente en la memoria». Rosa Chacel ofrece una descripción semejante en *Desde el amanecer*, donde escribe que «la fascinación con el cine no era comparable con nada. Todo en el cine era fascinador» (1972: 148). En otro momento afirma que «el cine, antes de inaugurarse, ya era esperado por nosotros con ansiedad» (ibid.: 152-153). Y, en efecto, la inauguración del cine llegó y las expectativas creadas en aquella niña de menos de diez años no quedaron defraudadas:

Dentro todo era simple y pobre, bancos de madera, techo de lona como una tienda de campaña, y enseguida la oscuridad envolvente, cobijadora, encauzadora de la atención con fuerza magnética [...]. Y allí surgía el caballo al galope y el hombre perseguido y el perseguidor. Y todo ello era tan deslumbrante como los colores celestiales, pero en blanco y negro furiosos. Las figuras tenían un aire de familia con las de los grabados, pero en éstas no se veía la retícula formada por el buril: eran de luz y sombra, la sombra de los cuerpos perseguidos por el foco, que va buscándolos.

Salimos embriagados (ibid.: 154).

También Alberti ha evocado en la segunda parte de *La arboleda perdida* el espacio absolutamente central que ocupó el cine en el imaginario de la nueva literatura surgida en el Madrid de finales de los años veinte, de la que él fue uno de los protagonistas fundamentales:

Era la época de las novedades de vanguardia, llegadas a Madrid con algún retraso, y el gran final del cine mudo ante la aparición del sonoro. «El gabinete del Doctor Caligari» había sido la primera sorpresa de lo mágico en medio de un silencio de locura, crueldades y crímenes. Luego creo que al propio Buñuel debimos la exhibición en los salones de la Residencia de «Entreacto», «La concha y el clérigo», «Nada más que las horas» y «El hundimiento de la casa Usher». Los nuevos nombres de René Clair, Germain Dullac, Cavalcanti y Epstein se desplegaban ante nuestros ojos en un desfile de imágenes sorprendentes, montaje de imprevistas y absurdas metáforas muy en consonancia con la poesía y la plástica europeas del momento [...]. De las maestras realizaciones, lejos de esta extrema vanguardia, de aquella Edad Dorada del cine mudo recuerdo todavía: «La pasión de Juana de Arco» de Dreyer, «Metrópolis» de Fritz Lang, «La quimera del oro» de Chaplin, «La madre» de Pudovkin, y sobre todo, «El acorazado Potemkin» de Eisenstein. Una flor de ternura guardo aún en mi corazón para los grandes tontos adorables: Buster Keaton, Harry Langdon y los menores: Stan Laurel, Oliver Hardy, Luisa Fazenda, Larry Semon, Bebe Daniels, Charles Bower, etc., héroes todos de mi libro naciente, más o menos surrealístico, con título extraído de una comedia de Calderón de la Barca: «Yo era un tonto y lo que he visto me ha hecho dos tontos». Al teatro iba poco. El cine era lo que me apasionaba (1980: 284-285).

El carácter «más o menos surrealístico» de «Yo era un tonto y lo que he visto me ha hecho dos tontos» es desde luego discutible, pero no la influencia decisiva del cine en la poesía de Alberti de esta época, por más que él mismo ya entonces tratara de minimizarla en diversos escritos, algo que, como veremos, ocurrirá también en el caso de los narradores de vanguardia.[8] En efecto, fueron estos narradores —acaso con los dramaturgos— los que a la postre más acabarían padeciendo la hegemonía del cine sobre cualquier otra forma de expresión artística, precisamente por compartir de manera más directa la característica de la narratividad con el séptimo arte. En términos del mercado del capital simbólico, la subida estratosférica de los valores cinematográficos no afectó tanto a la cotización de la poesía —por más que Buñuel hubiera decidido abandonarla—, cuanto a la cotización de la novela tradicional, especialmente a ojos de los escritores más jóvenes, que decidieron que aquel modelo de escritura estaba periclitado y abocado a una caída imparable de su valor simbólico. El espacio del arte narrativo y argumental que la novela tradicional hasta entonces había ocupado en solitario, era ahora compartido —y disputado— por el cine, cuyos resultados, tanto a nivel artístico como social, sólo podían considerarse excepcionales. No es extraño, en este sentido, que un crítico tan minucioso y perspicaz como Boris Eikhenbaum, uno de los principales exponentes del formalismo ruso, reflexionara sobre este conflicto o tensión de fuerzas entre las artes literaria y cinematográfica en fecha tan temprana como 1926:

> La rivalidad entre cine y literatura es un hecho innegable de la cultura contemporánea. El desarrollo del cine amenaza sin ninguna duda la cultura de la lectura, en la medida en que su éxito está vinculado a la deserción de las masas con respecto al libro. Así, la atracción del cine por la literatura debe ser considerada no sólo como el resultado de tendencias sincréticas, sino también como una lucha de poder. Si en realidad se trata de una unión, el cine es el que hace el papel de marido (1998a: 202).

En esta breve cita, Eikhenbaum condensa magníficamente el meollo del problema en las relaciones entre cine y literatura al exponerlo en términos de una «rivalidad» o «lucha de poder», conflicto de fuerzas, de influencias, de prestigio, de intensidad y efectividad estética. Es interesante que, para ilustrar la jerarquización de fuerza y poder entre ambas artes, Eikhenbaum las com-

---

[8] El 1 de enero de 1929, cuando Alberti había iniciado ya su viraje ideológico hacia una poesía de inspiración social, aparecía en *La Gaceta Literaria* una breve reseña autobiográfica del autor en la que, aparte de silenciar su muy reciente poemario inspirado en los cómicos del cine, hablaba del «*neomodernismo costumbrista* o *pazguatismo boquiabierto* del cine» y advertía a los «cineastas, mecánicos, hojalateros y conductores frustrados de simones y avionetas, que *Pasión y forma* [...] no es un libro vanguardista» (1973: 27).

pare con un matrimonio. Aunque el sentido de esta imagen debe leerse en el
fondo como una referencia a la situación de superioridad y control por parte
del cine sobre una literatura débil y sumisa, lo cierto es que en la forma implica de hecho su sexualización, ya que en el matrimonio mencionado el cine
desempeña la función del marido y la literatura el papel de la mujer. Como
ha señalado Pérez Firmat, esta sexualización de las artes y sus funciones es
algo que hicieron también los críticos españoles de la época, que arrojaron
acusaciones de afeminamiento sobre la narrativa de vanguardia e incluso sobre los propios autores (1982: 36-38). Más allá del género sexual (*gender*) de
los géneros artísticos (*genres*), lo que me interesa destacar es la tensión física
que surge entre la literatura y el cine en su lucha por ocupar un mismo espacio (ibid.: 30-32). En otras palabras, y haciendo uso ahora de un símil geoló-
gico, la irrupción del cine en el panorama artístico del primer cuarto del siglo
XX puede compararse con la irrupción de una enorme y poderosa placa tectó-
nica que provocó un seísmo sin precedentes en la plácida litosfera de las artes.
La penetración del cine en este territorio forzó necesariamente el desplazamiento y reubicación del resto de las artes, que hasta entonces y durante muchos siglos habían ocupado el mismo espacio sin demasiadas alteraciones.
Este proceso implicó de hecho dos movimientos contrapuestos, de aproximación y desplazamiento, que Eikhenbaum compendia muy bien en su reflexión sobre las relaciones del cine y la narrativa al hablar, por una parte, de
«atracción», «unión» y «tendencias sincréticas» —que marcan un movimiento de confluencia, aproximación, incorporación, fusión de lo cinematográfico en la narrativa literaria— y, por otra, de repulsión, «lucha de poder» o en-
frentamiento de ambas artes por ocupar un mismo espacio dentro del campo
artístico y cultural.

Fascinados por su novedad, su espíritu de modernidad, su poder de sugestión psíquica y la fuerza imaginativa de su estética visual, los narradores
de vanguardia, o al menos una porción muy significativa de ellos, encon-
traron en el cine a su gran maestro, el *modelo* ideal hacia el que debía enca-
minarse indefectiblemente su propia creación artística. Sin embargo, esta
relación del artista con su modelo es más compleja de lo que puede parecer
a simple vista. Como ha explicado Harold Bloom en su extensa obra crítica, la influencia poética —y artística en general— se cuenta sin duda entre
las más perniciosas *maladies de l'âme* de cualquier creador que merezca tal
nombre. En términos psicoanalíticos, Bloom ha definido la influencia poética como «a variety of melancholy or an anxiety-principle» (1970: 5), cuyo
origen se encuentra en la escisión y dualidad irreconciliable en que vive el

poeta: por un lado es la fascinación con la obra de sus antecesores lo que le
ha empujado a la poesía, mientras que, por el otro, es precisamente la existencia de estos antecesores y maestros —la tradición en su sentido más
fuerte— lo que le impide a él proclamarse y afirmarse como poeta genuino
en toda su gloria, pues quienes le precedieron ya dejaron todo escrito o, al
menos, todo lo que a él le habría gustado escribir. El poeta se debate entre
el amor por el maestro, cuya obra se esmera en imitar, y el asesinato de ese
mismo maestro, cuya obra le asfixia y le despoja del título de *Auctor* que la
historia ha reservado para él. La relación del creador con la tradición y sus
maestros tiene, por tanto, un componente esquizoide: fluctúa constantemente entre la admiración y el desprecio, la adoración reverencial y el furor
iconoclasta, la humilde sumisión al modelo y la soberbia autoafirmación
solipsista.

De manera similar, el narrador de vanguardia vive aquejado de una «ansiedad de la influencia» que funciona de modo semejante al de un proceso
neurótico y cuyo origen no se encuentra tanto en la tradición novelística o
literaria precedente —que ellos mismos se esmeraron en refutar y desdeñar
minuciosamente—, cuanto en el cine que convive con él. La «influencia cinematográfica» debe entenderse, por tanto, como una variedad particular
de melancolía o ansiedad provocada por el cine. El escritor de vanguardia se
ha hecho escritor no por las novelas que adora, sino por las películas que le
arrebatan. Su objetivo último es batir el poder de sugestión lírica y la inten-
sa emoción estética que el cine proporciona al espectador, pero no desde los
medios técnicos del cine, cuyos misterios le han sido vedados, sino desde
los medios de la narrativa literaria, o mejor dicho, de la *nueva* narrativa literaria. Que este deseo fuera o no consciente es lo de menos, ya que los narradores de vanguardia no decidieron voluntariamente someterse a la influencia cinematográfica, sino que ésta se impuso sobre ellos. En su sentido
originario, la «influencia» era el influjo celeste que los astros —las estrellas
y la luna— ejercían sobre los mortales. El *Diccionario* de la RAE recoge todavía una acepción en desuso de esta voz que se aproxima al sentido anterior, aunque con un matiz religioso: «gracia e inspiración que Dios envía
interiormente a las almas» (o sea, las lenguas de fuego del paráclito que había anunciado Cansinos-Asséns). Harold Bloom, en *The Anxiety of
Influence*, ha recordado también el sentido etimológico del término:

> The word «influence» had received the sense of «having a power over ano-
> ther» as early as the Scholastic Latin of Aquinas, but not for centuries was it to

[Handwritten note at top: "This is all new & poetic, but not really a hard analysis of texts."]

lose its root meaning of «inflow», and its prime meaning of an emanation or force coming in upon mankind from the stars. As first used, to be influenced meant to receive an ethereal fluid flowing in upon one from the stars, a fluid that affected one's character and destiny, and that altered all sublunary things. A power —divine and moral, later simply a secret power— exercised itself, in defiance of all that had seemed voluntary in one (1997: 26-27).

La «emanación» o «fuerza» del cine, su *influencia* estética, fue sin duda la más poderosa de cuantas pudieron existir a finales de los años veinte y marcó de forma decisiva el carácter y el destino de toda una generación de escritores. Cuantos penetraron en el campo de acción de la influencia cinematográfica sucumbieron irremediablemente a su influjo. Todos los narradores que se expusieron a los efectos irreversibles de su seductora magia, de su envolvente oscuridad, de su imaginismo embriagador, experimentaron una transformación semejante a la de un rito iniciático. La creación literaria, la técnica narrativa, ya no podría ser jamás igual a la del mundo anterior al cinematógrafo. Lo que hoy conocemos como narrativa de vanguardia es de hecho el conjunto de las ficciones narrativas concebidas y producidas bajo los efectos deletéreos de la influencia cinematográfica. Su funcionamiento se asemeja al de un conjuro o hechizo: una vez sometido a su influjo, al escritor no le queda otro remedio que obedecer los designios dictados por el encantamiento. Quien mejor ha descrito este poder de la influencia cinematográfica ha sido precisamente Buñuel, que en *Mi último suspiro*, autobiografía publicada un año antes de su muerte, describía de esta manera los efectos taumatúrgicos de la obra cinematográfica:

> Creo que el cine ejerce cierto poder hipnótico en el espectador. No hay más que mirar a la gente cuando sale a la calle, después de ver una película: callados, cabizbajos, ausentes. [...] La hipnosis cinematográfica, ligera e imperceptible, se debe sin duda, en primer lugar, a la oscuridad de la sala, pero también al cambio de planos y de luz y a los movimientos de la cámara, que debilitan el sentido crítico del espectador y ejercen sobre él una especie de fascinación y hasta de violación (1983: 70-71).

Esta imagen final del poder hipnótico del cine como una violación expresa de manera muy gráfica la intensidad y la fuerza del influjo que la experiencia y estética cinematográficas ejercieron sobre los autores de la vanguardia (¿estaría Eikhenbaum pensando en algo así cuando asignaba al cine el papel de marido —acaso «violador»— y a la literatura el de la esposa sometida al «furor sexual» —estéticamente hablando— del cine?). La diferencia entre Buñuel y el resto de sus compañeros de aquellos años, y quizás el motivo que explica su elección del término «violación», es que él fue el único del grupo que supo desertar a tiempo de la literatura y escapar por la línea del frente hacia las posiciones enemigas. Mientras sus compañeros debían conformarse con participar en el proceso cinematográfico como sujetos pasivos, Buñuel podía reclamar para sí la gloria de haber sido el artífice y gran hacedor de esta hipnosis, fascinación y violación estética colectiva. En cierto modo, y aun a riesgo de enredarme demasiado en la imagen buñueliana de la *violación*, los narradores de vanguardia sufrieron una cierta envidia del poderoso *falo* creativo y estético del cine —como el «falo» que blandía la *cowgirl* del *Far West* según Cansinos—, lo que Freud quizás habría llamado *complejo de castración* (creadora). En este sentido es interesante que Unamuno, que era tan poco amigo del cine como de la generación de vanguardia, definiera en 1927 a «los jóvenes culteranos y cultos» de *La Gaceta Literaria* —o sea, de la vanguardia— como «la castrada intelectualidad española» (104).

El *creador*, por su propia definición, quiere *crear*, quiere construir el mundo *ex novo* con la fuerza vivificadora de su aliento, violando la realidad si hiciera falta. El narrador de vanguardia aspira a participar de la potencia arrebatadora y violadora del cine, y para ello se siente abocado a vaciar su obra de todos los aspectos identificados con la narrativa literaria tradicional y a sustituirlos por la nueva narrativa cinematográfica. Éste es básicamente el primer momento de «atracción» o «sincrético» que había señalado Eikhenbaum, un movimiento de «unión» o fusión, de aproximación de la literatura al cine por medio de la incorporación a la escritura de determinados aspectos de la nueva estética del film. Quizás el mejor ejemplo de esta tendencia en la narrativa de vanguardia es la conocida propuesta de «literatura cinegráfica» que lanzó Antonio Espina en la «Antelación» con que se abría su novela *Pájaro pinto*, de 1927. No por casualidad Espina había sido el primero de la joven generación en abrir fuego contra varios novelistas decimonónicos, especialmente Galdós, en su famoso artículo del primer número de la *Revista de Occidente*.[9] Si en 1923 se limitaba únicamente a rechazar la narrativa realista tradicional, en 1927 dio un paso adelante al proponer un modelo de renovación del género por medio de la incorporación a la narrativa de elementos procedentes del cine:

[9] En el artículo en cuestión Espina afirmaba que «Galdós en la literatura fue lo que Letamendi en Biología, Sagasta en política y Pradilla en pintura. Una "enorme medianía", como dijo "Clarín" de Cánovas del Castillo» (1923: 114).

Traer a la literatura los estremecimientos, el claroscuro, la corpórea irreali-dad, o el realismo incorpóreo del cinema, la lógica de este arte, es procurarse nuevos efectos literarios, muy difíciles de situar en ningún género determinado. Entre la novela y el poema, ya existe una zona de interferencia, verdadera-mente sugestiva. Entre el poema novelar y la cinegrafía, la interferencia resulta mucho más sugestiva. (Buscar una especie de proyección imaginista sobre la blanca pantalla del libro.) (*Pájaro pinto* 7).

El mismo año, Benjamín Jarnés defendía una propuesta semejante a la de su amigo en un ensayo publicado en *La Gaceta Literaria* en el que anali-zaba desde una perspectiva muy particular las relaciones entre la literatura y el séptimo arte.[10] El título mismo del artículo, «De Homero a Charlot», ofrece ya algunas pistas sobre la reflexión de Jarnés, que de entrada estable-cía una relación genealógica directa entre el padre de la épica clásica y el *clown* más popular de la comedia muda de Hollywood. Jarnés sancionaba explícitamente el agotamiento de la palabra como vehículo de expresión ar-tística y poética, y proponía sustituirla por la nueva lírica de la imagen des-arrollada por el cinematógrafo: «las pobres palabras están llenas de fatiga, un poco viejas para la súbita galvanización, gastadas y mordidas por el tiempo» (1927: 131). Frente a este agotamiento artístico y vital de la pala-bra, avejentada y abatida bajo el peso de la historia, el autor sugería buscar en el cinema, la más joven de las artes, la fuente de la vida cuyas aguas fue-ran capaces de devolver su antiguo brío y lozanía a la extenuada literatura:

Las palabras se nos burlan desde el fondo de la humilde jofaina lírica don-de fraguamos nuestras menudas tempestades metafóricas. Cuando creímos ha-ber tropezado con una firme estructura verbal, nos encontramos con un poco de retórica en la mano... ¿Por qué no dejar al cinema que traslade intactos, a la pantalla, nuestros bellos fantasmas? Sin palabras —¡hallazgo divino!— ha en-contrado el cinema un idioma emocional del más puro lirismo. ¿Quién leyó una pastoral más bella que una escena campestre de Búster Keaton? ¿Quién leyó un poema tan patético que pueda superar en belleza a la cena «quimérica» de Charlot? (ibid.).

---

[10] Jarnés fue un asiduo seguidor del séptimo arte y no ahorró calificativos elogiosos en sus reflexiones sobre éste. Buena parte de los numerosos artículos y críticas de cine que es-cribió durante los años finales de la dictadura de Primo de Rivera y a lo largo de la República aparecieron recogidos en el volumen *Cita de ensueños* de 1936.

Jarnés habla de un agotamiento del discurso verbal como modelo de representación artística, que vendría sustituido por el nuevo arte del cinematógrafo.[11] En la línea de los alegatos vanguardistas de Riccioto Canudo y los futuristas italianos, proclama al cine depositario privilegiado de la mejor tradición literaria: si el nuevo Homero hay que buscarlo en Charlot, la nueva literatura pastoral —o pastoril— está en las escenas campestres de Keaton, y el más intenso patetismo poético en *La quimera del oro* de Charlot. En el fondo, las palabras de Jarnés constituyen una variante de la propuesta anterior de Cansinos-Asséns de que la nueva heroína de la tradición artística no era ya la Galatea de Teócrito, sino la *cowgirl* del *Far West*. Esta idea de la continuidad —y superación— de la tradición literaria por el lenguaje visual del cinematógrafo queda patente en la conclusión del artículo, donde Jarnés llega a afirmar que en el nuevo Olimpo de las artes ya sólo tendrán cabida aquellos dioses capaces de adaptarse a los nuevos tiempos incorporando a su estética las novedades aportadas por el cinema: «Zeus mismo, aun el vanidoso Narciso, no podrán tomar parte en la nueva 'Mitología', si no cambian la retórica por la fotogenia. El nuevo poema lo oiremos con los ojos. El poema es visión, no caracoleos de aula, y la visión podrá ser transportada a la cinta, íntegramente, sin que las palabras la mancillen» (1927: 131).

[11] Resulta interesante contrastar la perspectiva de Jarnés con la de Walter Bejamin, que en «La obra de arte en la época de su reproductibilidad técnica» llega a una conclusión en algo semejante a la del español. Benjamin considera que el cine destruye la concepción del arte heredada de la tradición occidental porque elimina el «aura» de la obra artística, su unicidad e irreproducibilidad: «la técnica reproductiva desvincula lo reproducido del ámbito de la tradición. Al multiplicar las reproducciones pone su presencia masiva en el lugar de una presencia irrepetible. Y confiere actualidad a lo reproducido al permitirle salir, desde su situación respectiva, al encuentro de cada destinatario. Ambos procesos conducen a una fuerte conmoción de lo transmitido, a una conmoción de la tradición, que es el reverso de la actual crisis y de la renovación de la humanidad. Están además en estrecha relación con los movimientos de masas de nuestros días. Su agente más poderoso es el cine. La importancia social de éste no es imaginable incluso en su forma más positiva, y precisamente en ella, sin este otro lado suyo destructivo, catártico: la liquidación del valor de la tradición en la herencia cultural». El objeto de la reflexión de Benjamin son las implicaciones sociales del nuevo arte cinematográfico como fuerza transformadora de la «superestructura ideológica». Jarnés, por su parte, está más interesado en los elementos estéticos y formales del cine, en el que encuentra un vehículo de transmisión estética más poderoso que el de la tradición literaria. En este sentido, su diagnóstico no es tanto el de la *destrucción* de la tradición que afirma Benjamin como el de la *superación* de esa tradición por medio de una nueva estética.

Aunque resulte llamativo que alguien como Jarnés, que dedicó toda su vida a la literatura, se refiera a la escritura en los términos en que lo hace, calificándola de «un poco de retórica» que «mancilla», o sea, *ensucia* las hermosas visiones que elabora el arte del cinematógrafo, lo cierto es que su artículo constituye la exposición más sincera y certera del modo en que los narradores de vanguardia percibieron el arte cinematográfico y su relación con la literatura, al menos durante el tiempo que duraron los efectos deletéreos de su influencia. La radicalidad de sus afirmaciones pone de manifiesto el enorme impacto que tuvo en él y en sus compañeros de promoción la aparición del cine y su increíble desarrollo como medio de expresión artística. Sin embargo, como sabemos, este fulminante desarrollo del cinematógrafo acarrearía serias consecuencias para el resto de las artes, y la que más acabaría sufriendo sería precisamente la novela, algo que los propios novelistas comprendieron muy pronto. Si tomamos al pie de la letra las palabras de Jarnés, la única forma de cambiar la retórica por la fotogenia sería jubilarse del oficio de escritor y dedicarse al nuevo *arte total* del cine, como hizo Buñuel. No obstante, la mayoría de los escritores no pudieron o no quisieron seguir este camino y se dedicaron a lidiar de la mejor manera posible con esa compleja tensión que habitaba en el fondo de su proyecto literario. De hecho, como veremos en el último capítulo de este libro, varios autores fueron conscientes muy pronto del componente esquizoide y, en último término irresoluble, de la contradicción inicial de la que partía su propuesta estética.

Precisamente esta naturaleza bifronte, dúplice, acaso irrealizable, de la nueva narrativa cinematográfica, pone a ésta en un trance de difícil solución. La irrupción y emergencia de la nueva narrativa visual e imaginística del cine introduce necesariamente un elemento de inestabilidad en la narrativa literaria, que entra a partir de entonces en un periodo de profunda crisis.[12] Uno de los que mejor y con más claridad reconoció este problema, aunque su objetivo fuera precisamente el contrario, fue el mexicano Jaime

---

[12] Domingo Ródenas ha relacionado esta vacilación ontológica de la narrativa modernista con el cine, aunque no la ha destacado sobre la influencia de otras novedades del periodo como el *jazz*, el teléfono, la radio, el avión o el automóvil. Asimismo ha afirmado que lo que hace peculiar el corpus de novelas de vanguardia es precisamente «el interés que revela por la conflictiva vecindad entre la verdad de lo que existe y la mentira de lo que no existe, entre la realidad y la ficción, en suma, por la ontología de los mundos ficcionales de la obra literaria» (1998: 18).

Torres Bodet, colaborador de la *Revista de Occidente*, que en 1928 se quejaba en estos términos de las acusaciones de decadencia lanzadas contra la novela por Ortega y Gasset:

> La novela no es un género en decadencia. El *Ulises* de Joyce y, más recientemente, *Los monederos falsos* de Gide no son obras de decadencia. Lo único que ha entrado, no ya en decadencia, sino en un franco periodo de abandono es la novela naturalista, la novela de consumo para horteras y señoritas de almacén, la novela a lo Zolá: *Germinal*, o a lo Blasco Ibáñez: *Los cuatro jinetes del Apocalipsis*. Y ha caído en desuso porque no era una forma literaria pura y porque, no siéndolo, no pudo competir con el cinematógrafo, más inteligente en recursos industriales, alimento sólido para esa hambre de imaginación sin esfuerzos que caracteriza a los hombres cuando integran un público (1987: 17).

Torres Bodet establece una división muy interesante entre las formas literarias *puras* y las *impuras*. Según su razonamiento, las novelas que han caído en *desuso* o *abandono* (términos que discutiré en breve) son aquellas que, como *Germinal* o *Los cuatro jinetes del Apocalipsis*, no son formas literarias *puras*. La *pureza* de las formas literarias, tal y como aparece empleado el término en el pasaje, vendría definida por su grado de dependencia o independencia con respecto al cine. Así, las novelas *impuras* estarían contaminadas por la influencia del cine y, al no poder competir con él, caerían en abandono o desuso. Por el contrario, las novelas *puras*, totalmente independientes de la influencia del cine o de toda otra forma de servidumbre artística, quedarían libres de cualquier indicio de decadencia. Ahora bien, ¿a qué se refería el autor cuando hablaba de *desuso* y *abandono* a propósito de estas novelas? En principio estos términos no parecen predicar nada relacionado con las características intrínsecas de los textos o de sus respectivas estéticas, sino que remiten más bien a la ausencia de interés del público en ellas, o sea, a aspectos relativos a su recepción. Pero en tal caso la afirmación de Torres Bodet es factual y constatablemente errónea. De hecho, cualquiera de estas dos novelas por separado disfrutó mayor difusión y acogida en su momento de aparición que todas las novelas de vanguardia juntas desde los años veinte hasta nuestros días. Por otro lado, el pecado de *impureza* que el autor les imputa, entendida ésta en términos de la influencia del cine en ellas, es bastante dudoso. *Germinal* fue publicada en 1885, diez años antes de la aparición del cinematógrafo, por lo que difícilmente pudo estar influida por éste. *Los cuatro jinetes del Apocalipsis*, por su parte, data de 1916, cuando existía ya el cinematógrafo, aunque su estado de desarrollo e influencia era sin duda menor al de 1928, cuando escribe Torres Bodet. Es posible que el autor utilizara estos ejemplos por las adaptaciones fílmicas que existían de ambas novelas: el *Germinal* de Albert Capellani (1913) y *The Four Horsemen of the Apocalypse* de Rex Ingram (1921). No obstante, en tal caso sería el cine el que estaría contaminándose de literatura (como fue de hecho el caso durante las etapas iniciales del séptimo arte) y no al revés. Con todo, lo realmente fascinante del caso es que si alguna generación de escritores fue particularmente receptiva y proclive a la influencia cinematográfica —como estoy tratando de argumentar aquí—, no fue la de los escritores realistas-naturalistas de finales del XIX y comienzos del XX, sino precisamente la de los narradores de vanguardia, entre los que se contaba el autor que nos ocupa. De hecho, el propio Torres Bodet había publicado el año anterior una novela tan claramente influida por el cine como *Margarita de niebla* (1927) y pronto daría a las prensas el relato «*Close-up* de Mr. Lehar», donde el título mismo del texto delataba la influencia directa de los planos-detalle o *close-ups*, sobre todo de la cara, que hicieron furor entre los primeros cinéfilos. Un par de años después, en fin, Torres Bodet dedicaría su novela *Estrella de día* (1933) a la vida y romances más o menos vanguardistas de una actriz de cinematógrafo.

En definitiva, este breve párrafo de Torres Bodet constituye un compendio perfecto de las ansiedades e inseguridades que durante aquellos años acosaron al conjunto de los narradores de vanguardia, o al menos a los más lúcidos de entre ellos. Lo que Torres Bodet nos cuenta no es lo que estaba ocurriendo en el campo de la narrativa literaria, sino lo que le habría gustado que estuviese ocurriendo —que poco o nada tenía que ver con la realidad—, y en ese sentido el texto constituye una proyección nítida y transparente de sus miedos y deseos como escritor. El hecho de que, al tratar de defenderse de las acusaciones de decadencia lanzadas contra la novela, salte como un resorte la cuestión del cine, cuando nadie había hecho referencia a éste, es un indicio muy claro, acaso una prueba fehaciente, de la ansiedad que este medio artístico provocó en los jóvenes escritores de su generación. Como reza el adagio latino, *excusatio non petita, accusatio manifesta*; o, como diría el doctor Freud, a Torres Bodet le traiciona el subconsciente.

En la novela decimonónica el autor podía entregarse sin preocupaciones a la construcción de mundos ficcionales complejos habitados por personajes de hondura psicológica, ya que escritores y lectores compartían un modelo narrativo fuerte y estable que nadie cuestionaba. El escritor no debía preocuparse por el estado de los moldes con que forjaba sus ficciones, sino de la calidad y consistencia de las ficciones de acuerdo con los criterios y convenciones prefijados. El narrador de vanguardia, a finales de los años veinte, se encuentra en una situación muy diferente. Sobre su obra se cierne la amenazadora presencia del a un tiempo fascinante, poderoso, novísimo, moderno, embriagador y estimulante cinema. El estatuto de la narrativa es puesto en cuestión. Su naturaleza, su fin, su esencia misma, son el objeto de indagación en que se enfrasca la propia escritura, en un círculo vicioso cuyo enigma parece irresoluble. A pesar de las palabras de Torres Bodet, que en el fondo confirman lo que tratan de negar, la novela sí que era un género en decadencia, al menos en su acepción de «debilidad, menoscabo, principio de debilidad o de ruina» (*DRAE*). Y no lo digo yo. Lo dijeron, antes o después, los principales agentes y protagonistas del género. Así lo hacía por ejemplo Guillermo de Torre, el gran crítico de las vanguardias, en un artículo publicado en 1927 en *La Gaceta Literaria*, en el que exponía con claridad meridiana el problema de la nueva narrativa:

> [...] el gran barco de la novela fondea y pone su proa perpendicular al cielo. Es más: en el caso concreto de la novela —en confianza, «de ti para mí»— todos sabemos perfectamente y nos damos lúcida cuenta de «lo que ya no debe hacerse», pero apenas comenzamos a intuir qué es «lo que debe hacerse» (Torre 1927: 1).

Los jóvenes narradores parecían tener muy claro que el modelo de la novela tradicional estaba absolutamente devaluado y abocado al fracaso, pero se mostraban incapaces de encontrar una solución viable a esta situación de parálisis creativa. Ya tres años antes, en 1924, Antonio Marichalar había apuntado una idea semejante al escribir que «se sabe a ciencia cierta qué es lo que no hay que hacer, pero se carece en cambio de esa cierta ciencia que asegura una probable viabilidad» (1924: 395). En la misma línea, Esteban Salazar y Chapela escribía en 1929 una reseña de *Luna de copas* en la que ofrecía su particular visión de los años precedentes en la narrativa española: «Durante estos últimos años la novela ha ocupado y preocupado —teóricamente— a los escritores, sin que nadie se soltase sin teorías, novelista nato, a escribir una verdadera novela. El joven escritor estaba convicto de lo que no había que hacer y era fiel sólo a sus repugnancias» (1929: 387). El propio novelista reseñado, Antonio Espina, recordaría casi cuatro décadas después sus años de vanguardia como «aquel tiempo en que todo escritor joven y de talento conocía lo que ya no debía hacerse en literatura, aunque todavía no conociese lo que debía hacerse» (1965: 131). También Jarnés en la «Nota preliminar» con que se inicia su novela *Paula y Paulita* hacía referencia al miedo, la parálisis y la indecisión del artista en la nueva era del cinematógrafo. El novelista, frente a la imposibilidad de superar al cine en novedad y fuerza de sugestión estética, guarda silencio. En palabras de Jarnés, «hoy el artista conoce demasiado los caminos que, cuidadosamente, ha de evitar. En la imposibilidad de inventar otros nuevos, se inhibe» (*Paula y Paulita* 16).[13]

En lugar de escribir novelas, según sugieren todos ellos, los escritores dedicaban sus ficciones a reflexionar sobre el cómo y el porqué de la escritura. La duda existencial que se les planteaba era nítida: ¿cómo recuperar el espacio perdido? O en otros términos, ¿cuál era el sentido de la narrativa literaria si el cine había usurpado esa función, si en la pantalla el espectador podía ver las ficciones traducidas a un lenguaje de luces y sombras más intensamente lírico y sugestivo que el de la palabra? ¿Y a qué quedaba entonces relegada la función del novelista si él mismo reconocía, como Jarnés, que la palabra se había convertido en un vehículo expresivo inútil, gastado y mordido por el tiempo, incapaz de competir con el nuevo lenguaje del cinema? Como reflexionaba el escritor Esteban Salazar y Chapela en octubre de 1928, aunque en un tono ya ciertamente derrotista frente al avance incontrolable del séptimo arte: «Sobre el cine se echan muchas y diminutas florecillas de papel (pobre disfraz de mala literatura) que el cine recibe con la ironía de su fuerza avasalladora, sonriendo. [...] ¿Qué puede la palabra con ese mundo que nos gana con la atracción irresistible de la realidad y nos vence luego, pero que plenamente, con la gracia de su irrealidad, de su arte?» (1928: 6).

La consecuencia directa de la constatación por parte de los narradores de vanguardia de este callejón sin salida en el que se encontraban atrapados, fue precisamente un movimiento estratégico de reacción y distanciamiento con respecto al séptimo arte. Del halago incondicional del arte cinematográfico y de sus figuras y creadores que habían practicado hasta entonces, donde se ponía de manifiesto la genuina admiración de los escritores del grupo hacia todo lo que representaba el cine, pasaron entonces a la crítica

---

[13] En *Proceder a sabiendas* Domingo Ródenas de Moya ofrece una amplia revisión de citas de diversos escritores de vanguardia sobre la crisis de la novela tradicional y la parálisis a que se vieron abocados (1997: 19-26).

de determinados aspectos de éste con el fin de distanciar su propia creación y autonomía artísticas, movimiento en el que se revelaba nítidamente la «lucha de poder» entre la literatura y el cine que había mencionado Eikhenbaum. En el caso de Jarnés, los primeros signos de su cambio de postura frente al fenómeno cinematográfico se pueden encontrar en su respuesta a la encuesta sobre cine que elaboró *La Gaceta Literaria* en 1928, tan sólo un año después de que apareciera publicado el artículo «De Homero a Charlot». La pregunta de *La Gaceta* decía así: «Desde su punto de vista literario, ¿qué opinión tiene usted del cinema?». En los diez meses que transcurrieron entre su artículo anterior y la encuesta de *La Gaceta*, la opinión de Jarnés había variado radicalmente, y creo que no es excesivo afirmar que había pasado de una postura enérgicamente laudatoria del cinematógrafo como culminación de la expresión y emoción estéticas, a una actitud claramente defensiva de su propio territorio narrativo frente a la amenaza expansionista del cine.

En efecto, en su respuesta Jarnés afirmaba que «los cineastas desaforados, unilaterales, comienzan a decir que el cinema dejará muy retrasadas a las demás artes. Sobre todo a la literatura. Creen que el cinema, como Ruth, después de recoger lo que dejaron caer los segadores, se meterá en la cama de Booz... y se hará única dueña del granero casándose con el amo» (ibid.: 6). Jarnés planteaba aquí un conflicto, un duelo, una tensión de fuerzas e influencias entre el cine y el resto de las artes, particularmente la literatura, por conseguir los favores del «amo» —que puede entenderse fácilmente como el público lector o espectador— y las cuantiosas reservas del «granero», donde se amontonaban tanto el prestigio y el reconocimiento artístico e intelectual —el capital simbólico— como el grano de verdad, o sea, el capital contante y sonante. Jarnés rechazaba ahora de plano la superioridad del cine y atribuía esta reclamación a las infladas expectativas de ciertos cineastas «desaforados» y «unilaterales». Lo más interesante del caso es que menos de un año antes él mismo se había puesto a la cabeza de todos esos *desaforados* y *unilaterales* que defendían tales extremos y, de hecho, había sido el primero en afirmar que las palabras *mancillaban* la pureza del arte visual desarrollado por el cinematógrafo, o que Zeus y Narciso debían cambiar la retórica por la fotogenia si querían seguir manteniendo su lugar en el panteón olímpico de las artes.

En realidad, lo que había cambiado entre uno y otro momento era la constatación por parte de Jarnés —y muchos otros de sus compañeros de generación— de que sus atrevidas profecías vanguardistas se habían convertido en el diagnóstico más certero sobre el espacio absolutamente central que el cine estaba llamado a ocupar en el panorama artístico del periodo. Y ello, en el fondo, implicaba una pérdida radical de capital simbólico y efectivo por parte de los narradores en beneficio de los cineastas y de las nuevas estrellas de la pantalla. Tal vez por este motivo afirmaba por las mismas fechas Francisco Ayala en carta abierta a César Arconada que «el cine, tú lo sabes, es nuestra gran —tal vez nuestra excesiva— preocupación, y a juicio de la gente, nuestra mayor manía» (1928c: 6). En términos más pedestres, mientras las novelas de Jarnés, Espina, Ayala y compañía ocupaban un puesto muy inferior en el mercado editorial y apenas llegaban a los lectores, las salas de cine estaban abarrotadas de público de todas clases y en sus inmediaciones se desarrollaba toda una nueva industria editorial de revistas de cine, en los quioscos se vendían coleccionables de fotos y figurines con las estrellas del momento, se creaban cineclubs por todas las capitales españolas, y todos los periódicos y revistas culturales contaban ya con secciones fijas dedicadas a la crítica cinematográfica —crítica, por cierto, escrita y promovida en muchos casos por los propios autores de la vanguardia—. Por decirlo con las palabras con que el escritor José María Salaverría respondía a la misma encuesta de *La Gaceta Literaria*, «le debo al cinema la dicha de haber recuperado el puro placer de la diversión espectacular, eso que el teatro me niega y que la literatura novelesca no me proporciona hace ya mucho tiempo. ¿Novelas? En realidad las leemos como una obligación» (1928: 6).[14]

Si en su artículo «De Homero a Charlot» Jarnés hablaba del cine y de la imagen como superadoras de la literatura y la palabra, y daba pábulo a la idea del desplazamiento de la literatura por parte del cine y a la conquista por parte de éste del espacio que hasta entonces había ocupado aquélla, en su respuesta a la encuesta de *La Gaceta Literaria* seguía exactamente la estrategia contraria y trataba de delimitar espacios específicos para cada una de estas artes. Esta demarcación de fronteras entre la narrativa y el cine puede verse como una retirada a tiempo del duelo entre las dos artes, y en ese

---

[14] Salaverría repite la idea defendida por Jarnés un año antes de que la palabra sólo puede *mancillar* la pureza estética del cinema: «el cine, en resolución, es la cosa que más se aproxima al arte puro, desde que suprime la materialidad del lenguaje y deja la narración entregada a ella misma, obrando por ella misma; suelta, libre y poderosa, sin el fardo del lenguaje, o sea sin lo peor (discúlpenme el sacrilegio) de la literatura imaginativa: la palabra escrita» (1928: 6).

sentido como el reconocimiento por parte de Jarnés de que la nueva narrativa no podía competir con el extraordinario aparato imaginista del cinema. Pero el aragonés no sólo deshacía la genealogía que había trazado entre la tradición literaria clásica y el cine como culminación de ésta, sino que además proponía ahora una nueva jerarquización de ambas artes en la que por supuesto la literatura quedaba situada por encima de aquél.[15] Así, el cine sería un arte sentimental, plástico, emotivo y alusivo, mientras que la literatura constituiría el auténtico arte espiritual y mental:

> [la literatura] podrá cederle [al cine] el argumento de «Rojo y Negro», no el mecanismo, el estupendo mecanismo espiritual de Julián Sorel. Al cinema le basta con la «historia externa». Podemos ver gesticular, no razonar en la pantalla. [...] El cinema tiene que contentarse con recoger espinas sentimentales, plásticas, simbólicas, emotivas, alusivas... La gran cosecha del cerebro humano quedará siempre en los graneros del arte de escribir. Después de ver la película, habrá que leer de nuevo el libro.
>
> Ni «Rojo y Negro» ni «Eupalinos» podrán ser nunca vistos a precios populares. Ningún espectáculo plenamente humano, es decir, mental (Jarnés 1928a: 6).

Uno de los aspectos más interesantes de la respuesta de Jarnés —en el que coincide además con Baroja[16]— es que en su dicotomía entre literatura y cine tome como ejemplo el *Rojo y negro* de Stendhal, exponente de la

---

[15] En un trabajo reciente titulado «Jarnés y el cine», Francis Lough discute la opinión de Robert Hershberger («Filming the Woman in Benjamín Jarnés's *El convidado de papel*») de que Jarnés defendió la superioridad del cine sobre la narrativa. Para ilustrar su desacuerdo, Lough trae a colación un artículo de Jarnés en el que éste repite la idea de la superioridad intelectual de la literatura sobre el cine. Según Lough, «Jarnés declara abiertamente su opinión sobre la inferioridad del cine frente a la literatura» (2005: 415). En mi opinión ambos críticos tienen su parte de razón. La opinión de Jarnés sobre el cine osciló entre la defensa reverencial que hizo en «De Homero a Charlot» y sus opiniones posteriores, mucho menos entusiastas y a ratos incluso críticas. Como he dicho más arriba, creo que hay que ver este cambio de opinión en el contexto de (y como reacción a) la pérdida de capital simbólico y real por parte de la narrativa literaria frente al desarrollo imparable del cine.

[16] En el número 24 de *La Gaceta Literaria*, de 15 de julio de 1927, se recoge una breve nota de Pío Baroja bajo el epígrafe de «Nuestros novelistas y el cinema» en la que el escritor guipuzcoano afirma lo siguiente sobre la relación entre cine y literatura: «lo más importante me parecen los actores y la técnica cinematográfica; lo menos importante, el argumento y la literatura. Yo no sé las posibilidades del cine, pero creo que la literatura no lo fecunda. Ni el "Quijote", ni el "Hamlet", ni el "Fausto", ni los Hermanos Karamazof darán origen a filmes interesantes» (4).

narrativa decimonónica francesa que poco o nada tenía que ver con el tipo de novelística que él y sus compañeros de grupo practicaban. Podía haber invocado obras mucho más cercanas a él y a sus compañeros de generación, pero decide no hacerlo; y decide no hacerlo porque en el fondo sabe que la distancia que separa el paradigma narrativo de *Rojo y negro* de su propio paradigma narrativo es fundamentalmente la mediación y el condicionamiento que había traído consigo el nuevo arte del cinematógrafo. En otras palabras, los «graneros del arte de escribir» en los que según él siempre se encontraría «la gran cosecha del cerebro humano» no eran realmente los de la narrativa de vanguardia, sino los de la novela decimonónica tradicional, o sea, el género de cuya demolición los autores vanguardistas habían hecho bandera. Esta retractación puede leerse como un intento a la desesperada de salvar, si no el subgénero de la nueva narrativa, al menos el género de la novela tradicional, aunque ello supusiera cantar la palinodia vanguardista y retroceder algunas décadas hasta la estética del realismo, tan poco afín al proyecto artístico de su generación.

A propósito de géneros y generaciones, y con el trasfondo de las ideas de Eikhenbaum y Buñuel sobre las identidades masculina y femenina asignadas respectivamente al cine y a la narrativa de vanguardia, la nueva descripción de estas artes que hace Jarnés ofrece algunas claves que parecen aludir también a ciertas nociones y concepciones relativas al género sexual (*gender*). Si para Eikhenbaum el cine hacía el papel de marido en esta relación por su posición dominante con respecto a la femenina y sumisa literatura, y Buñuel otorgaba al cine una supuesta capacidad violadora que provocaba en los narradores de vanguardia un cierto «complejo de castración», ahora Jarnés invierte el planteamiento y endosa a la novela propiedades tradicionalmente masculinas como la cerebralidad y la profundidad mental y de razonamiento, mientras que el cine debe contentarse con atributos escasamente viriles —en un sentido desafortunadamente estereotípico— como la superficialidad, la gestualidad, lo superfluo. El cine *gesticula*, mientras la literatura *razona*. El cine se limita a «la historia externa», mientras la literatura ofrece «el estupendo mecanismo espiritual». El cine es *sentimental, plástico, simbólico, emotivo, alusivo*, mientras que en la literatura se almacena la auténtica sustancia del conocimiento, «la gran cosecha del cerebro humano». Sin embargo, para cualquier lector mínimamente familiarizado con la narrativa de vanguardia, las palabras de Jarnés suenan a música celestial. ¿No se ufanaban estos escritores del carácter ligero, alusivo, metafórico, fragmentario, plástico, simbólico, etc. de sus obras? ¿No había decretado

Ortega la muerte del paradigma realista y el carácter jocoso, inconsciente, lúdico del nuevo arte deshumanizado? ¿No eran los vanguardistas quienes habían defendido la idea del arte como mero entretenimiento, como un pasatiempo tanto más *puro* cuanto menos servil, o sea, cuanto menos sometido al servicio de otras causas ajenas y espurias, fuesen sociales, políticas, o de cualquier otro tipo? ¿Y no era el propio Jarnés, en definitiva, quien había inaugurado el género de la narrativa de vanguardia con el modelo de un profesor que se vanagloriaba de ser perfectamente inútil?

La respuesta a todos estos interrogantes es efectivamente afirmativa. La prueba más fehaciente de la influencia del cine sobre los narradores de vanguardia es que, cuando Jarnés se propone delimitar los territorios y dominios de cada una de estas artes, no le queda otro remedio que ignorar la narrativa de vanguardia y recurrir a la narrativa tradicional, porque su conceptualización del cine y la narrativa de vanguardia —sus metalenguajes críticos— son básicamente idénticos. De hecho, cuando en la misma respuesta Jarnés describe lo que denomina «el encanto del cinema», sus palabras resultan perfectamente aplicables a la narrativa de vanguardia: este encanto consiste en «abandonar las raíces —las esencias— de las cosas y andarse por las ramas. Claro es que saltando graciosamente. En el cinema vemos todos los alrededores de las cosas, todas las irradiaciones, todos los ademanes del espíritu» (Jarnés 1928a: 6). En definitiva, la comparación de Jarnés entre narrativa y cine equivale a la comparación entre la narrativa tradicional y la narrativa de vanguardia. Y llevando el argumento un paso más allá, su descripción del cine puede considerarse una definición perfecta de la narrativa (de vanguardia) que él mismo escribe. Dicho de otra manera, el cine se ha convertido ya de manera efectiva en modelo y referente del proceso de reconstrucción y reforma de la narrativa tradicional que lleva a cabo la vanguardia.

Resulta sumamente esclarecedor que incluso quienes criticaron esta nueva modalidad de escritura, reconocieran, aunque desde posicionamientos antagónicos, el mismo papel fundamental del cine en ella. Así lo hacía Rufino Blanco Fombona en la elocuente fórmula con que caricaturizaba la nueva narrativa: «Cinematógrafo + Poemita + Tontería – Talento = Novela» (1937: 1). Como toda caricatura, que manipula la realidad reduciéndola a un número limitado de rasgos que se magnifican con la intención de satirizar o criticar, la fórmula de Blanco Fombona distorsiona también la narrativa de vanguardia, al tiempo que —y esto es lo más importante— pone el dedo en la llaga de lo que considera sus principales «defectos», y en este sentido nos ofrece una idea muy valiosa de la visión que él y otros como él tuvieron de la nueva narrativa. Para los propósitos de este trabajo, su fórmula me parece fundamentalmente válida y acertada, ya que al margen de su opinión personal —no muy positiva a juzgar por el tercer y cuarto términos del primer miembro—, identifica claramente al «Cinematógrafo» como el elemento constitutivo primero y esencial de la nueva narrativa. De los sumandos de su fórmula, el «Poemita» ha sido sin duda el que más se ha estudiado hasta la fecha y no en vano durante algún tiempo se ha designado a este tipo de narrativa como *novela lírica* o *novela poética* (Gullón, Villanueva). En cuanto al «Talento» y la «Tontería», no es mi función calibrar la carencia (o abundancia) de éstos en la nueva narrativa, labor que sería especialmente ardua por la naturaleza difícilmente mensurable de ambos elementos. Finalmente, la parte que más interesa a los propósitos de mi estudio es el primer término de la fórmula: el «Cinematógrafo». Desde este punto de partida, mi objetivo en los capítulos que siguen consistirá en despejar esa incógnita del papel que desempeñó el cinematógrafo en la novela de vanguardia por medio del análisis de los aspectos más importantes en los que se materializó su influencia.

ESTRUCTURA E IMAGINARIO DE LA NARRATIVA DE VANGUARDIA: MONTAJE, *DÉCOUPAGE* Y FOTOGENIA

> El cinema proyecta sus angulares rayos lumi-
> nosos, sus imágenes palpitantes y su vital ritmo
> acelerador sobre nuestras letras de vanguardia.
> Guillermo de Torre (1928: 3)

Uno de los aspectos que la crítica especializada ha destacado a propósito de la narrativa de vanguardia y su relación con el cine ha sido el de la inorganicidad de su composición, el descoyuntamiento estructural de la narración y la disolución del argumento y la trama. El crítico que de forma más convincente y sistemática ha vinculado esta inorganicidad con la estructura de fragmentación y montaje de la narrativa cinematográfica ha sido José Manuel del Pino, en particular a propósito de la novela *Pájaro pinto* (1927) de Antonio Espina. Como afirma Del Pino, «el principio cinematográfico —con sus implicaciones en los procedimientos de metaforización visual— sirve a Espina para subvertir la construcción de un argumento dominador de toda la obra; en su lugar, lo que presenta es una sucesión de bocetos y estructuras novelísticas que nunca terminan de cuajar como relatos tradicionales» (1995: 133).[1] En realidad esta afirmación se podría extender a prácticamente toda la producción novelística de la vanguardia, en cuya estructura

---

[1] Antes, Del Pino había afirmado que «siguiendo la técnica del collage plástico y del montaje cinematográfico, el escritor ordenará la realidad y los distintos elementos con la finalidad de producir la discontinuidad de la línea argumental» (1995: 75). Domingo Ródenas de Moya, por su parte, habla también de la fragmentación del discurso narrativo de la vanguardia, aunque no lo relaciona con la fragmentación del discurso cinematográfico

es posible detectar la presencia del modelo de yuxtaposición y articulación de planos, escenas y secuencias proveniente del cine.

La técnica del montaje como recurso de articulación del texto fílmico era relativamente reciente a mediados de la década de los veinte; de hecho, las primeras teorías del montaje se deben precisamente a los autores formalistas y vanguardistas de este periodo. En este sentido, la reflexión teórica en torno al montaje cinematográfico que se desarrolla a mediados de los años veinte es una referencia y una guía de inestimable valor para los narradores de vanguardia. Este discurso crítico y teórico sobre la estructura y articulación del texto fílmico se convierte, pues, en un metalenguaje aplicable a la nueva literatura. Si las definiciones que autores como Jarnés o Espina hacían del cine eran equivalentes a la definición de su propia narrativa, los discursos críticos a propósito del cine eran también discursos críticos sobre una narrativa de vanguardia mediada, permeada y, en definitiva, poseída por el espíritu de la nueva estética. En esa época, el cine era la más joven de las artes y, a los ojos de los jóvenes escritores, se presentaba como un espacio virgen, de una frescura y novedad incomparables, en cuyo modelo estético debía reflejarse todo arte que aspirara a una auténtica renovación.

En el caso de España, el gran crítico del montaje fue sin duda Luis Buñuel, que ya desde los comienzos de su colaboración en *La Gaceta Literaria* había destacado la importancia de éste como elemento articulador de un discurso que trasciende lo meramente argumental y que se rige de acuerdo con un criterio organizador superior. En su célebre artículo «Una noche en el Studio des Ursulines» del 15 de enero de 1927, Buñuel planteaba algunos de los puntos de discusión más importantes de la crítica y la teoría del cine de aquellos años y dirigía su reflexión por los derroteros del análisis formal del lenguaje cinematográfico. El autor establece una división de la historia del cine en dos periodos: los films de *avant-guerre* y los de *avant-garde*. Lo interesante de su reflexión es que localiza el momento de transición de uno a otro modelo en el hallazgo de la fotogenia como principio articulador de la imagen cinematográfica, que permite superar la concepción

sino con el modo de percepción humana: «La atomización del discurso narrativo, que implicaba una fragmentación análoga del universo representado, el cual se mostraba como un mosaico de imágenes rotas fruto de la discontinuidad de la percepción humana, no suponía necesariamente el sacrificio de la coherencia, sino la sustitución de un tipo de coherencia (o de organicidad) por otro» (1997: 54).

del cine como mero reproductor de imágenes en movimiento para convertirse en auténtico arte. Como afirma Buñuel, «el cine primitivo no había encontrado su lenguaje propio, sus peculiares medios expresivos», y acto seguido enumera «los cuatro grandes pilares donde se apoya el gran templo de la Fotogenia» del nuevo modelo cinematográfico: «el plano destacado», «el ángulo toma-vistas», «la iluminación» y «el más fuerte y definitivo del montaje o composición» (1927a: 6).

Buñuel toma el concepto de Fotogenia, elaborado teóricamente por la crítica francesa, y lo sitúa en el centro de su argumentación a propósito de la estética cinematográfica, si bien para él este concepto no se circunscribe sólo a la plasticidad y apariencia de los objetos sobre la pantalla, como había sido en parte el caso de Delluc y Moussinac, sino que está íntimamente relacionado con el de «lenguaje cinematográfico», es decir, con el carácter compositivo, de articulación y construcción, de la narración fílmica. Para Buñuel, el componente «medular y substancial» de esta concepción constructivista de la fotogenia es «el gran plano», que aparece definido de este modo:

> Llamamos gran plano —a falta de vocablo más específico— a todo aquel que resulta de la proyección de una serie de imágenes que comentan o explican una parte de la vista total, sea paisaje u hombre. El cineasta concibe por medio de imágenes, distribuidas en planos. Su idea, ya realizada, se compone de una serie de elementos dispersos que luego habrá de acoplar, mezclar, intercalar: en una palabra, se verá forzado a componer, a ritmar y ya sólo con ese acto, comienza el arte. Porque el cine, si es, ante todo, movimiento, tendrá que ser ritmo para que llegue a fotogénico (1927b: 6).

La definición que propone y la relación que establece entre ritmo y fotogenia expresan su concepción de la estética cinematográfica como proceso de articulación de imágenes, de planos, muy semejante en este sentido a las definiciones de la «cine-frase» y el «cine-periodo» de Eikhenbaum, donde se detecta una clara analogía con la construcción sintagmática y paradigmática de la lengua.[2] En opinión de Buñuel, el cine no puede limitarse a reproducir mecánica y monótonamente escenas de la realidad, sino que debe desarrollar imaginativamente un lenguaje propio. El «gran plano» surge así de la inter-

---

[2] Eikhenbaum afirma que «la fotogenia y el montaje han hecho posible una dinámica de las imágenes visuales inaccesible a cualquier otro arte» (1998b: 60).

sección de las posibilidades técnicas del cinematógrafo, capaz de reproducir imágenes en movimiento, con el tratamiento propiamente fotogénico —artístico— de tales imágenes a la hora de seleccionarlas y combinarlas creativamente en el montaje.

Como apuntaba brevemente en el párrafo anterior, la reflexión de Buñuel es deudora del análisis del cine como construcción que elaboraron los formalistas rusos, y más concretamente Boris Eikhenbaum en su artículo «Problemas de Cine-estilística», publicado en *Poetika Kino* de 1927. En este artículo Eikhenbaum describía el concepto de fotogenia como «la esencia 'transmental' del cine», aquello que no se transmite de forma física en la pantalla sino que forma parte del discurso interior que construye el espectador ante la obra fílmica (1927: 49); «utilizada como 'expresividad', la fotogenia se transforma en 'lenguaje', lenguaje de la mímica, de los gestos, de las cosas, de los ángulos, de los planos, etc., que son el fundamento de la cine-estilística» (ibid.). Anticipándose a los trabajos semióticos posteriores sobre la imagen y el texto fílmico, Eikhenbaum establecía ya una definición del lenguaje cinematográfico como un complejo universo de entidades significantes articuladas cuyo modelo de combinación trasciende la función meramente argumental.

En esta misma línea, Eikhenbaum señalaba también una distinción fundamental entre la *invención* tecnológica que supuso el cine de los orígenes y el *descubrimiento* de las técnicas y posibilidades estilísticas de la cámara en manos del director, el salto de la tecnología al arte: «con la evolución de la técnica y la concienciación de las múltiples posibilidades del montaje, se estableció la distinción —necesaria y específica de cada arte— entre material y construcción. En otras palabras, surgió el problema de la forma» (ibid.: 47). Este problema, sin embargo, no se resuelve con la mera combinación o yuxtaposición de planos con el objetivo de crear un argumento coherente, sino que el montaje atañe a la estructura más profunda del lenguaje y la forma del texto cinematográfico: «es habitual [...] no considerar el montaje más que como 'composición del argumento', cuando su función es fundamentalmente estilística. El montaje es ante todo un sistema *de disposición de los encuadres o de encadenamiento*, una especie de sintaxis del filme» (ibid.: 61).

Por su parte, Buñuel establecía también una clara diferencia entre los aspectos técnicos del cinematógrafo —su capacidad para retener visualmente fragmentos de realidad— y el papel ordenador y propiamente creador del cineasta. Entre la máquina y el hombre, Buñuel inclinaba la balanza por el segundo y otorgaba así mayor importancia a la inteligencia y la creatividad

que a la actividad mecánica del objetivo. Utilizando un paralelismo semejante, Eikhenbaum afirmaba que «*la deformación de lo real* ocupa en el cine,
así como en las otras artes, el lugar que le corresponde. En manos del operador, la cámara actúa a la manera de los colores para el pintor» (1927: 61).[3]
Esta idea de la función (de)formadora del arte cinematográfico se encuentra en otros críticos españoles del periodo, como Fernando Vela, que en
1925 apuntaba que «el arte exige por cada elemento de realidad conserva-
do, la extirpación de otro» (1925: 216). Buñuel coincidía en subrayar la
importancia de esta distinción entre la realidad del mundo exterior y la
imagen que recoge y elabora el cineasta. El cine debía mantenerse a una distancia prudencial de su referente. Un seguimiento demasiado estrecho de
éste resultaría en el film naturalista, que a Buñuel le parecía un producto
menor. Por el otro extremo, ensayos como la *Sinfonía diagonal* de Ruttman
—compuesta por líneas y figuras geométricas luminosas en movimiento sobre un fondo negro— le llevaron a afirmar que «allí todo queda deshumanizado», haciendo uso de uno de los conceptos más recurrentes y contro-
vertidos del arte de vanguardia de la época.[4]

[3] Otro formalista ruso, Tynianov, afirma que «en el cine, el mundo visible no es ofrecido como tal, sino en su condición semántica, de otro modo el cine no sería más que fotografía animada (o muerta). El hombre visible, la cosa visible, sólo son un elemento del arte
cinematográfico cuando son ofrecidos en calidad de signo semántico» (1998: 83).

[4] Numerosos críticos aplicaron un criterio semejante en su rechazo del cine sonoro y en
color, ya que el blanco y negro y la ausencia de sonido contribuían a crear un sistema de representación artística peculiar, distinta de nuestra percepción de la realidad, al modo del
teatro de sombras chinescas, como mencionaba el propio Vela. También Buñuel consideraba el sonoro y el color «de bajo realismo y de mal gusto», y abogaba por un cinematógrafo
desrealizador —deshumanizado— que dispusiera de un código propio de representación y
de decodificación visual por parte del espectador: «nos adherimos a la cofradía del Claro-
Obscuro [...]. Infinidad de cofrades han ido a ponerse bajo los auspicios de la Musa del
Silencio, envuelta en la pura túnica del Claro-Obscuro. ¡Que su reinado perdure entre las
gentes de buen gusto!» (Buñuel 1927b: 6). Salvador Dalí se pronunciaba también a favor
de un cine desrealizador que se acercara lo más posible a la pura fantasía personal de cada
uno: «Cinema mudo, sordo, ciego, diría aún yo, ya que el mejor cine es aquel que puede
percibirse con los ojos cerrados» (1927: 5). Concha Méndez Cuesta, en su artículo «El cinema en España», de octubre de 1928, rechaza también el cine en color y el sonoro, adu-
ciendo que «sólo darán resultados negativos» (1928a: 5). Miguel Pérez Ferrero dedicó un
extenso artículo a la cuestión del sonoro en el mismo número de *La Gaceta*, en el que lle-
gaba a una conclusión similar: «Cinema es Mudez, Silencio [...]. Silencio debe luchar de-
nodadamente por que no le cubran con hojarasca seca de palabrería» (1928: 2). Corpus

El mismo año en que Buñuel reflexionaba sobre el montaje cinematográfico desde las páginas de *La Gaceta Literaria* —1927—, el novelista Antonio Espina publicaba en *Revista de Occidente* sus «Reflexiones sobre cinematografía», artículo en el que trataba del poder desrealizador del cine, pero no desde el punto de vista de la producción de la obra fílmica como había hecho Buñuel, sino desde la perspectiva de su recepción. Así, Espina subrayaba el papel fundamental del espectador de cine en el proceso de interpretación de la película: «El sujeto espectador, el sujeto que *ve*, colocado delante de la pantalla, tiene una grande importancia en el nuevo organismo estético. Resulta un poco actor, también, si no protagonista, subprotagonista, y representa como otra pantalla pequeña —a su vez reverberante— colocada enfrente de la pantalla grande» (1927: 37-38). El espectador de cine no sólo (ad)mira el movimiento y la luz que aparecen en la pantalla, sino que proyecta sobre su conciencia «a su vez reverberante» el sentido que se desprende de las imágenes, idea que el autor recoge con gran eficacia en el símil de la «pantalla pequeña». Una reflexión que, según Espina, concernía a todo el arte de vanguardia, incluida la narrativa que él mismo practicaba y de la que era un autor destacado: «No solamente el cine, sino casi todo el arte moderno ha exigido de pronto, para su total comprensión y goce, a individuos y públicos, un esfuerzo, una postura violenta. Primero de la atención, después de la inteligencia, y, por último, de la conciencia entera» (ibid.: 38).

Estas palabras podrían interpretarse muy bien a la luz de los planteamientos que Ortega había defendido dos años antes en *La deshumanización del arte* (1925), donde definía el arte moderno como «un arte para artistas, y no para la masa de los hombres [...]; un arte de casta, y no demótico» (22), por cuanto en él la relación mimética entre significante y significado quedaba desnaturalizada, deshumanizada, y el intérprete estaba obligado a desplegar un aparato hermenéutico más sofisticado y complejo, o sea, el «esfuerzo» o «postura violenta» que veíamos más arriba. La propuesta de Espina, sin embargo, va más allá de la distinción entre mayorías del común

---

Barga, por su parte, mantenía la opinión contraria y echaba de menos «el cinematógrafo de color». Asimismo, defendía que el sonido del cine no debía reducirse a la música de acompañamiento, sino que debían oírse «los tácitos y atentados pasos del asesino; la carta fatal arrugada; el portazo; el vuelo de una mosca; el trabajo del gusano en la madera; el suspiro» (1929: 262). Y terminaba: «Como canta y baila, ¿por qué no ha de hablar también el cinematógrafo? Lo raro ha sido no oír hablar a sus personajes» (ibid.: 263).

y minorías selectas, toda vez que su argumentación no hace tanto hincapié en la capacidad del espectador para interpretar la obra de arte, cuanto en la habilidad del artista para desautomatizar y estimular de forma novedosa la conciencia estética de su público y conseguir activar nuevos resortes hermenéuticos que hasta entonces parecían dormidos. De hecho, cuando reflexiona sobre la perpetuación de formas artísticas anquilosadas y la reticencia del público ante las nuevas propuestas estéticas, es precisamente este público el que a su juicio «merece cierta disculpa»:

> durante largos siglos [el público] ha estado repitiendo invariables posturas psicológicas, frente al arte, frente al libro y frente al teatro. Que a fuerza de repetir tales posturas, se había creado un vasto repertorio sentimento-intelectual de automatismos en los que descansaba plácidamente, sin sospechar siquiera que pudieran existir dentro de él, en su propia alma, otros resortes dormidos que vendrían a despertar los pequeños Sigfredos del *modernismo* (Espina 1927: 38).

Pese a que el artículo era una meditación sobre el cinematógrafo, Espina dejaba a éste fuera de la lista de las artes que se habían dedicado durante siglos a ofrecer el mismo «repertorio sentimento-intelectual de automatismos», que él identificaba fundamentalmente con el libro y el teatro. Y así lo hacía, porque para él la fuente milagrosa en la que había de abrevar todo proyecto de renovación artística, incluida la literatura, era precisamente el nuevo arte cinematográfico. De hecho, su visión de la renovación literaria que debía acometer la vanguardia consistía básicamente en la propuesta de incorporación del lenguaje y el imaginario cinematográficos a la narrativa, tal y como proponía abiertamente en la «Antelación» con que se abría su primera novela de vanguardia, *Pájaro pinto*, que hemos citado ya en el capítulo anterior: «Traer a la literatura los estremecimientos, el claroscuro, la corpórea irrealidad, o el realismo incorpóreo del cinema, la lógica de este arte, es procurarse nuevos efectos literarios, muy difíciles de situar en ningún género determinado» (*Pájaro pinto* 7).[5]

---

[5] *Pájaro pinto* constituye uno de los ejemplos paradigmáticos de construcción narrativa a partir del principio de fragmentación y montaje del lenguaje cinematográfico, algo que ha estudiado con detalle José Manuel del Pino. Robert Hershberger ha analizado también, aunque quizás con menor hincapié en el principio organizador del montaje, la influencia del cine en la estructura y composición de la primera versión de *El profesor inútil* (1926) de Benjamín Jarnés. Lo mismo se puede decir de Aurelio de los Reyes, que ha examinado la influencia del cine en la estructura secuencial de *Dama de corazones* (1928) de Xavier Villaurrutia.

La pregunta que se impone es clara: ¿en qué consisten estos «nuevos efectos literarios»? El mejor lugar para ir a buscarlos es probablemente su artículo «Reflexiones sobre cinematografía», en el que el autor compendia los aspectos en que a su juicio se detecta de forma más clara la innovación que el cine aporta al resto de las artes y a la nueva estética. De los siete subapartados en que está dividido el texto, tres atañen fundamentalmente al nuevo modelo de expectación frente a la obra cinematográfica que hemos comentado brevemente: la demanda de una actitud activa por parte del público, la especial actitud psicológica que provoca en el espectador el «baño de oscuridad» en la sala de proyección, y el estado de aislamiento de la realidad y el viaje hacia las zonas fluidas de la imaginación que experimenta quien contempla las películas. Sin embargo, lo que más interesa a los propósitos de este estudio son los cuatro apartados restantes, referidos a otros tantos aspectos de la estética cinematográfica y que serán a la postre la materia sobre la que operen los escritores para procurar a su obra esos «nuevos efectos literarios».

En primer lugar, Espina destaca el uso que hace el cine de «la materia imaginativa», que lo convierte en un producto eminentemente antirrealista, lírico, plagado de sugestiones, y cuya «naturaleza, esencialmente imaginativa, le impide recalar en el verismo absoluto» (1927: 37). En segundo lugar subraya su novedoso tratamiento de la «movilidad» y la «espacialidad»: «Las tónicas generales de la fotogenia móvil, nacen de las dos sensaciones físicas del tiempo y del espacio, percibidos en la representación cinemática de las formas, de modo distinto al cotidiano y vulgar» (ibid.: 41). En tercer lugar, analiza las «ampliaciones del protagonismo» en la obra fílmica, cuya función no queda relegada ya exclusivamente al sujeto o a la colectividad, sino que se extiende a los objetos, los espacios, la luz, los contornos, el movimiento, y otros, todos ellos alumbrados a la vida bajo la nueva estética de la fotogenia. Por último, recalca la revalorización de lo visual y el «imaginismo cinematográfico», que está directamente relacionado con los tres aspectos anteriores: la materia imaginativa, la ampliación del protagonismo y el papel fundamental de la fotogenia.

En realidad, los cuatro aspectos mencionados por Espina están íntimamente conectados entre sí y funcionan a modo de vasos comunicantes. Hablar del principio fotogénico es hablar del nuevo protagonismo del objeto en la narración, que a su vez trae consigo una revalorización de la plasticidad visual y el imaginismo, que a su vez implica una modificación en el modelo tradicional de configuración del espacio y el movimiento. Y todo ello, en definitiva, supone una ampliación y transformación radical de la materia imaginativa sobre la que opera el escritor, cuyo modelo, referencia y fuente de inspiración es la nueva estética de la pantalla. Ésa es la propuesta que Espina lanzó al aire en la «Antelación» de su *Pájaro pinto* en 1927, ése es el objetivo que persiguió en toda su producción literaria entre 1927 y 1929, y ése es el diagnóstico retrospectivo que hizo de la narrativa de vanguardia cuando ésta iniciaba el declive de su breve y complicada existencia.

Las ideas de Espina sobre la nueva narrativa aparecen magníficamente compendiadas en una reseña que él mismo publicó en enero de 1929 sobre la novela *Félix Vargas* de Azorín. El análisis de esta obra le sirve en realidad de pretexto para exponer de forma general la clave cinematográfica que a su juicio subyace a todo el proyecto renovador de la narrativa vanguardista de los años precedentes. Espina comienza alabando el impulso de innovación constante exhibido por Azorín, que, siendo un escritor de al menos dos generaciones anteriores, no se queda cómodamente en la repetición de un estilo ya consagrado, sino que se aventura a explorar nuevos territorios narrativos en busca «de ese algo que se persigue desde hace tiempo en los laboratorios de vanguardia» y que Espina define con alguna mayor precisión como «el problema que pudiéramos denominar 'cineástico-imaginista' de la literatura moderna» (1929: 115). Espina identifica aquí la clave del proyecto narrativo de su generación, el problema estético de fondo al que han querido dar respuesta, aunque admite también que «no conocemos todavía los términos fijos de ese magno problema» (ibid.). En este sentido, su breve análisis de la novela puede considerarse en realidad un análisis y un diagnóstico aplicable a la narrativa de vanguardia *tout court*, y constituye un indicador valiosísimo de su propia concepción de la nueva narrativa:

> Toda la novela parece integrada por piezas movibles: personajes, asunto, descripciones, diálogo. Las cuales piezas nunca conservan lugar permanente en el espacio arquitectural de la novela, sino que varían a cada trance de situación y ritmo, diluyéndose en sombras o en toques de luz; o bien materializándose de pronto con energía fotogénica en cuerpo tangible y naturaleza viva. La tramoya consiste en un limpio manejo visual de distancias y enfoques, planos y volúmenes.
>
> [...]
>
> Capítulos enteros del libro —capítulos breves, algunos de sólo tres o cuatro páginas— relumbran como el haz luminoso de la linterna en la cámara oscura. [...] La prosa [...] gana en resortes expresivos y en mecanismos veloces: del *ralenti* al *accelerè*. Y añade nuevas facetas brillantes a su prisma (ibid.: 116-117).

Además de estos aspectos, destaca también «la proyección completa de *Félix Vargas*», la «fugaz planitud puramente externa y óptica de la pantalla», el «acierto decisivo del mejor truquismo cinegráfico aplicado a la literatura», la «página admirable de cinegrafía imaginista» en la que resaltan las sensaciones «de movimiento (análisis de movimiento) y la concreta de la imagen» (ibid.: 116), y «un maravilloso primer plano que fulgura repentino durante un segundo y se esfuma enseguida» (ibid.: 117). Todos los elementos que analiza se dirigen hacia esa concepción de la narrativa de vanguardia como incorporación de la técnica y el imaginario cinematográfico a la novela. Afirma que «fueron los poetas modernos los primeros que incorporaron la técnica del cinema a la literatura» y que «después, muchos novelistas de todo el mundo practicaron y vienen practicando ensayos en este sentido» (ibid.). Para terminar, Espina invita a todos los escritores a «meditar hondamente, imparcialmente» sobre los logros estéticos de esta novela y hace un alegato a favor de la renovación cinegráfica del género narrativo:

¿No cabe tratar indirectamente un modelo o una situación de la vida? ¿No se puede mirar un ser o un objeto a través de una lente o de un sistema de lentes deformantes que conviertan el objeto en figura original, definida por inéditas e imprevistas siluetas y luces? Un paisaje, ¿no puede metaforizarse, transfigurarse, sin que por eso pierda los puntos de apoyo de la referencia biografista-realista?

Yo creo que las leyes profundas orgánicas del género literario «novela» no se alteran por eso. Ni tampoco que naufrague el género en el otro género cercano: el poema. En cambio, merced al discreto empleo de las técnicas nuevas, sea cualquiera su procedencia, la novela ensancha su campo de investigación, de ideas, y, en suma, de efectos sensibles (ibid.: 118).

Tanto en el artículo germinal de Espina sobre el cine como en su reseña de *Félix Vargas*, las innovaciones traídas por el séptimo arte se presentan en términos de un nuevo modelo de articulación de la narrativa literaria y, directamente relacionado con éste, la incorporación del componente «cineástico-imaginista». Los ejemplos que Espina utiliza para ilustrar estos efectos son «una lente» o «sistema de lentes deformantes», la transformación del «objeto en figura original, definida por inéditas e imprevistas siluetas y luces» o la *metaforización* y *transfiguración* de un «paisaje». Los «nuevos efectos literarios» a los que Espina había hecho referencia en varios de sus escritos parecen finalmente revelarse como efectos básica y fundamentalmente *espaciales*. El montaje se convierte en un artefacto *imaginista*, en un aparato de articulación de imágenes en su sentido de visiones: visiones de objetos, visiones de paisajes y espacios, visiones de relaciones —movimientos— de los objetos en un espacio. Para acceder a la nueva narrativa el lector debe ser ante todo espectador, tener los ojos bien abiertos y observar la narración sabiendo que su nuevo protagonista es, antes que ninguna otra cosa, el espacio. Las visiones de la nueva narrativa deben ser interpretadas por medio de la mirada escrutadora del lector, a partir de las cuales podrá elaborar un discurso interior, externo a la narración, que dote de sentido al conjunto. Así describía este proceso Espina en una reflexión metatextual de su relato «Bacante» que ha sido citada en otras ocasiones:

> (La novela, para el novelista, debe extraerse de una serie de compartimientos estancos, en los que se ponen con antelación los ingredientes de aquélla.
>
> En un compartimiento se pone lo descriptivo; en otro, lo dialogal; en otro, los personajes, etc., etc.
>
> Una vez hecho esto, el novelista debe cerrar los ojos y coger al azar, revolviéndolos, ingredientes de todos los compartimentos, arrojándolos a puñados sobre los capítulos.
>
> La novela así, resultará desarticulada y monstruosa. Esto no es un defecto.
>
> En realidad, lo que ocurre es que la articulación, la clave articulada, queda fuera de la novela, como el proyector cinematográfico queda fuera y lejos de la pantalla.
>
> En ambos casos, el proyector es lo más importante. Ese haz de luz del ojo de la cabina que traspasa como una estacada la cámara oscura.
>
> La verdadera vida se halla en este ojo. La fuente de la vida, al salir en cueros en chorro germinal.
>
> La novela, con su terrorismo, desafuero infantil y alegoría, hay que sorprenderla al ras del brote.
>
> Por eso el espectador —el lector—, si tiene imaginación, necesita mirar alternativamente al écran y al agujero.
>
> Observar ese ojo inyector de la cabina, con atención profunda de oculista («Bacante» 18-19).

La narrativa se presenta así como un conjunto de imágenes o estampas que el escritor arroja sin orden ni concierto sobre la página en blanco de modo análogo a la proyección de las imágenes sobre la pantalla. El lector, por su parte, tiene la función de descubrir la clave articuladora de estas imágenes por medio de su cuidadosa observación, mirándolas «con atención profunda de oculista». Espina subraya este papel fundamental asignado al espectador-lector en el proceso de interpretación de la obra artística, pues debe asumir una función activa de cotejo constante de la realidad exterior y el producto artístico con el fin de descifrar las claves y principios constructores de la obra. Desde el punto de vista de la creación, Espina destaca la fragmentación de los elementos que constituyen la narración. Como hemos dicho más arriba, el elemento fundamental de la narración de vanguardia, tal y como la concibe Espina, es el espacio, por lo que su modelo de composición narrativa será precisamente el de la segmentación del espacio, que ya Gloria Rey evocó sucintamente al referirse a su técnica de articulación como «la descomposición de la realidad en planos y los cambios de ritmo de origen cinematográfico» (1994: 25).

En efecto, «Bacante» se presenta ante el lector como una narración segmentada por medio de una técnica análoga al *découpage* cinematográfico en cuyo proceso de reconstrucción será fundamental prestar atención a la clave visual y la disposición espacial de los elementos de la narración. Sobre la segmentación del espacio en el cine, Luis Buñuel publicó a finales de los años veinte su artículo «'Découpage' o segmentación cinegráfica», en el que establecía la distinción conceptual entre los términos de *découpage* y montaje. Si el montaje consistía en el ensamblaje de los diferentes planos que componen la cinta, el *découpage* era definido ahora como la acción inicial en la que se concibe la película en sus sucesivos planos y secuencias.[6] Buñuel afirma que el *découpage* es la acción ideal —mental— con la que se inaugura el acto creador propiamente cinematográfico:

> La intuición del film, el embrión fotogénico, palpita ya en esa operación llamada *découpage*. Segmentación. Creación. Escisión de una cosa para convertirse en otra. Lo que antes no era, ahora es. [...] Momento auténtico en el film de creación por segmentación. Ese paisaje, para ser recreado por el cinema, necesitará segmentarse en cincuenta, cien o más trozos. Todos ellos se sucederán después vermicularmente, ordenándose en colonia, para componer así la entidad film, gran tenia del silencio, compuesta de segmentos materiales (montaje) y de segmentos ideales (*découpage*). Segmentación de segmentación (Buñuel 1928b: 1).

La referencia a la «segmentación de segmentación» nos habla de una doble articulación del lenguaje cinematográfico en planos e imágenes: «Film =

---

[6] La importancia que Buñuel otorga al *découpage* en el proceso de creación de la película es semejante a la otorgada por Evgueni Mijailov y Andrei Moskvin (cf. 1998: 159).

Conjunto de planos. Plano = Conjunto de imágenes» (ibid.). Esta doble segmentación distingue entre la morfología de la imagen cinematográfica, cuyos elementos constitutivos son la fotografía, el encuadre, el ángulo, la luz y la disposición geométrica de los objetos, y la sintaxis de los planos que componen la película y en la que intervienen factores como el tiempo, el ritmo, el movimiento y la acción. Como afirma Buñuel, «Fotogenia = Objetivo + Découpage = Fotografía + Plano. El objetivo [...] ve el mundo. El cineasta, después, lo ordena» (ibid.).

El *découpage* está por tanto más ligado a la composición de la imagen, su disposición espacial, que a la sucesión de imágenes que armoniza el montaje, por más que la semántica de la imagen no pueda desligarse de la sucesión de éstas. Esta idea del valor significante del espacio y de la estructura y distribución de los objetos en éste pasa a convertirse en una de las principales preocupaciones estéticas de la nueva narrativa y en una de sus herramientas de renovación más importantes. Si, según Buñuel, un «paisaje, para ser recreado por el cinema, necesitará segmentarse en cincuenta, cien o más trozos», Espina se preguntaba al final de su reseña de *Félix Vargas* si un paisaje puede «metaforizarse, transfigurarse» en la narración. No es casual, en este sentido, que el mismo escritor inicie su relato «Bacante» con una escena subtitulada «Paisaje bailable» en la que el espacio narrativo ha sido segmentado en numerosos trozos por medio de un *découpage*. El baile del paisaje es para el narrador el juego de piezas movibles en que se desintegra el espacio de la modernidad ante la vista del sujeto:

> Ignoramos las razones que pueda tener una montaña para ponérsenos delante. Los nuevos movimientos que ha inventado el campo frente al automóvil, son ya puro baile. Bailan las cosas, con la música mezcla de *jazz-band* y de petardo del motor, y (en la noche) brillan luces, como lentejuelas. Estas sensaciones son primarias, y superadas al primer golpe de vista, por cualquier espectador, al primer kilómetro veloz.
>
> Después viene el interpretar los bailes de cada paso, a cada engarabitamiento de dedos, sobre el aro medular del volante.
>
> Silvia corría. Corría llevando su coche a gran velocidad por la carretera de Visiedo.
>
> Visiedo es una playa cantábrica, de esas que todavía quedan, discreta, escondida, que aún no ha llegado a ascender a la categoría de gran playa de moda. Y, sin embargo, y por esto mismo, lanza ya su veraneo al escaparate. Lo saca y lo pone entre los sombreros del verano y los jerseys náuticos, a rayas blancas y azules («Bacante» 1-2).

Con este breve preámbulo, Espina coloca el espacio en el centro del protagonismo narrativo. Lo que podría haber sido una simple descripción de la llegada de Silvia en coche a la playa de Visiedo, se convierte en una reflexión sobre la naturaleza del espacio y de su percepción por parte del nuevo sujeto vanguardista. Esta centralidad del espacio, que se hace extensiva al movimiento, recae fundamentalmente en los objetos que componen las imágenes que recoge la retina. Son las montañas las que se nos ponen delante, es el campo el que ha inventado nuevos movimientos frente al automóvil, es Visiedo el que lanza su veraneo al escaparate, lo saca y lo pone entre los sombreros. En definitiva, las cosas bailan, los objetos bailan, el espacio es un enorme «paisaje bailable». Y, como afirma el narrador, «después viene el interpretar los bailes de cada paso». En un sentido metanarrativo, el comienzo de «Bacante» es una reflexión sobre el espacio y sobre el papel central que éste desempeña en todo el relato: un lenguaje de formas espaciales, imágenes, movimientos, que el lector-espectador debe ir interpretando a la manera de un baile, paso a paso. Como había escrito Jarnés en «De Homero a Charlot», «la literatura es visión», y la función del lector es estar bien pendiente de la disposición de los objetos en el espacio imaginario que elabora la narración. El espacio se convierte así en la clave de articulación de la estructura geométrica del texto.

En el caso de «Bacante», todo el relato está construido en torno a dos espacios claramente diferenciados: el de la tierra firme de Visiedo, con su montaña, su hotel y su enorme escalinata, en el que viven Silvia, su padre, Dagmara Wolenka, su marido y el resto de veraneantes; y el de la isla de Caribdys, con su inquietante castillo, habitado por el misterioso Aurelio y su no menos misterioso criado y barquero Sebastián. De las 16 escenas que componen «Bacante», cuatro de sus títulos hacen referencia a estos dos espacios —«Visiedo», «La escalinata del hotel», «La isla de Caribdys» y «Vago croquis del castillo»— y tres al carácter descoyuntado y fragmentado del espacio-narración —«Paisaje bailable», «Reversible. (Y un espejo.)» y «Puzzle»—. Tal y como anunciaba el narrador en el excurso metatextual citado más arriba, otras escenas-compartimentos están dedicadas a diversos personajes —«Don Enrique», «Mara – Hércules F. Elisa, Clara y Cereceda», «Un borracho, algo Teniers» y «Silvia y Mara»— o a lo descriptivo y dialogal —«Silvia llega a su casa», «Cierta mañana» y «La consagración»—. Por último, las dos escenas que más me interesan y en las que se centra fundamentalmente mi análisis sobre la clave geométrica del relato, son la escena

12 —«La luna de copas»—, de la que tomó su título la novela posterior, y la 16 —«El áspid enroscado»—, con la que se cierra el relato.[7]

«Bacante» cuenta la historia de la seducción un tanto esotérica de Silvia por parte del misterioso Aurelio, reconvertidos ambos en una suerte de bacante y dios Baco, y enmarcado todo ello en un espacio sumamente ritualizado en el que todos los elementos cobran un marcado cariz simbólico. Así se entiende, por ejemplo, el sentido de la penúltima sección, «La consagración», en la que se narra el momento de abducción y posesión definitiva de la bacante-Silvia por parte de Baco-Aurelio, posesión revestida de un matiz mágico-nigromántico propio de los rituales báquicos que sirven de subtexto al relato. Sin embargo, la incorporación de este aparato nigromántico es algo más que un juego de relaciones intertextuales; supone además una transformación radical del modelo de significación e interpretación de la obra. «Bacante» se resiste a una lectura convencional, de carácter lógico y discursivo, y en su lugar propone una nueva hermenéutica en la que la imagen sustituye a la palabra y la gnosis desplaza al discurso narrativo convencional como fuente generadora de sentido. El nuevo modelo hermenéutico es, si se me permite la comparación, semejante al del tarot, en el que el adivinador debe elaborar un sentido a partir de la interpretación de los elementos que aparecen en la carta y su disposición espacial sobre ésta. La geometrización de la narración a la que hemos hecho referencia más arriba puede entenderse, en este sentido, como la atomización del discurso por medio del procedimiento imaginista en una serie de espacios, cuadros, planos, estampas o *cartas* que el lector-adivinador puede (y debe) entretenerse en interpretar. Como había reflexionado Eikhenbaum a propósito del modelo hermenéutico de la imagen, «en el cine el espectador es situado en unas condiciones de percepción completamente nuevas que, hasta cierto punto, están en las antípodas de las que implica la lectura: se va del objeto, de la confrontación de encuadres animados, a su interpretación, su designación, al establecimiento de un discurso interior» (1998a: 199). Las palabras de Eikhenbaum son ciertas si la «lectura» a la que se refiere en el fragmento es la de la narrativa tradicional, o sea, la novela realista. Sin embargo, en el caso de la nueva narrativa los escritores han sucumbido a la influencia cinematográfica y ya no están en las antípodas del cine, sino que, más bien al contrario, se han acercado todo

---

[7] El relato «Bacante» constituye dos tercios de la extensión total de la novela *Luna de copas*, que Espina publicó en la colección Nova Novorum de la editorial de la Revista de Occidente en 1929.

lo que han podido a éste. La obra de Espina es un ejemplo muy claro de la incorporación del modelo de interpretación explicado por Eikhenbaum, que parte del objeto, el plano, el encuadre, el espacio, la imagen en definitiva, como entidades significantes que configuran un sentido que no proviene tanto del texto cuanto de la labor de invención, imaginación y reconstrucción del lector.

Como sugiere el título de la novela posterior en la que se incluye «Bacante», la *Luna de copas* constituye la principal de estas imágenes-texto, por más que su sentido siga siendo eminentemente ambiguo e indefinido, tal vez como la propia naturaleza del modelo hermenéutico del libro en su conjunto. La importancia de esta luna de copas puede inferirse además del lugar preponderante que ocupa en la estructura narrativa. En la secuencia duodécima de «Bacante», titulada también «La luna de copas», se produce el primer (y decisivo) momento de sumisión de Silvia al extraño Aurelio, anticipo de la posesión posterior que en último término llevará a Silvia a la locura. A pesar de la curiosidad y la rara atracción que Aurelio suscita en todas las mujeres de Visiedo, Silvia trata de resistirse a él y de mostrarse imperturbable ante las artimañas del personaje. Sin embargo, el influjo de la Luna de Copas posee momentáneamente a Silvia y ésta deja por un momento de ser dueña de sus actos:

> Silvia experimentó el contagio instantáneamente.
> Por encima de la raya del mar alzóse la Luna como una gran Luna de Copas.
> ¡El As de Oros no volvería a salir nunca sobre la raya del Cantábrico!
> Fue entonces, al desbordar lunario de espuma, cuando Silvia sintió la embriaguez legendaria de la danzarina, y hubiese querido volar y girar desnuda alrededor del ídolo.
> [...]
> Silvia volvió en sí cuando ya empezaba a despojarse de la capa escocesa y se iba también a desabrochar la blusa. ¡Oh! Felizmente. Un poco más de celeste espuma, y la *girl* habría dado un traspiés de dos mil años.
> Se habría caído a una profundidad de cinco civilizaciones.
> Aurelio volvió a ser, de pronto, el apacible veraneante de Caribdys.
> Y la muchacha reaccionando, en contacto con el sentido pánfilo de la realidad enrojeció hasta la raíz de su orgullo. La tempestad de cólera, después de tal reacción, no podía hacerse esperar en un carácter como el de Silvia. Una sacudida de indignación. Otra de arrepentimiento. Otra de humillación y otras de venganza, compusieron la menuda electricidad de la onda temblorosa en sus nervios (*Luna de copas* 189-190).

El clímax de la narración, el momento decisivo de sumisión del personaje a su verdugo sentimental, se produce como consecuencia de un trucaje visual sobre el que se superpone el modelo epistemológico de la gnosis. Frente
al modelo expositivo y argumentativo del logos, propio de la narrativa tradicional, Espina propone aquí una nueva relación de causalidad totalmente separada de lo volitivo y racional, que Óscar Ayala ha relacionado con el expresionismo alemán y el modelo nietzscheano de lo dionisíaco (130-131).
La lectura no es ya un proceso de desvelamiento paulatino desde los antecedentes a los consecuentes, sino una serie de sucesos-visiones que no guardan
ninguna relación aparente entre sí, por más que la novela respeta una cierta
unidad argumental, temporal y espacial. Algunas páginas después del suceso
y justo antes de la consagración-posesión por parte de Aurelio, Silvia recuerda que «en la entrevista de la tarde, al surgir en el cielo la Luna de Copas,
sintió el impulso de desnudarse y bailar» (199), pero no busca ninguna explicación que vaya más allá de la constatación de esta experiencia.

Un ejemplo semejante de imaginismo narrativo se puede encontrar en
la representación de la «caída» de Silvia en los brazos de Aurelio como un
descenso al fondo oscuro de la isla de Caribdys, imagen que remite a la
Caribdys clásica, monstruo marino que tragaba enormes cantidades de
agua varias veces al día con todo lo que estas aguas contuvieran. La posesión de Silvia por parte de Aurelio se transforma así en la imagen del descenso de aquélla al fondo oscuro de las tripas de Caribdys, que son «el centro de la tierra» (202). Después se cierra la trampa de la escalera por la que
ha desaparecido Silvia y aparecen en escena Aurelio y Sebastián. Tras inter-
cambiar unas breves palabras, Aurelio apaga de un soplido la bujía que ser-
vía de única iluminación al castillo, concluyendo así la escena con un fundido en negro.

En «El áspid enroscado», última secuencia de «Bacante», nos encontramos de nuevo con un motivo visual, adelantado ya por el título del epígrafe, que lejos de explicar lo sucedido al personaje de Silvia, tal y como el propio texto se propone, sustituye una vez más la argumentación narrativa con
un trucaje imaginista, una estampa, que una vez más refuerza el modelo
hermenéutico de la gnosis:

> Silvia experimentó una verdadera transformación en breve tiempo.
> Advirtió cómo todos los ideales de su vida, se la quebraban en la cintura. Y
> lo advirtió sin rencor. Porque las siervas de Baco quedan sometidas para siem-
> pre con una inmensa voluntad de alegría.

La razón es esta:

Baco, en vez de raptar a sus sacerdotisas echándolas el lazo sobre los hombros, se limita a cogerlas con los dedos por el talle. Sin apretarlas mucho. Como se coge una copa para vaciarla después, de un trago (204).

«Bacante» termina así con un último motivo visual e imaginista y una postrera confirmación del cambio de paradigma narrativo hacia una hermenéutica de lo visual. El áspid o serpiente enroscada está muy presente en la tradición gnóstica, en la tradición judeocristiana y en toda clase de mitologías y saberes ocultos. Lo mismo, en realidad, se puede afirmar de los motivos de la luna y las copas. Aquí, sin embargo, se ha roto toda relación visible de estos objetos con sus tradiciones respectivas. El objetivo que persigue este desenlace parece ser fundamentalmente la culminación del relato en una imagen-objeto final de múltiples resonancias iconográficas y naturaleza eminentemente polisémica. El fluido de la narración se detiene, se solidifica, cuaja finalmente en la forma de una copa que es en realidad todas las copas que nos hemos ido encontrando a lo largo de la narración: la del título de la secuencia, la que surge sobre la raya del Cantábrico, la copa del cuerpo de Silvia ofrecida para su consumición a Aurelio-Baco-Caribdys.

Pero más allá del valor semántico de este final, lo que interesa subrayar es su valor y función *formales*. Viktor Sklovski, uno de los autores más destacados del formalismo ruso, publicó en *Poetika Kino* un breve artículo en el que reflexionaba sobre los géneros del cine, y especialmente sobre la validez de la distinción entre la poesía y la prosa en el séptimo arte. Para Sklovski ambos modelos se distinguen «por el predominio de los rasgos técnicos y formales en el cine poético sobre los rasgos semánticos» del cine prosístico (1998: 138). Las características peculiares de lo poético residen «en una mayor geometrización de los procedimientos, en que toda una serie de soluciones semánticas fortuitas es sustituida por una solución geométrica puramente formal» (ibid.: 136). De modo análogo, los juegos de estampas y formas visuales que elabora Espina en «Bacante» pueden interpretarse como un proceso de geometrización de los procedimientos y la estructura narrativos, toda vez que el rasgo semántico que tradicionalmente ocupa el espacio final del relato —el desenlace en el que se resuelven los conflictos y en el que todo el conjunto de la narración cobra un sentido definitivo y unificador— ha sido sustituido por un rasgo estrictamente formal, una marca visual, un objeto, una imagen. Este final de «Bacante», lejos de satisfacer la demanda *lógica* de sentido del género novelesco tradicional, viene a confirmar la voluntad del autor de hacer de su obra una enorme metáfora espacial, una narración geométrica, tal y como ya anunciaba el «Paisaje bailable» con que se abría el relato.

Uno de los lectores que antes y mejor detectó la peculiaridad del proyecto literario de Espina fue el escritor mexicano Gilberto Owen, él mismo autor de algunas de las narraciones de vanguardia más interesantes de la generación de «los contemporáneos». En mayo de 1927 Owen publicó en la primera entrega de la revista *Ulises* de México una reseña sobre Antonio Espina en la que afirmaba que la clave de su escritura radicaba en promover «una lógica no discursiva» que él definía como un «injerto de la poética mallarmeana y la fotogénica» (Owen 1979a: 218). Para Owen, Espina era un «viajero en una zona entre la cinematografía y el poema novelar» que había escrito una serie de «relatos incorpóreos que son otras tantas murallas de un cristal irrompible» (ibid.). Después de hacer referencia a varios narradores vanguardistas españoles —Salinas «el lineal», Jarnés «el barroco» y Espina «el despedazado»— Owen compendiaba en un párrafo muy certero la combinación de imaginismo y descoyuntamiento estructural que caracteriza a la novela de Espina:

> Pero no se crea que resista Espina, completa, una sesión de cinematógrafo. Mira con intervalos a la pantalla, inquieto, y a sus vecinos de asiento, y luego sale a tomar el fresco o a fumar un cigarrillo. Así, la impresión que últimamente le queda de la fiesta es una sucesión sin nexo de imágenes, exactamente lo mismo que le sucede a su personaje, Xelfa, Carne de Cera, carne traslúcida y sensible de celuloide fotográfico, mejor, que va retratando el paisaje marroquí, cogiéndolo con los párpados —el ojo es su sentido directriz—, o el rostro de la tía parecida a María Estuardo, o el de la prima, o el propio rostro, o la boa del pasamanos de una escalera, o un interior de sexualidad hiperbólicamente definida, o una boda. Todo lo ve Xelfa y, ocultándolo apenas un momento en el laboratorio imaginista de Espina, todo lo refleja en el libro, con sabor de cosa espontánea que denuncia lo trabajado y laborioso. Grata, difícil lectura la de esta novela que sólo tendría dos dimensiones si no fuera por la parte de subconsciente que, dándole profundidad, no la hunde empero hasta la sima suprarrealista (ibid.: 219).

En efecto, como hemos tenido ocasión de ver a propósito de «Bacante», esa «sucesión sin nexo de imágenes» en que aparentemente consistía la novela era más bien el resultado «trabajado y laborioso» de una estructura narrativa forjada en el «laboratorio imaginista» del autor. Para Owen, esta técnica de traslación del lenguaje visual a la narrativa literaria no era nueva. Ya en su primera prosa de vanguardia, una novela breve titulada *La llama fría* publicada en México en la colección «La Novela Semanal» de *El Universal Ilustrado* el 6 de agosto de 1925, Owen hacía decir al personaje-narrador de la novela lo siguiente: «de mi boca saltan los paisajes exóticos como si mis palabras, larga cinta de celuloide, proyectaran vistas cinematográficas que impresionaron, en otros días, mis ojos» (*La llama fría* 137-138). Estas palabras resumen a la perfección el proyecto «cinegrafista» de la nueva narrativa, cuyo *modus operandi* consiste precisamente en la proyección por medio de las palabras de los planos y vistas que posteriormente el lector ha de decodificar. El propio Owen ofrecía a continuación un ejemplo ilustrativo del modo de funcionamiento de este nuevo aparato imaginista. En el fragmento que cito a continuación se van sucediendo toda una serie de imágenes a modo de planos breves en montaje rápido con algunas transiciones muy comunes en el cine de la época. Dada la extensión del pasaje, reproduzco únicamente la primera parte:

> Como el vapor sólo viene a mi pueblo cada mes, huimos en una balsa pesada, tarda; Ernestina me va mostrando como a un médico su rostro marchito, su seno marchito, todo su cuerpo marchito, que ha desnudado para arrojarse al mar en un salto sin gracia; nada silenciosamente, como una sirena envejecida que tomó un resfriado y perdió la voz; yo he crecido hasta la talla de Odiseo, y las algas me aprisionan, me retienen atado al mástil de la balsa; el viento marino trae sales que pintaron de rojo en el crepúsculo, y me embadurna el cuerpo desnudo, disfrazándome de cardenal; Ernestina nada silenciosamente, como una sirena envejecida, en el mar sangriento. En el horizonte nace una gran ballena de cobre que se acerca a flor de agua rápidamente, como un submarino que nos enfoca el doble periscopio de de su géiser; quiero gritar, advertir a la muchacha, pero la espuma de las olas me amordaza con una fina batista irrechazable; ahora, más de cerca, me parece que tiene rostro humano y no sé, pero me parece que es el rostro, conocido en todos los periódicos, de Voronoff; sí, es indudablemente él: ¿para qué usará este *camouflage*? Ernestina sigue nadando en torno de la balsa, silenciosamente, como una sirena, etc.; la vida se ha detenido y, como un buen automóvil, ha encendido su foquillo rojo posterior —el que sirve para indicar las paradas— el sol moribundo, horizontal. Cierro los ojos, angustiadamente, desesperadamente; Voronoff, la ballena, el submarino, se ha tragado, como a un Jonás macilento, a la sirena envejecida (*La llama fría* 138).

La descripción que contiene este fragmento es esa «larga cinta de celuloide» formada por palabras a la que hacía referencia el narrador de la novela. La escena está dividida en breves planos que segmentan el espacio en el que transcurre la acción de los dos personajes: el narrador intradiegético y su amada Ernestina. Comienza con el plano general de la balsa; luego aparecen planos-detalle del rostro y el seno marchitos de Ernestina, que salta desnuda al agua; sigue un plano de Ernestina nadando, que se repetirá intercalándose hasta en tres momentos diferentes de la escena; del plano picado de Ernestina en el agua pasamos al contrapicado en *close-up* del narrador, convertido en estatua de Odiseo; a continuación, la imagen del sol poniente del crepúsculo que ilumina el cuerpo desnudo del narrador; para terminar con otro plano picado de Ernestina en el agua. Hasta aquí hemos encontrado una serie de planos sobre fondo marino de los cuerpos desnudos de los dos personajes. En este momento de la escena surge en el horizonte una gran ballena convertida en submarino que acaba teniendo el rostro de Voronoff, sobre quien volveré más adelante. De nuevo el narrador intercala el plano de Ernestina «nadando en torno de la balsa, silenciosamente, como una sirena, etc.». La inclusión del «etc.» al final del periodo viene a subrayar el carácter repetitivo de este plano, incluido aquí por tercera vez, así como la naturaleza abierta e inconclusa de la potencialidad semántica de esta imagen-percepción de la bañista en el agua, totalmente ajena al peligro que la acecha. Por otra parte, contribuye también a ralentizar el tiempo de la narración, que se detiene completamente en el plano siguiente («la vida se ha detenido») como contrapunto a la angustia y la desesperación del personaje masculino, que cierra los ojos en gran plano o, desde una perspectiva subjetiva, con un fundido en negro. La tensión dramática de la narración llega así a su clímax, que se resuelve en la escena siguiente con la imagen de la bañista siendo tragada por la ballena-submarino-Voronoff.

Más allá de constatar el hecho obvio de la influencia cinematográfica en esta escena, lo que me interesa destacar es el modo en que el lenguaje y la estructura más profunda de la novela se ven alterados por este cambio de paradigma narrativo. No se trata únicamente del cambio del *telling* al *showing*, de *contar* a *mostrar* los hechos que contiene la novela, sino que hay todo un aparato de segmentación y geometrización del espacio y el lenguaje narrativos que atañe directamente al modelo de significación y generación de sentido de la obra. La narración se divide en una sucesión de formas visuales cuyas disposiciones geométricas constituyen el elemento esencial del sentido que se desprende de dicha narración. El fragmento ci-

tado constituye una especie de sueño en el que se compendia por medio de
una metáfora visual toda la anécdota de la novela, la de la vuelta, después de
varios años en la ciudad, del protagonista masculino a la casa del pueblo en
el que nació con el fin de declararle su amor a Ernestina, la criada que lo
cuidó de niño y que, en cierta medida, ocupó para él el espacio de la madre;
un amor que al final resulta imposible.

En efecto, este fragmento nos habla de una transformación, una metamorfosis: el desarrollo físico (y sexual) de los dos protagonistas, cuya unión
amorosa se ve finalmente frustrada. En el caso del hombre, este crecimiento se incluye desde el principio del pasaje («yo he crecido hasta la talla de
Odiseo»), mientras que en el caso de Ernestina se produce en el interior de
esa ballena-submarino-Voronoff que, tras tragarse a una sirena envejecida y
macilenta, al final de la escena devuelve a la playa a la nueva Ernestina en
un pasaje que recuerda poderosamente el nacimiento de Venus de las espu-
mas del mar. Con todo, el crecimiento de ambos es distinto: él se convierte
de niño en una escultural y juvenil figura griega, y ella rejuvenece su cuerpo marchito hasta convertirse en una Venus rediviva. Hasta el momento de
la transformación de Ernestina, el contraste entre ambos personajes se expresa en una constante oposición geométrica. El texto acentúa esta separa-
ción y contraste por medio de la oposición entre la verticalidad en contrapicado del cuerpo del narrador y la horizontalidad líquida del cuerpo
macilento de Ernestina, repetida en los reiterados planos picados de ésta en
el agua. Él se erige sobre el mar, mientras ella se funde y se confunde en la
masa de agua. Él es un Odiseo ungido al mástil de la barca, mientras ella
nada lenta y silenciosamente a los pies de ésta. Él es un cardenal iluminado
por la purpúrea luz del sol, mientras ella es «una sirena envejecida en el mar
sangriento».[8]

La imagen de la verticalidad y el crecimiento aparece en otras muchas
partes de la novela, y particularmente en la sección tercera, en la que está incluido el pasaje analizado. Así, por ejemplo, esta sección se inicia con un diálogo entre el personaje principal y el señor Don Juan, que le dice: «¡Pero qué
'crecida' has dado, muchacho!» (*La llama fría* 131). El narrador nos informa

---

[8] Tras la desaparición de Ernestina tragada por la ballena, el contraste geométrico anterior se desliza en imágenes igualmente contrapuestas: los blancos que tocan músicas negras
y los negros que reproducen un discurso europeizante y blanco (Aristóteles, la democracia,
el frac...). La referencia a los dados de los negros, asimismo, son una variante más del contraste irreconciliable entre el blanco y el negro.

de que el diálogo «se repite mil veces en cada calle», algo que le «exaspera». Poco después nos habla de su historia sentimental, cuyos signos se expresan en términos de tallas y estaturas: «estaban también los signos de las que me han amado, pequeñitas, insignificantes y, sobresaliendo en la misma proporción de mi talla a la suya cuando yo era niño, la más alta, la más firme, esta muchacha que voy a ver dentro de un momento» (Ernestina; ibid. 132). Poco después, cuando llega al viejo portón de su casa, de nuevo es la verticalidad el asunto que ocupa su reflexión: «Ahora, al tomar entre mis dedos la aldaba inmensa, me extraña no tener necesidad de ponerme de puntillas, como entonces, para alcanzarla. Es indudable que, sin darme cuenta, he crecido un poco» (ibid.). Cuando el protagonista se encuentra finalmente con Ernestina, después de tantos años, le acomete «una cierta congoja» ante «la amenaza de que también su boca se deforme en una posible alusión a mi crecimiento» (ibid.: 134).

La estatura, el crecimiento y la verticalidad son los motivos que el relato elabora en clave visual. Sin embargo, la naturaleza de este crecimiento es de hecho eminentemente sexual. La clave de esta interpretación la ofrece el título de la sección tercera de la novela, «Elegía de las glándulas de mono», así como la reiterada referencia a Voronoff en el fragmento citado más arriba. Serge Voronoff fue un médico nacido en Rusia y asentado en Francia que se hizo muy famoso a mediados de los años veinte —momento de composición de *La llama fría*— por su peculiar tratamiento médico para el rejuvenecimiento masculino y la potenciación de la actividad sexual. El llamado «método Voronoff» consistía en trasplantar pequeños fragmentos de los testículos de un mono joven a los testículos de sus pacientes, con el fin de renovar el tejido de los órganos sexuales de éstos, algo que supuestamente redundaba en todo tipo de beneficios psíquicos y físicos. Al margen de la validez o no del «método Voronoff» (que hoy sabemos que no funcionaba en absoluto), lo cierto es que de nuevo nos encontramos con una estrategia textual sobre la que el narrador elabora un interesante motivo imaginista: el de la ballena-submarino-Voronoff, que ahora es inevitable no ver como un enorme testículo marino que fagocita a la marchita Ernestina para renovarla sexualmente: «aparece Ernestina, riéndose, rejuvenecida, embarnecida, hasta con un principio de obesidad», Venus rubensiana que emerge de las aguas (*La llama fría* 139). Con todo, y pese a este rejuvenecimiento metafórico, el texto no es una oda, sino una elegía a las glándulas de mono y a Voronoff, pues el amor entre Ernestina y el protagonista, como ya hemos apuntado, es imposible. Tanto en el final del fragmento analizado como en el de la novela en su conjunto, Ernestina se distancia irremediablemente del protagonista, arrastrada por oscuras fuerzas que ni él ni ella pueden controlar.

El modelo de composición de *La llama fría* y de «Bacante» desborda el modelo narrativo de la novela tradicional por medio de la geometrización del lenguaje. El autor segmenta el espacio en una serie de imágenes cargadas de significación que trazan un itinerario semántico peculiar sobre el mapa narrativo de la obra. Frente a la concepción lineal del discurso narrativo tradicional, lo que encontramos aquí son saltos, fragmentos y discontinuidades a lo largo de una serie de relaciones significantes entre artefactos puramente visuales —imágenes—, que funcionan a modo de nudos gordianos sobre el tejido novelar. Estos artefactos semánticos y formales establecen relaciones analógicas, de equivalencia u oposición, y funcionan a modo de isotopías —itinerarios— que guían la labor hermenéutica del lector. Como ante el texto fílmico, el espectador de la novela debe ir reconstruyendo por medio del sentido de la vista y de la fantasía el recorrido imaginista trazado por el autor en la geografía narrativa de la obra.

Si en *La llama fría* Owen hacía afirmar a su personaje que «de mi boca saltan los paisajes exóticos como si mis palabras, larga cinta de celuloide, proyectaran vistas cinematográficas que impresionaron, en otros días, mis ojos» (137-138), en su siguiente proyecto narrativo, *Novela como nube*, el autor quiebra los niveles ontológicos de la narración para explicar que su «personaje sólo tiene ojos y memoria; aun recordando sólo sabe ver» (64). A un escritor abducido por el lenguaje visual del cine sólo puede corresponderle un personaje igualmente dotado de un especial sentido de la vista. Y a éstos, autor y personaje, sólo puede aguantarlos un lector previamente comprometido con el sistema visual de decodificación semiótica. Precisamente por ello, Owen se cura en salud y advierte a los lectores de *Novela como nube* de que el nexo de unión entre los puntos nodales de su nueva cartografía narrativa es la cuerda floja de un funambulista, y su única sujeción la atenta mirada de los espectadores:

> Me anticipo al más justo reproche, para decir que he querido así mi historia, vestida de arlequín, hecha toda de pedacitos de prosa de color y clase diferentes. Sólo el hilo de la atención de los numerables lectores puede unirlos entre sí, hilo que no quisiera yo tan frágil, amenazándome con la caída si me sueltan ojos ajenos, a la mitad de mi pirueta. Soy muy mediano alambrista (*Novela como nube* 64).

La propuesta del narrador de presentar su historia como «hecha toda de pedacitos de prosa» recuerda poderosamente su definición anterior de la novela de Espina como «una sucesión sin nexo de imágenes». Estas imágenes no deben entenderse únicamente como metáforas, sino en un sentido físico, cinematográfico, como visiones de espacios y objetos que van configurando el hilo de la narración. El espacio central que la nueva narrativa otorga al principio de «visualidad pura» trae consigo una ampliación del lenguaje y el universo novelescos por medio de la incorporación del imaginismo, la geometrización del espacio y el descubrimiento del valor fotogénico de los objetos, que abandonan su tradicional papel secundario en el fondo de la página para pasar a ocupar el primer plano de la narración como protagonistas indiscutibles de la nueva estética. Para comprender este cambio fundamental en la escritura es imprescindible tener en cuenta el papel decisivo que desempeñó el cine como educador de la mirada moderna a comienzos de siglo. Esto lo entendió rápidamente el crítico húngaro Béla Balázs, que en *Der sichtbare Mensch oder Die Kultur des Films* proclamaba este aspecto como la principal aportación del cine a la modernidad: la recuperación de una cultura de la visualidad, de la imagen, de los objetos, de las superficies, después de siglos de abstracción intelectual debida, en su opinión, a la hegemonía de la cultura del libro tras la invención de la imprenta. En España, Fernando Vela, en su artículo seminal de 1925 sobre la estética cinematográfica, destacaba ya la importancia del cine como redescubridor del potencial comunicativo de la imagen visual al afirmar que los objetos inanimados cobran vida en la pantalla y expresan contenidos hasta entonces desconocidos:

> El cine nos estaciona largo rato ante un objeto, un rostro, una mano que escribe. Esta parada en el tubo de metropolitano que es el cine no nos impacienta. El cine está haciendo la microscopia de los movimientos puestos sobre su portaobjetos, está haciendo con sus rayos X la espectroscopia intratómica de gestos y cosas; mil rayas espectrales parecen bailar en la pantalla. Así como en el interior de los cuerpos está la región prolija y vibrante de los átomos, más allá del mundo borroso de la abstracción intelectual y la práctica utilitaria abre el cine el más rico, intenso y claro de la visualidad pura (1925: 209-210).

Este protagonismo de la visualidad de los objetos en la pantalla se encuentra en los orígenes mismos del concepto de «fotogenia», que en este periodo fue trabajado extensamente por la crítica francesa. El primer libro de-

dicado a esta noción técnica y estética fue *Photogénie*, del joven crítico y rea-
lizador Louis Delluc (a quien se suele atribuir la invención del término), publicado en 1920. Para Delluc la fotogenia era una característica peculiar y
exclusiva del cine, que hacía de éste un arte singular y propio, distinto de la
fotografía, pero que resultaba de muy difícil definición por su propia naturaleza imprecisa y difusa: «peu de gens ont compris l'intérêt de la photogénie. Au reste, ils ne savent même pas ce que c'est. Je serais enchanté qu'on
supposât un accord mystérieux de la photo et du génie. Hélas!» (1920: 9).
Tres años después, en 1923, Jean Epstein pronunciaba su conferencia «De
quelques conditions de la photogénie» en la que ensayaba una definición
que era en parte deudora de la reflexión de Delluc y en la que asignaba exclusivamente la cualidad de lo fotogénico al dominio de lo cinematográfico:
«J'appellerai photogénique tout aspect des choses, des êtres et des âmes qui
accroît sa qualité morale par la reproduction cinématographique. Et tout aspect qui n'est pas majoré par la reproduction cinématographique, n'est pas
photogénique, ne fait pas partie de l'art cinématographique» (Epstein 1974:
137).[9] Lo fotogénico se entendía ya, por tanto, no como una cualidad general de la imagen cinematográfica, sino como un aspecto que pertenecía tan
sólo a un número limitado de «cosas», «seres» y «almas» que adquirían una
cierta «cualidad moral» en su representación sobre la pantalla. En otras palabras, para Epstein la fotogenia no era la condición suficiente de la imagen
fílmica, sino de hecho su condición necesaria. La fotogenia se convertía así
en aquello que dotaba a la película de su naturaleza particular e intrínseca-
mente cinematográfica. Quizás fue esta ubicación de lo fotogénico en el origen mismo del fenómeno cinematográfico lo que llevó a Léon Moussinac a
comenzar su libro *Naissance du Cinéma* de 1925 glosando precisamente este
concepto de la fotogenia como génesis y principio de todo cine realmente
artístico. Tras comentar brevemente las aproximaciones de Delluc y Epstein,
Moussinac aportaba una definición del término que compendiaba y supera-
ba a las anteriores, al tiempo que se adaptaba mejor al espíritu de la vanguardia: «cet aspect poétique extrême des choses ou des hommes susceptibles de nous être exclusivement révélé par le cinématographe» (1925: 23), o

---

[9] Epstein pronunció esta conferencia en diversos foros entre finales de 1923, cuando la
leyó en el Salon d'Automne de París y el Groupe Paris-Nancy de Nancy, y el 15 de junio de
1924, fecha en que la presentó por última vez ante el Grupo de Estudios Filosóficos y
Científicos de la Sorbona. El texto de la conferencia está incluido en la recopilación de escritos sobre cine de Epstein, *Écrits sur le cinéma* (1974: 137-142).

sea, el aspecto poético extremo de las cosas u hombres susceptible de sernos revelado exclusivamente por el cinematógrafo.

En España, el primer volumen dedicado enteramente a este fenómeno fue *Fotogenia y arte* de Carlos Fernández Cuenca, publicado por Ediciones Proyección de Madrid en 1927. El propio título de la obra establecía ya una identificación entre esta noción de fotogenia y la idea del cine como arte. En este sentido, el libro discutía conceptos cruciales en la crítica cinematográfica de la época como los de fotogenia, detalle visual, armonía y musicalidad de la imagen. El autor afirmaba que «el medio de expresión cinematográfica es la imagen visual» y que ésta debía ser depurada completamente para adquirir «toda su noble categoría artística y sentimental» (1927: 9-10). A partir de esta idea inicial, Fernández Cuenca ofrecía un recorrido por aquellos aspectos que a su juicio hacían de la imagen cinematográfica una auténtica obra de arte, donde destacaba sobre todo el carácter compositivo de la imagen —«¿qué no podrá conseguir el arte cinematográfico, donde es factible jugar hasta el infinito las combinaciones más extraordinarias de líneas, de luces, de reflejos, de figuras?» (ibid.: 44)— y el rechazo del autor de todos los elementos no visuales del film: los primeros intentos del sonoro («fonofilm») y los intertítulos de las películas mudas.

Los experimentos visuales con objetos de que están plagadas las producciones cinematográficas de los años veinte son una muestra elocuente del interés de los cineastas del periodo por los objetos inanimados y sus posibilidades de expresividad visual. Los escritores de vanguardia, aunque con unos medios técnicos completamente distintos de los del cine, trataron de incorporar a su literatura esta nueva dimensión expresiva de los objetos como una estrategia novedosa de composición narrativa, como hemos visto en los casos de Espina y Owen. Un ejemplo paradigmático de este fenómeno se encuentra en el relato «Cuadrante. Noveloide» de Gerardo Diego, que constituye el ejemplo a mi juicio más logrado de metaforización del espacio y de geometrización radical de la estructura y el universo narrativos. El título mismo del relato anticipa ya esta configuración geométrica de la narración y nos presenta algunos interrogantes interesantes sobre su sentido. El término «noveloide», de entrada, tiene al menos dos posibles lecturas: la voluntad deliberada del autor de presentar su obra como un subproducto narrativo (el sustantivo «novela» más el sufijo «-oide»), o, por el contrario, su pretensión de inaugurar un nuevo género narrativo, híbrido entre la novela y el celuloide (nove-loide), adelantándose así en un año a la propuesta de confluencia «entre el poema novelar y la cinegrafía» de

Espina. De hecho, las dos lecturas son perfectamente compatibles, incluso complementarias, y no hay motivo para pensar que el autor no tuviera ambas presentes al titular su texto. Quizás un detalle que puede inclinar la balanza del lado de lo cinematográfico es el subtítulo que encabeza toda la primera parte del relato, «Exposición», término que también se presta a una doble lectura: podría tratarse de la exposición de los antecedentes sobre los que está construida la narración, en el sentido de la *expositio* en la retórica clásica; o, lo que me parece más probable, de la exposición a la luz a que se somete la película fotográfica para el positivado y revelado de la cinta. Desde luego, a juzgar por el alto contenido imaginista del relato, cabe más pensar en la exposición a la luz de la novela-celuloide (el noveloide), que en ninguna exposición de motivos o antecedentes. Por último, el propio título «Cuadrante» del relato remite también a la forma cuadrada —cuadrangular, rectangular— de la pantalla cinematográfica.

«Cuadrante. Noveloide», publicado en 1926 en la *Revista de Occidente*, se presenta por tanto como el primer relato que nace deliberadamente de la fusión del imaginismo visual del cinematógrafo con la narrativa literaria. La anécdota que narra es muy simple: una mujer llamada Olvido (o Impaciente) participa en una tertulia diaria con otras personas. Los jueves la tertulia le resulta insoportable porque el tema de conversación y de entretenimiento es el ajedrez, juego que le repugna irremediablemente. Un día aparece en la tertulia un personaje desconocido llamado Agudo. Impaciente y Agudo se sumen en una conversación en la que éste le confiesa a ella que él es en realidad un alfil de ajedrez. Las experiencias compartidas por ambos les unen en una intimidad cada vez mayor que culmina en un intento de unión amorosa que se frustra al descubrir Agudo que Impaciente es también de naturaleza alfileña, pero incompatible con él. Desesperado, Agudo se suicida debajo de un moral. Cuando Impaciente encuentra su cadáver, se suicida también con la pistola de Agudo.

El interés de «Cuadrante. Noveloide» no reside en la historia que nos cuenta sino en el poderoso aparato imaginista y fotogénico que recorre y dota de nuevo sentido a todo el relato. El motivo del ajedrez es el subtexto sobre el que opera la narración y la metáfora espacial de la que se sirve el autor en su proyecto de geometrización total del universo. El relato es un intento muy logrado de conversión de toda la realidad sensible en una enorme sinfonía de formas en constante transición y movimiento. La función referencial del lenguaje narrativo se reduce al mínimo y en su lugar se despliega un aparato imaginístico de pura visualidad:

Iban llegando los contertulios. Los tabiques se estremecían ante el anuncio de sus nombres, exóticos y pomposos [...]. La pared del fondo percibía los apellidos ligeramente oblicuados de hacia la izquierda, y los rebotaba hacia la derecha para incrustarlos, amortiguados, mates e invertidos, en las caprichosas orejas de Impaciente, que no atendía a la percepción directa, sino que se colocaba sesgada para percibirlos, después de contrastados en el reflejo, como monedas sospechosas («Cuadrante. Noveloide» 1).

Este inicio del relato ofrece ya el espacio de la narración como un mundo de formas cerradas en el que el sonido y el espacio se conjugan en una sinfonía de paredes, tabiques, líneas oblicuas y sesgadas, rebotes y reflejos. Poco después, el narrador extiende la armonía geométrica a la ciudad entera y a sus calles, por donde llega en taxi al lugar de la tertulia el desconocido señor Agudo:

a esa hora en todas las avenidas había un momento extraño de disciplina y organización. En un taxi, un joven recién llegado de la estación, y, sin embargo, primorosamente vestido y rasurado, se dejaba transir por la visión de las calles estriadas. A cada esquina que doblaba, el taxímetro marcaba un nuevo número redondo —3.20, 3.40, 3.60—, y el coche se esforzaba al tomar las curvas por invitar a los macizos inmuebles a que al menos achaflanasen sus proas como primera concesión hacia el definitivo y postrero arrotondamiento. Pero la Gran Banca Nacional, los Almacenes Primaverales, el Club de los 100 y el Teatro del Ballet se obstinaban en mantener su guerra de trincheras poligonales y bisectrices. Y entre tanto salían los números redondos —4.20, 4.40, 4.60— del marcador, nuevo cuco fraccionario e inexorable, lo mismo que los nombres redondos de los nuevos camaradas —señora Flechmann, señor Roland, señor conde de las Cruces— de la boca del mestizo, ovalada y puntual como un reloj de mesa («Cuadrante. Noveloide» 2-3).

La imagen de la ciudad que muestra este fragmento es la de un mecanismo geométrico perfectamente armonizado. El movimiento del taxi está acompasado con los edificios y calles —estriadas, macizos, chaflanes, curvas, proas, arrotondamientos, polígonos, bisectrices—, a cuyo ritmo va marcando el taxímetro su melodía de cifras, redondas y exactas como la boca del criado. También la indumentaria de Agudo, «primorosamente vestido y rasurado», está en sintonía con la armonía cósmica del macroespacio urbano y el microespacio de la tertulia. Incluso los nombres de los personajes, también «redondos», sugieren formas geométricas en perfecta consonancia con este enorme paisaje cubista: la «flecha» de la señora Flechmann, el «redondel» del señor Roland y la «cruz» del conde de las Cruces.

Todos y cada uno de los párrafos del relato contienen innumerables referencias a la estructura geométrica de la realidad, que trasciende el espacio interior de la tertulia y el espacio exterior de la urbe para incluir también el espacio cósmico de los astros y las estrellas, como en una versión renovada de la armonía universal de los pitagóricos. Así, en un momento del relato el narrador describe «el momento en que la línea de la Osa Mayor, después de conducir a la estrella polar, enfila los ojos de Impaciente. Nadie lo sabe. Pero la influencia de esa sencilla conjunción es fecunda» (5). En infinidad de ocasiones se habla de la luna y de su luz untuosa en constante lucha con la luz artificial del arco voltaico. Incluso cuando el narrador nos dice que la atención de Agudo se repartía entre el tablero de ajedrez y la presencia de Olvido, lo hace por medio de una imagen geométrica: frente al foco *circular* de la atención, con un único centro, la atención de Agudo es *elíptica*, con dos focos laterales (5), imagen que se repite páginas más tarde al inicio de la conversación entre Impaciente y Agudo:

> —Pero ¿cómo no juega usted con los demás, cómo no discute la última partida? Le veo a usted descentrado, desenfocado.
> —Es que hay dos focos. El juego y usted. Todo es cuestión de preferencias. Admirable exigencia de la geometría elíptica. ¿No son elípticas todas las órbitas? (9).

Con esta conversación se inicia el acercamiento entre los personajes. Impaciente toca a Agudo en la cintura y obtiene una sensación «glacial, diédrica» que da paso a una visión transformadora: «la figura de Agudo se agigantaba, se abstractizaba en una poderosa, imperiosa alucinación geométrica» (10). Este momento epifánico de la verdadera naturaleza de Agudo da paso a la confesión por parte de éste de su pasada condición de alfil de ajedrez y de su presente transformación temporal en ser humano. Agudo cuenta la historia de su vida anterior, sus orígenes como peón de ajedrez y el momento en que fue armado alfil en premio a sus méritos. La perspectiva alfileña de la narración transforma entonces el espacio narrativo en un universo compartimentado como un tablero de ajedrez, segmentado en casillas blancas y negras de las que Agudo, en su calidad de alfil, sólo puede conocer la mitad, y siempre en movimientos diagonales: «Treinta y dos casillas negras o treinta y dos provincias blancas constituirán nuestro hemisferio; es decir, nuestra semiárea. No hay opción a preferir el otro destino, que perpetuamente nos estará tentando con su sabor de tierra circundante y prohibida» (12).

El espacio inexplorado, desconocido, se presenta con los atributos de lo vedado y resulta, pues, tanto más atractivo. En este sentido, el salto de Agudo del tablero de ajedrez al mundo de los hombres supone para él la liberación de la rígida normativa del tablero, algo sobre lo que hemos de volver más adelante. Pese a su liberación, Agudo se considera «todavía [...] cargado de resabios alfileños», el más importante de los cuales es precisamente el que comparte con la cámara de cine y con el proyecto estético del autor del relato: «para mí, el mundo de los hombres, tan armonioso, tan libre, aparece geometrizado» (11). Y en otro momento proclama: «Bello es el mundo. Qué escondido su esqueleto, su geometría» (15), y qué fascinante su «espectáculo ubicuo, absoluto, de infinitas y contradictorias dimensiones» (16). Una muestra elocuente de este espectáculo, en el que el principio fotogénico desempeña un papel crucial, es la descripción de su primera experiencia en una peluquería, instantes después de comenzar su existencia humana:

> Luego he visto que los hombres no dan importancia a las peluquerías, desde el punto de vista estético. A mí me pareció lo más bello que había visto. ¡Qué festín de volumétricas redondeces, de panzas de níquel, de globos de plata y estaño, de curvos conductos umbilicales, tuberías cilíndricas de gomas, goyescas redecillas, rubias rejillas de mimbre, batería ovalada de jabones! Y luego el repertorio de colores finísimos y desvanecidos de las lociones, con los peces de sol y de reflejos nadando indolentes en los frascos y en los techos, las incipientes palmeras de las brochas, y, al fondo, la armoniosa síntesis —juego de curvas elegantísimas— subrayada por la lluvia del cordaje central, del instrumento músico yacente. Y detrás de todo, la curva infinita de los espejos (16-17).

Las palabras con que Buñuel había saludado la belleza fotogénica de la película *Metrópolis* —«¡Qué arrebatadora sinfonía del movimiento! ¡Cómo cantan las máquinas en medio de admirables transparencias, arcotriunfadas por las descargas eléctricas!»— recuerdan poderosamente a esta otra «sinfonía del movimiento» o, por utilizar la fórmula del propio Agudo, al «espectáculo ubicuo, absoluto, de infinitas y contradictorias dimensiones» de la peluquería. Los objetos vulgares y cotidianos que pueblan el paisaje igualmente vulgar y cotidiano de la peluquería se transforman por obra y gracia del procedimiento fotogénico en seres casi vivos, animados, dotados de alma y espíritu. Tal como

Buñuel repetía incansablemente en España a finales de los años veinte valiéndose de una fórmula de Jean Epstein: «À l'écran il n'y a pas de nature morte. Les objets ont des attitudes» (1927a: 6; 1927d: 4). En la pantalla de cine no existen naturalezas muertas porque los objetos que se proyectan sobre ella cobran vida propia por obra y gracia de la fotogenia y la imagen cinematográfica. De igual manera, los objetos que pueblan este festival de formas y volúmenes del relato tienen también actitud, expresión, hablan en el texto, forman parte del aparato expresivo y significante de la narración. Todo el relato consiste precisamente en esta geometrización del universo narrativo y en la exaltación y resurrección de las formas que componen la realidad exterior, particularmente de los objetos que la habitan, ampliando así el concepto y la función del protagonismo narrativo a estos volúmenes inertes y al mundo de lo inanimado en general.

«Cuadrante. Noveloide» termina con la ruptura de esta apariencia de armonía geométrica universal. Tras varias páginas de conversación y compenetración creciente, Agudo y Olvido finalmente se entregan al amor. Sin embargo, cuando Agudo intenta desnudar a Olvido se da cuenta de que debajo de sus ropas no se esconde un cuerpo de mujer, sino de madera: «De madera de ébano negra, pero con reflejos epidérmicos de luna blanca, de marfil blanco, que le vestían una aureola inmaculada, equívoca, sobre su negrura verdadera» («Cuadrante. Noveloide» 21-22). Impaciente, como él, era en realidad otro alfil de ajedrez disfrutando de una vida humana, en cuya entraña se escondían «ingratos, erizados, cortantes diedros» de madera. Y lo que es más importante: «Era su inencontrable» (22). Agudo era un alfil que recorría el mundo por el hemisferio de las diagonales negras y tenía vedado el acceso a ese otro espacio fascinante y prohibido de las casillas blancas del tablero/mundo, que era precisamente por el que caminaba Impaciente. Su unión no se puede culminar porque ambos pertenecen a dos realidades cromáticas y geométricas incompatibles. Ni Olvido puede penetrar en el hemisferio negro de Agudo, ni Agudo puede transitar el hemisferio blanco de Olvido. Por este motivo, Agudo, presa de un dolor insuperable, se quita la vida con una pistola negra. Olvido lo busca «por los senderos bancos del jardín» hasta encontrar su cadáver. La puntilla de esta ley fatal de la incompatibilidad de los espacios la da el narrador al hacer caer el cuerpo sin vida de Agudo «sobre la sombra de un moral —negro prohibido—» (23) que hace que Impaciente, que sólo puede transitar por las casillas blancas del mundo, no pueda arrojarse sobre su amado cadáver. Con la ayuda de la luz de la luna y su propia transformación momentánea en mujer, Impaciente puede finalmente penetrar en el espacio negro del moral y suicidarse junto al cuerpo de su amante imposible.

El final de «Cuadrante. Noveloide» plantea algunos interrogantes fundamentales sobre el sentido del relato, que a mi juicio es de naturaleza fundamentalmente metanarrativa. El relato puede muy bien considerarse una reflexión en torno a las posibilidades de fusión del lenguaje novelar y el cinematográfico en este nuevo género del «noveloide». Por más que el empeño del narrador resulta muy logrado —los hallazgos geométricos y fotogénicos de la narración son realmente extraordinarios—, el final del relato nos habla de la imposibilidad de la unión, de la naturaleza divergente de ambas estéticas. Como en el caso de Agudo e Impaciente, cuya relación amorosa funcionaba muy bien en el plano ideal pero resultaba imposible de llevar a efecto, el idilio entre el cine y la novela es igualmente sugerente y atractivo para los escritores de vanguardia, pero su realización material es sumamente complicada, si no sencillamente imposible. Esta lectura de «Cuadrante. Noveloide» viene reforzada por la referencia al séptimo arte que incluye el narrador al final del relato, cuando el personaje de Impaciente oscila alternativamente entre su naturaleza humana y alfileña con el fin de penetrar en el espacio negro de la sombra del moral donde yace el cuerpo sin vida de Agudo. Como afirma el narrador, su «cuerpo pestañeaba en metamorfosis rápidas, de madera a carne y de carne a madera, en una zozobra cinematográfica y anfibia de alfil y mujer» (23).

Si bien en el último capítulo de este libro discuto la imposibilidad de la fusión de los lenguajes cinematográfico y novelesco en la narrativa de vanguardia y de la representación metatextual de esta imposibilidad en diversas novelas, lo que me interesa destacar ahora de «Cuadrante. Noveloide» es precisamente lo contrario: el logro estético que supone la ampliación del lenguaje narrativo por medio de la experimentación con la nueva estética de la fotogenia proveniente del cine. El relato de Gerardo Diego constituye un ejemplar único en su especie, ya que todo él está concebido y desarrollado alrededor de esta estética de la fotogenia. Con todo, las descripciones de espacios y objetos fotogénicos son un condimento habitual de la receta vanguardista y pueden rastrearse en multitud de narraciones. Así ocurre, por ejemplo, en la novela *La rueca de aire* (1930) de José Martínez Sotomayor, construida por entero a partir del procedimiento fotogénico y el juego visual sobre objetos y espacios. La novela ofrece al lector un conjunto de imágenes y escenas dispersas entretejidas con el hilo incorpóreo e invisible de una rueca de aire, semejante en ese sentido al hilo de la mirada de los lectores que debía mantener sujetos los «pedacitos de prosa» en que consistía, según su propia definición, la narrativa de Gilberto Owen. La novela está plagada de toda una serie de visiones presentadas a través de los ojos de Anita, personaje principal de la novela, que dotan de vida propia a los escenarios cotidianos en los que se desenvuelve su peripecia. Así ocurre, por ejemplo, en la descripción de su armario:

> Se vislumbra el monstruoso guardarropa, paquidermo que sostiene la pared. Es un mueble despreciable. Por la noche la asusta, ruidoso de borborigmos, el vientre repleto de fantasmas. El guardarropa, por ser la sede de los fantasmas de la casa, se ha hinchado de vanidad de tal suerte que cuando se intenta arrojarlo de la cámara no atina a salir por ninguna parte. Anita lo abre con violencia; remueve la ropa, rebusca, hunde la cabeza, los hombros en la oquedad. El poderoso mueble, Minotauro familiar, principia a devorarla: sólo se ven ya las redondas caderas ceñidas por la ligera bata, y las piernas, blancas y desnudas (*La rueca de aire* 12).

La imagen del guardarropa como monstruo y minotauro familiar que devora a la muchacha constituye un caso claro de traslación del imaginismo fotogénico a la página. Un objeto tan cotidiano como un armario o una cómoda se transforma por arte y gracia de la fotogenia en un ser vivo, un habitante privilegiado de la ficción imaginaria y alucinada de la novela. Un ejemplo semejante es el de las zapatillas de Anita, que aparecen investidas de nuevo de una cierta voluntad y de una casi capacidad de movimiento:

> Las zapatillas de raso se colocan en su campo visual. Observa: están en una actitud sospechosa: finas y paralelas, una de las zapatillas avanza resuelta, mientras la otra sostiene el movimiento con firmeza. Se infiere que las zapatillas han estado ensayando por la noche el mecanismo de la marcha, ¡pero al intento de echar a correr se encontraron con que no tenían piernas! (*La rueca de aire* 13).

Ambas descripciones están inscritas en sendos marcos de connotaciones fuertemente cinematográficas. En el primer caso aparecen verbos del campo semántico de la vista como «se vislumbra» o «se ven», conjugados además en forma impersonal o pasiva refleja, lo que suscita la idea de una cámara que recoge la escena. En el segundo, el marco visual aparece reforzado por el recurso de introducir las zapatillas en el texto, cuando éstas entran en el «campo visual» de Anita, así como en la referencia explícita a la mirada de la protagonista: Anita «observa». La observación, la mirada, constituye el medio fundamental de acceso a la realidad en la narrativa de vanguardia.

Los objetos que pueblan los espacios novelescos no son ya simples objetos que cumplen su función como en el mundo real que sirve de referencia a la ficción, sino que son también formas, representaciones, signos, objetos de contemplación e interpretación, y como tal forman parte activa del lenguaje narrativo y favorecen su ampliación y renovación. En ocasiones la contemplación de estos objetos se combina con recursos visuales tomados del cine. Un ejemplo ilustrativo es el de un paisaje y una serie de objetos que se presentan en la novela a través de un cristal deformante, en concreto una botella de vidrio. El recurso de la botella está directamente tomado de los efectos y trucajes visuales del cine de la época, especialmente del impresionismo y el cine-arte francés, donde era tan habitual el uso de filtros traslúcidos, lentes deformantes y objetivos *flou*:

> Apoya la frente sobre el vidrio imperfecto, deformador, un ojo sobre la burbuja. Las cornisas de las casas se ondulan como si fueran líquidas. ¡Qué gracia! Un ligero movimiento y las ondas resbalan vivaces. La ventana frontera se amplía en redondo bostezo y la puerta se recorta en ventana, y luego, se funden ventana y puerta en una mancha de tinta. Por los tejados pasó la tenaza del peluquero: los rizos bermejos en prolija simetría. Pelucas. Lejos, desdibujada, una polvera verde, con su tapa en vilo. ¿Será el cono del cerro que se ha partido en dos?
>
> Verá la torre. Pero lo que se mira es el portal. Las columnas se estiran como de chicle hasta romperse, y se quedan, estalactitas y estalagmitas, buscando alcanzarse en la improvisada bruma. (El vidrio se ha empañado; lo transparenta el pañolito de encaje.) (*La rueca de aire* 14).

La descripción de objetos y paisajes a través del filtro deformante de la botella se extiende durante varios párrafos más en diversas partes de la novela. Al mismo tiempo, este tipo de descripción pone el acento en el acto mismo de la observación y en la naturaleza cambiante de la realidad —o de nuestra percepción de ésta— en función de la perspectiva y el medio a través de los que se observa. En este sentido, podemos hablar de una dimensión metapoética del procedimiento: el fragmento no busca tanto la reproducción precisa de una realidad específica a través del vidrio de la botella, sino que se trata más bien de una reflexión sobre la posibilidad misma de esa representación, o incluso sobre la fiabilidad del arte en cuanto técnica de representación y recreación del mundo exterior.

Descripciones semejantes a la mencionada se suceden a todo lo largo de *La rueca de aire*, con o sin filtro transformador. El pueblo en el que habita

Anita, por ejemplo, es descrito de manera muy extensa siguiendo los principios de efectismo visual y de animación de los objetos bajo la mirada creadora del narrador (23). Lo mismo ocurrirá también en la fotogénica descripción de la luna (20), en la descripción de la botica y de la disposición geométrica de las baldas que contienen los tarros y botes de medicinas (21) —muy semejante a la descripción de la peluquería en «Cuadrante»—, o en la descripción de un objeto visualmente tan atractivo como un tablero de ajedrez en una secuencia en la que se conjugan una serie de elementos circundantes de colores negro y blanco:

> Una mujer enlutada sale precipitadamente de la iglesia. Simultánea se abre una ventana en el convento: asoma el señor cura. La enlutada atraviesa, elástica y juvenil, sin volver la cabeza. [...]
> Musgosa de sombras, la fachada del santuario se inclina hacia la noche. Una paloma se posa en el hombro de piedra de un santo asomado en su nicho, como a una ventana. Paloma venusina.
> «¡Jaque al rey...!»
> Las cuatro lentes de los anteojos convergen sobre el tablero en un experimento óptico. La luz eléctrica a plomo sobre el ángulo obtuso de las visuales. Negras y blancas, las piezas del ajedrez se han mezclado como los días y las noches de un recuerdo confuso (*La rueca de aire* 25).

El narrador presenta diferentes planos de motivos blancos y negros —la mujer enlutada, el cura, las sombras, la paloma que se posa en la estatua, la luz— que convergen finalmente sobre el tablero y las piezas del ajedrez. Por otra parte, la referencia a la fachada «musgosa de sombras», así como la mezcla de «los días y las noches de un recuerdo confuso» parecen sugerir la pérdida de nitidez y la disolución de la imagen en una disolvencia o quizás en un fundido, efecto que culmina con el juego de perspectivas y convergencias lumínicas al final del fragmento. Por mencionar simplemente un último ejemplo relativo a la angulación y el redescubrimiento de espacios y perspectivas insólitas, en un momento de la narración Anita se mete debajo de la mesa de la sala, donde está escondido su gato, y desde esta perspectiva se nos describe toda la estancia en un contrapicado que podría corresponder tanto a la visión subjetiva del personaje como a la del animal que sostiene en su regazo (27). *La rueca de aire* es en definitiva una suma de escenas de fuerte impronta visual presentadas a través de la mirada alucinada de Anita, que nunca acabamos de saber si ve realmente los objetos que describe o si por el contrario éstos son el resultado de su imaginación delirante durante una enfermedad que la tiene postrada en la cama, asunto que discutiremos en el cuarto capítulo del libro.

El muestrario de obras concebidas «bajo el desafuero de la fotogenia y de la metáfora» que hemos ofrecido aquí puede ampliarse a prácticamente todo el conjunto de la producción narrativa del periodo (Espina, *Pájaro pinto* 7). Desde las obras de Espina, Owen, Diego y Martínez Sotomayor, hasta las narraciones de Ayala, Jarnés, Villaurrutia, Torres Bodet o Villaseñor, la preocupación por la representación visual del espacio y los objetos que lo pueblan es una muestra evidente del poder de la influencia de la estética cinematográfica en la nueva narrativa. La pantalla se convierte en el modelo y referente del escritor de vanguardia en su proceso de indagación de nuevas formas de expresión narrativa. Las posibilidades que ofrecen los procedimientos del montaje, el *découpage* y la fotogenia se convierten así en la clave de renovación formal de la nueva novela, cuya piedra angular es precisamente el principio visual e imaginista sobre el que se sustenta la nueva modalidad de escritura. De la misma manera que la estética de la fotogenia cinematográfica ejerció una fuerte influencia sobre la concepción del espacio y de los objetos inanimados en la literatura, también el nuevo modelo de representación de los personajes literarios sufrió una honda transformación por efecto de la influencia del cine. En efecto, en el próximo capítulo analizo los cambios que trajo consigo la incoporación de las técnicas de expresión fisiognómica del cine en el modelo de caracterización de la novela de vanguardia.

3.

EXPRESIÓN Y CARACTERIZACIÓN: EL PROCEDIMIENTO FISIOGNÓMICO

> El Señor dijo a Samuel: «No consideres su aspecto ni su alta estatura, porque yo lo he descartado. El hombre no ve lo que Dios ve; el hombre ve las apariencias, y Dios ve el corazón».
> 1 Samuel 16, 7

> La «ciencia» de averiguar por la cara cuál es el alma del hombre tienta una y otra vez; también tienta el deseo, aparentemente mucho más difícil de satisfacer, de conocer por el examen de la misma cara el porvenir del hombre.
> Julio Caro Baroja (1988: 29)

Los orígenes de la ciencia o arte de la fisiognomía se remontan al menos al periodo de la filosofía preática. Como ha mostrado en su *Historia de la fisiognómica* Julio Caro Baroja, este polémico corpus de conocimientos, que algunos consideran una ficción supersticiosa y otros han reclamado como una ciencia estrictamente empírica, aparece ya esbozado en el pensamiento pitagórico, es desarrollado por la tradición médica hipocrática y conquista su legitimidad intelectual definitiva de la mano de Aristóteles, a quien se le atribuye la autoría de un tratado titulado *Physiognomonia*, además de otros apuntes sobre el tema que pueden encontrarse en obras como su *Analítica primera*. La idea de fondo de Aristóteles y de buena parte del pensamiento griego es que «el cuerpo es una especie de expresión del alma» y que «es posible juzgar el carácter del hombre por su apariencia física, si se acepta que tanto el cuerpo como el alma cambian a la vez en sus afecciones naturales» (Caro Baroja 1988: 29).

No es mi propósito ofrecer aquí una exposición pormenorizada de la historia y características de la fisionomía, fisiognomía, fisiognómica o fisiognómica, nombres con los que diferentes autores en diferentes lugares y periodos se han referido a este conocimiento o pseudo-conocimiento, asunto que tampoco me propongo entrar a discutir. Lo cierto, sin embargo, es que a lo largo de la historia las diferentes teorías fisiognómicas han encontrado acomodo en numerosos campos del saber y la creación humana: desde la literatura y la danza hasta la pintura o la escultura, pasando por la medicina hipocrática y la teoría de los cuatro elementos, la psicología kretschmeriana o las tipologías criminológicas de Lombroso a finales del XIX. Desafortunadamente para este trabajo, el recorrido que hace Caro Baroja en su *Historia de la fisiognómica* se detiene precisamente en el siglo XIX, por lo que excluye el significativo incremento del interés por los estudios fisiognómicos que se produce a comienzos del siglo XX a raíz del nacimiento y de la expansión del arte cinematográfico. El cine desempeñó un papel fundamental en el proceso de recuperación de este conocimiento, especialmente importante en todo el cine anterior a 1929 —año de creación del cine hablado— cuando no existía la palabra como vehículo de expresión y comunicación con el público, a excepción de los intertítulos inscritos entre secuencias, y por tanto la expresión corporal constituía el medio fundamental de los actores y actrices para transmitir los sentimientos, sensaciones y contenidos en general que debían llegar al espectador. En efecto, buena parte de los primeros críticos y teorizadores españoles sobre cine destacaron precisamente la importancia del conocimiento fisiognómico y de la técnica de la semiosis corporal en el proyecto de comunicación y representación del cine mudo. Así lo hizo Fernando Vela al subrayar la importancia de este maridaje de las artes de la expresión corporal en el aparato expresivo del filme:

> Sin conocimiento fisiognómico no sería posible el arte del cine; asimismo, la perfección del cine y del conocimiento fisiognómico se implican mutuamente. Son dos corredores del mismo equipo que, cuando uno se atrasa, el otro le entrena hasta que vuelve a emparejar. Por esto el cine cada vez admite menos la caracterización aproximada del teatro; día por día se hace más exacto y riguroso y exige la más perfecta correlación entre el espíritu y el cuerpo, entre el tipo físico y el carácter psíquico, entre el gesto y el estado pasajero del alma (1925: 212-213).

El artículo de Vela era en buena medida una respuesta y una glosa al libro *Der sichtbare Mensch oder die Kultur des Films*, en el que Balázs exponía su teoría de la desaparición de la cultura visual en la Europa del Renacimiento como consecuencia de la invención de la imprenta y la consiguiente canonización de la palabra escrita como vehículo de comunicación y conceptualización de la realidad. Para Balázs la invención del cine a finales del XIX y su progresivo desarrollo había traído consigo el redescubrimiento de la imagen del hombre y el inicio de una nueva era de la cultura visual:

> Now the film is about to inaugurate a new direction in our culture. Many million people sit in the picture houses every evening and purely through vision, experience happenings, characters, emotions, moods, even thoughts, without the need for many words. For words do not touch the spiritual content of the pictures and merely passing instruments of as yet undeveloped forms of art. Humanity is already learning the rich and colorful language of gesture, movement and facial expression. This is not a language of signs as a substitute for words, like the sign-language of the deaf-and-dumb — it is the visual means of communication, without intermediary of souls clothed in flesh. Man has again become visible (1953: 41).

Este redescubrimiento del hombre y de su cuerpo por parte de un arte cuya principal estrategia de expresión era la imagen visual está en el origen del surgimiento de diferentes escuelas estéticas y filosóficas a lo largo del primer tercio del siglo XX: del expresionismo alemán al pensamiento fenomenológico de Heidegger o a la teoría de la morfología histórica como «Fisiognomía» que Oswald Spengler desarrolló en *La decadencia de Occidente*, cuya primera edición en español data de 1923. En su obra Spengler afirmaba que «in the West, the Systematic mode of treating the world reached and passed its culminating-point during the last century, while the great days of Physiognomic have still to come. In a hundred years all sciences that are still possible on this soil will be parts of a single vast Physiognomic of all things human» (1980: 100). La influencia de la fenomenología en el pensamiento histórico de Spengler fue decisiva, como lo fue en el pensamiento antropológico de Ortega. Precisamente Fernando Vela subrayaba en una nota al pie del artículo mencionado más arriba el magisterio de Ortega en el desarrollo de un sistema de «conocimiento fisiognómico»; asunto al que el célebre filósofo había dedicado parte de un ciclo de conferencias impartido en Madrid bajo el título genérico de «Temas de antropología filosófica» en abril de 1925, según la información de Vela (1925: 212).[1] Desgraciadamente no existe —o al menos no he podido encontrarla— una versión completa de estas conferencias. Sin embargo, Ortega hizo referencia a ellas en su célebre ensayo «Vitalidad, alma, espíritu», dedicado enteramente a matizar y desarrollar algunas de las ideas expresadas en su conferencia.

En su ensayo Ortega presentaba a grandes rasgos algunas de las ideas fundamentales de su pensamiento antropológico, una de cuyas características principales era su reivindicación del cuerpo como elemento constitutivo esencial de la persona en su dimensión más profunda. El filósofo defendía su concepto del «alma corporal, esa porción del hombre íntimo que se halla sumergida, fundida, esencialmente confundida con el cuerpo» y acusaba al «idealismo europeo» de los dos siglos precedentes de haber intentado «ocultar este evidente hecho de nuestra continuidad con la carne» (1964b: 79-80). Frente al idealismo noreuropeo y protestante, Ortega reivindicaba la importancia que a su juicio otorgaron históricamente las culturas católicas al cuerpo.[2] Esta reivindicación del cuerpo es decisiva de cara a comprender la distinción que establecía Ortega entre *significación* y *expresión*, entre lo que la palabra —el verbo— *significa* y lo que el cuerpo —la carne— *expresa*. Para Ortega, el lenguaje *significa* contenidos y conceptos impersonales, externos a la persona, que no *expresan* las emociones o actitudes íntimas e individuales del alma, las cuales se transmiten a través de la materialidad corporal. Como explicaba Ortega, «para salir de la duda y averiguar si, en efecto, el que *dice* algo *expresa* su intimidad individual —su convicción, etc.—, es preciso desentenderse del significado de las palabras y fijarse en el tono de la voz, en el acento emotivo con que son pronunciadas, en el gesto de la fisonomía; en suma: es preciso atender a lo que el lenguaje tiene de gesto, de no significante, de inintelectual» (ibid.: 117).

---

[1] De acuerdo con la información que proporciona el propio Ortega, el ciclo de conferencias fue impartido en 1924. Además, el ensayo de Ortega está fechado en mayo de 1924, por lo que es posible que las conferencias se impartieran en el mes de abril, como afirma Vela, pero no de 1925 sino del año anterior.

[2] Ortega afirmaba que «el catolicismo ha tenido siempre esta leal impresión de que el cuerpo nos es muy próximo, tanto que, por una cautela hoy menos justificada que antes, enseña a temerlo. Pero temer algo es una manera de reconocerlo, es un gesto de homenaje» (1964b: 80). Y poco después insistía: «El catolicismo tira del cuerpo y del planeta todo hacia arriba. Con un hondo sentido católico, Unamuno demanda la salvación de su cuerpo. Se trata de eso: de salvar todo, también la materia, no de ser tránsfugas» (ibid.: 81).

No obstante, Ortega sólo planteaba de forma muy genérica su teoría de la expresión, que sería desarrollada en mayor profundidad en uno de los trabajos incluidos en el séptimo tomo de *El espectador*. Este nuevo artículo, titulado «La expresión, fenómeno cósmico», no fue publicado hasta 1929 —algunos fragmentos habían ido apareciendo en diferentes lugares desde 1924—, aunque en realidad fue escrito en su versión definitiva, y así aparece fechado, en agosto de 1925.[3] Sin ánimo de ofrecer un análisis exhaustivo, lo que nos interesa es el desarrollo y profundización de Ortega en esta teoría de la expresión que parte en buena medida de la aceptación del principio fisiognómico fundamental de que existe un vínculo ontológico definitivo entre la forma material del cuerpo y las características intangibles del alma y de la conciencia. Para Ortega, «la carne nos presenta de golpe, y a la vez, un cuerpo y un alma en indisoluble unidad. Y esta unidad [...] no consiste en que veamos simplemente juntos, y como uno al lado del otro, el cuerpo y el alma, sino que ambos se articulan formando una peculiar estructura. La carne presenta su forma y color [...] para que «al través» de ellos, como al través de un cristal, vislumbremos el alma» (1964a: 40). El cuerpo se convierte así en el vehículo de expresión del alma, o como afirmaba Ortega haciendo uso de un símil precisamente de carácter performativo, «el gesto, la forma de nuestro cuerpo, es la pantomima de nuestra alma. El hombre externo es el actor que representa al hombre interior» (ibid.: 41). Y añadía poco después:

> El cuerpo humano tiene una función de representar un alma; por eso, mirarlo es más bien interpretarlo. El cuerpo humano es lo que es y, «además», significa lo que él no es: un alma. La carne del hombre manifiesta algo latente, tiene significación, expresa un sentido. Los griegos, a lo que tiene sentido llamaban *logos*, y los latinos tradujeron esa palabra en la suya: *verbo*. Pues bien: en el cuerpo del hombre el verbo se hace carne: en rigor, toda carne encarna un verbo, un sentido. Porque la carne es expresión, es símbolo patente de una realidad latente. La carne es jeroglífico. Es la expresión como fenómeno cósmico (ibid.: 42).

---

[3] Aunque no tengo ninguna prueba decisiva que así lo corrobore, es más que probable que este trabajo sobre la expresión sea un desarrollo de ese sistema de «pensamiento fisiognómico» que, según las noticias de Fernando Vela, había expuesto Ortega en el ciclo de conferencias sobre «Temas de antropología filosófica» de 1924.

Es interesante que Ortega escribiera este artículo sobre la expresión fisiognómica el mismo año en que dio a las prensas *La deshumanización del arte* (1925), sin duda el trabajo teórico en lengua española sobre el arte de vanguardia más importante de la época. Tengo el convencimiento de que el nuevo arte del cinematógrafo ejerció una influencia igualmente decisiva en la elaboración de uno y otro texto. Ortega, siempre atento a los nuevos desarrollos del pensamiento y la creación humanos, fue un temprano admirador del séptimo arte y a él se debe en gran medida la especialización y profesionalización de la crítica y teoría cinematográficas en España —Buñuel cuenta en sus memorias que en 1928 Ortega le «confesó que, de haber sido más joven, se habría dedicado al cine» (Buñuel 1983: 102). No en vano, en 1915 fue el propio Ortega el promotor y creador de una de las primeras columnas de crítica cinematográfica del país en la revista *España*, de la que era por entonces director. El filósofo ofreció la elaboración de esta columna a su amigo Federico de Onís, que bajo el seudónimo de «El Espectador» se encargó de la sección durante cuatro semanas. Tras esta fase inicial, se hicieron cargo de la columna dos insignes escritores y pensadores mexicanos que habían llegado a España huyendo de la revolución que se desarrollaba en su país: Martín Luis Guzmán y Alfonso Reyes. Como De Onís, también éstos se decantaron por el seudónimo e iniciaron su colaboración al alimón bajo la rúbrica de «Fósforo». Aunque Martín Luis Guzmán abandonó la crítica cinematográfica tras la experiencia de *España*, Alfonso Reyes volvió a entregarse a esta tarea a partir de junio de 1916, y una vez más lo hizo a petición de Ortega, que por entonces dirigía *El Imparcial*. Su última colaboración en este ámbito fue un artículo titulado «El cine literario» que apareció publicado en la *Revista General* de la Casa Calleja en 1920.

Ya en su primera columna sobre cine en enero de 1915, Federico de Onís subrayaba de forma clarividente la importancia decisiva del gesto y los rasgos fisiognómicos en la estética cinematográfica, y lo hacía con un lenguaje muy próximo al que emplearía Ortega en sus estudios de la expresión una década después. La reflexión de De Onís estaba dedicada a la actriz danesa Asta Nielsen, a la que describía como «un cuerpo de mujer que posee el secreto misterioso de los gestos iniciales sugeridores de realidades fugitivas e inconexas; *la expresión hecha carne* de mujer, del pasar incoherente de las cosas, que es la vida ante los ojos; el dinamismo de las cosas mudas» (Reyes/Guzmán 2003: 345-346; énfasis mío). A continuación glosaba de forma muy certera las virtudes de su calidad interpretativa por la capacidad de sugerir a través de gestos y amagos imperceptibles la hondura de sentimientos y dramas que se debatían en el interior del personaje: «Asta Nielsen es una línea que su cuerpo no acaba de dibujar y que contiene todo el ritmo de una danza; una sonrisa que no acaba de cuajar y que contiene una explosión de alegría; una lágrima que no acaba de romper en sus ojos y en la que se siente palpitar todo el misterio reconcentrado de una tragedia íntima» (ibid.: 346).

Reyes y Guzmán, aunque algún tiempo después que De Onís, señalaron también la centralidad de este elemento en la estética y el lenguaje cinematográficos. Para ellos, el actor de cine debía ser capaz de transmitir una emoción o un sentimiento por medio de un gesto fisiognómico que el director recogía en la película. Alfonso Reyes explicaba esta idea en la primera de las columnas que escribió para la *Revista General* de la Casa Calleja, en septiembre de 1918: «La cercanía del cine —imposible en un escenario— permite sacar recursos mímicos inconcebibles hasta del más leve pestañeo; y la alucinación objetiva del cine, que tampoco puede igualar el teatro, logra producir relaciones sutilísimas de sensibilidad entre una fisonomía y un carácter» (ibid.: 191). El buen intérprete debía ser capaz de conformar un carácter, un personaje, mediante el gesto y la expresión facial y corporal, hasta el punto de convertir la relación entre el personaje ficcional y la cara del actor que lo encarna en un binomio casi indisoluble: «por la reiteración del gesto, se va engendrando lentamente un carácter: un carácter representado por un signo fisiognómico. La obra del cine parece, así, tender a la creación de una cara» (ibid.: 149). En este mismo sentido afirmaban poco después:

> Acaso esta cercanía del objeto nos explica por qué el drama cinematográfico puede, mejor aun que el teatro, llegar a la «creación de la máscara», a la relación fija entre una cara, una gesticulación especial y un estado de ánimo o un temperamento determinados: ¡Oh, aquellas caras que crecen, hasta desbordar la pantalla y nos hincan para siempre el recuerdo de un rictus doloroso o un espasmo de risa! (ibid.: 156).

La preponderancia del poder visual y psicológico del gesto era una de las novedades que traía consigo el séptimo arte, cuyos *close-ups* o planos-detalle de la cara hacían furor entre los primeros cinéfilos. Para Reyes y Guzmán, «el cine se ha inventado una mecánica nueva, una nueva estética del ademán y del gesto, un rostro nuevo, una nueva ética» (ibid.: 150). Dada la fuerte identificación entre la cara —con su gesticulación y expresividad— y la psicología del personaje en este cine de los orígenes, ambos au-

tores proponían que cada actor interpretara un único papel o personaje en
su vida, y consideraban el ejemplo de Charlot como el caso paradigmático
de fusión entre la persona real y el personaje o «máscara» representado por
él. Reyes y Guzmán llegaron a afirmar, quizás exagerando un poco, que
«pocas cosas hay más desagradables que ver [...] a un mismo actor adaptarse a representaciones diversas» (ibid.: 149).

Casi una década después los críticos cinematográficos del grupo vanguardista insistieron en destacar la importancia de la expresión fisiognómica
en el modelo semiótico del cine. Fernando Vela, por ejemplo, en el artículo
de 1925 que hemos mencionado más arriba describió con todo detalle la
importancia fundamental del *close-up* en la nueva estética cinematográfica:

> A veces, en medio de una escena, la acción se interrumpe y la pantalla nos
> presenta exclusivamente la faz del protagonista. El campo de visión se ha redu-
> cido y el rostro aparece, aislado de su anterior contorno, ampliado de tamaño.
> Con este simple cambio de enfoque, el cine remeda los movimientos psíquicos
> de la atención, que, en efecto, significan concentración en un punto [...]. A tra-
> vés de la lupa del cine distinguimos en el rostro de la actriz todos los accidentes
> de la piel, la fina malla de sus células. Sin embargo, no nos quedamos en la
> mera percepción visual de este paisaje dérmico, sino que cada pliegue del rostro
> nos parece tan elocuente como un rostro entero; cada parcela de esta carne mó-
> vil, empapada de espíritu; cada célula, célula de la expresión total, y el grano de
> esta retícula, como el del grabado, que con la interposición de su materia pres-
> ta cuerpo a la belleza del dibujo.
>
> [...] Esa melodía del rostro cambia, fluctúa a cada nota, como un nácar que
> pasa por iris distintos, y descubre la compleja interioridad del gesto —del cual
> en la vida corriente apenas si distinguimos los trazos más rudos—, la riqueza de
> su contenido, la evolución orgánica del sentimiento (1925: 219-220).

La importancia de la fisiognomía y del gesto en el lenguaje cinematográfico que tan pronto detectaron estos escritores convertidos en críticos,
seguiría siendo una constante del análisis y la reflexión sobre el séptimo arte
durante el periodo de las vanguardias. En fecha tan temprana como 1927,
la editorial Sempere de Valencia publicó, bajo el título genérico de *El arte
de la expresión*, un volumen de casi 300 páginas dedicado íntegramente al
estudio minucioso de la expresión cinematográfica en el que su autor, Celso
Silvio, desgranaba los diferentes aspectos «psicológicos» y «fisiológicos» de
la fisionomía, el gesto, y en general la expresión corporal. Tres años más tarde, en 1930, el actor español Manuel Montenegro publicó otro manual so-

bre el mismo tema, aunque menos exhaustivo, en la célebre colección «Biblioteca popular del cinema» de la Compañía Ibero-Americana de Publicaciones. En *El dominio del gesto*, el autor definía las nociones de «fisonomía», «mímica», «gesto», «expresión» y «caracterización» en su relación con la técnica cinematográfica, y dedicaba además varios capítulos a glosar con mayor detalle los gestos y expresiones de las partes del cuerpo cuya expresividad consideraba más decisiva: «Los músculos faciales», «Los ojos» y «Las manos».

Como hemos señalado desde el comienzo de este libro, los narradores de vanguardia constituyeron el grupo más importante de críticos cinematográficos de la segunda mitad de los años veinte y a ellos se debió buena parte del impulso que recibió el séptimo arte durante esta época en España. Sería ciertamente tedioso elaborar un inventario completo de las numerosas ocasiones en que glosaron los aspectos fisiognómicos de la caracterización cinematográfica. Hemos visto el caso de Fernando Vela, Federico de Onís, Alfonso Reyes y Martín Luis Guzmán, pero la nómina podría extenderse fácilmente a Benjamín Jarnés, Francisco Ayala, Antonio Espina y muchos más.[4] Jarnés escribió numerosos textos críticos sobre cine en diferentes revistas y publicaciones a lo largo de los años veinte y treinta, e incluso reunió algunos de estos trabajos en un volumen monográfico sobre el cine que bajo el título de *Cita de ensueños* publicó en 1936. Como no podía ser menos, la cuestión de la fisiognomía no escapó a su ávida curiosidad de crítico. Entre otros ejemplos, la sección «XVI» de *Rúbricas* (1931), obra de crítica literaria y cultural, está consagrada enteramente al redescubrimiento por parte del cine de la dimensión fisiognómica de la persona, así como de sus gestos, rasgos y movimientos más menudos, que habitualmente pasan desapercibidos al observador. Como afirma Jarnés:

> El cinema ha conseguido en sus recientes hallazgos ir educando la nueva pupila que reclama siempre cada nuevo arte que surge en la tierra. Se desvía lentamente la atención de la trivial anécdota indispensable al film, encauzándose hacia las peculiares necesidades del cinema: la expresión de la auténtica faz

---

[4] Un breve repaso al índice de los libros en que ambos autores recogieron sus colaboraciones de cine de aquellos años —*Indagación del cinema* de Ayala y *Cita de ensueños* de Jarnés— arroja un elevado número de semblanzas de actores y actrices de la época como Charlot, Douglas Fairbanks, Buster Keaton, Harold Lloyd, Clara Bow y Mary Pickford, entre otros.

de los seres. Por el cinema conocemos, mejor que nunca, la huella de la pasión en el rostro del hombre. Por el cinema conocemos también, mejor que nunca, la curva deliciosa de un brinco de ninfa sorprendida (1931: 125).

En una línea semejante, sostiene que «el arte, con su cinemático microscopio, puede obrar verdaderos milagros» para mostrar las «fisonomías inesperadas» de las cosas, pues «la vida, con todas sus riquezas de expresión, aun las más sutiles, se ha trasladado a la pantalla» (ibid.: 124-125). Jarnés, al igual que Balázs, Vela y tantos otros, subraya la importancia del redescubrimiento de la cultura visual y de la exhumación del rostro y el cuerpo del hombre como fuente de significación y sentido que trajo consigo el cinematógrafo. En realidad, que los autores de la vanguardia quedaron fascinados por las posibilidades expresivas de aquel lenguaje de gestos en el cine plantea pocas dudas. Lo que trataré de mostrar ahora es cómo el procedimiento fisiognómico, que tanto glosaron como críticos de cine, fue incorporado también como procedimiento narrativo a su obra literaria y desempeñó un papel decisivo en el nuevo modelo de configuración de los personajes de la novela vanguardista.

La peculiaridad del procedimiento fisiognómico empleado por los escritores de vanguardia radica en su función hipercodificadora del lenguaje narrativo más o menos convencional por medio de un lenguaje interpuesto, añadido, que es precisamente el lenguaje de la expresión fisiognómica. La característica fundamental de este lenguaje es su fuerte carácter connotativo, no denotativo. Hemos mencionado más arriba la teoría orteguiana de la unidad indisoluble del cuerpo y el alma, así como su defensa de la función expresiva por parte del cuerpo de los contenidos íntimos e individuales del alma. Tal y como exponía Ortega su teoría resultaba convincente y difícilmente refutable. Parece razonable pensar que si el alma y el cuerpo constituyen una unidad, el alma que anima a la carne se manifestará en los rasgos peculiares e individuales que constituyen la expresión visible de esa unidad. El problema, sin embargo, sobreviene cuando pasamos de la reflexión abstracta a la casuística y tratamos de asignar valores específicos a cada uno de esos rasgos fisiognómicos con el fin de inferir las condiciones y disposiciones anímicas y psicológicas de la persona. Esto es precisamente lo que hace por ejemplo Ernst Kretschmer en su libro *Körperbau und Charakter* de 1922, citado tanto por Fernando Vela como por Ortega. Kretschmer escribió expresamente para la *Revista de Occidente* un artículo en el que exponía algunos de sus hallazgos fundamentales y que apareció publicado en 1923

bajo el significativo título de «Genio y figura». La idea básica de la que parte todo el planteamiento kretschmeriano es que

> hay una «fórmula endocrina» unitaria, una estructura química única, de la cual
> es producto la individualidad total del hombre, tanto corporal como psíquica.
> Todo se halla, pues, predeterminado por el plan total de la personalidad, inclu-
> so la más pequeña raíz de un cabello. Gentes de espesa cabellera poseen espíri-
> tu distinto que los sujetos de hermosa calva, y tipos de gruesa nariz otro muy
> diferente que los de nariz fina (1923: 163).

De acuerdo con esta premisa básica, Kretschmer repasa las principales
complexiones físicas y las disposiciones psíquicas y anímicas que supuestamente les corresponden. Así, por mencionar sólo un ejemplo, a las personas
de complexión «pícnica» («figuras de baja estatura, de miembros cortos, re-
chonchas, cara ancha, blanda y fresca color, con tendencia a la corpulencia;
los hombres provistos de fuerte barba y con tendencia a la calva») les corresponde el temperamento «ciclotímico», «de tipo hipomaníaco, alegre,
radiante, afable, de conversación chispeante, fuerte y natural» (ibid.: 166-
167). Kretschmer considera ejemplos típicos de este grupo a Goethe y a su
madre, de la que a su juicio aquél heredó «la sociabilidad cordial, el criterio
realista de su pensamiento, especialmente en el dominio de las ciencias naturales; la manera prolija y agradable de sus narraciones, la propensión a li-
geros cambios periódicos del humor; y por el lado corporal, su forma algo
corpulenta y achaparrada» (ibid.: 167). Siguiendo este modelo, Kretschmer
expone equivalencias semejantes para las complexiones asténica, atlética,
leptosomática, y otras.

Sin ánimo de hacer una crítica exhaustiva, está claro que la viabilidad de
este tipo de estudios resulta muy problemática. La relación entre el conjunto de las características fisiognómicas de una persona y el conjunto de sus
características psíquicas y anímicas no puede en ningún caso interpretarse
como una función unívoca, pues es imposible asignar un valor anímico
único y constante a cada valor fisiognómico concreto. La hipótesis fisiognómica se presenta por tanto como un lenguaje, un sistema de signos en el
que el significante formal, externo y visible del cuerpo, remite a un significado de naturaleza interior, intangible, relativo a la personalidad o al estado
psíquico o anímico del sujeto. No obstante, la peculiaridad de este proceso
semiótico es que la relación entre significante y significado es siempre de
naturaleza radicalmente polisémica, ambigua, equívoca, indefinida, conno-

tativa, aspecto que lo convierte en un procedimiento tanto más querido por los narradores de vanguardia, siempre dispuestos a escapar de cualquier atisbo de concreción y a entregarse en cuerpo y alma a lo borroso, a lo *pneumático*, a lo vago, a la oscura sugestión de lo simbólico (ver Pérez Firmat 1982: 40-42). Su escuela de imprecisiones había sido precisamente la sala oscura de cine con sus figuras mudas de luz y sombra, cuyos gestos y expresiones quedaban grabados en la retina de los espectadores y les dejaban una extraña e indescriptible impresión en el espíritu.

Los escritores de vanguardia quieren que sus personajes ejerzan un influjo semejante en sus lectores. Como afirma el narrador de *Estación. Ida y vuelta* (1930) de Rosa Chacel, obra en la que el procedimiento fisiognómico es empleado con profusión, «hay fisionomías imposibles de enfocar, de las que nuestra retina no consigue nunca más que una prueba movida», ya que constituyen la expresión de «personalidades borrosas, que parece imposible que tengan algo tan concreto como un nombre» (58). Un ejemplo de estas «fisionomías imposibles de enfocar» es la del rostro de la mujer que ama el protagonista de la novela, descrito de este modo:

> Es una cara la suya que peca por exceso de quietud, hasta parecer imposible que llegue a animarse con una expresión. En cambio, cuando habla, cuando mira, sobre todo, su expresión oculta su cara. Su animación acapara al que la mira. Si hablando con ella me entretuviese en observar su frente o su barbilla, sus ojos arrancarían de allí mi atención, y, si no lo conseguían, al sentirse observada callaría y perdería todo movimiento. Y menos posible aún es observar sus ojos. Sus ojos desaparecen en sus miradas, porque son dos cosas completamente distintas. Sus ojos no tienen una mirada habitual, no son ojos alegres, ni ojos tristes, ni ojos dulces. Son ojos. Si a descuido de su mirada se miran sus ojos, no se encuentra en ellos sitio para un adjetivo. [...]
>
> Si cuando estoy observando sus ojos me mira, la bandada de sus miradas me oculta el sitio por donde salió. Pero luego vuelve a recogerse en sus ojos, y queda en ellos el hueco oscuro de las ventanas abiertas.
>
> Este encontrar en sus ojos la simplicidad de las muestras escolares me hace recordar ahora que ya otras veces había visto su cabeza como esas láminas de dibujo en las que se estudian las fisionomías más sin malicia que se pueden concebir. En su perfil hay un clasicismo elemental que hace que su cara, en reposo, sea como una forma donde se puede inscribir lo que se quiera, sin que cambie su canon (*Estación* 59-61).

Cuesta creer que Chacel, seguidora y discípula muy cercana a Ortega, no tuviera en mente sus reflexiones sobre fisiognomía y expresión cuando escribió este fragmento. La referencia a la ocultación de la cara por parte de la expresión nos remite directamente a la teoría orteguiana de la expresión del alma por medio del gesto: cuando el rostro de la mujer se expresa, nos dice el narrador, uno ya no puede ver el rostro, sino el alma de la amada que se revela en ese rostro, ocultándolo. Algo semejante se puede decir de los ojos y la mirada. Cuando los ojos de la muchacha son alentados, vivificados por la mirada, uno ya no puede ver los ojos, sino el alma que se exhibe en la mirada y la desborda. Con todo, esa alma, que se asoma al rostro y a los ojos, lo hace en destellos fugaces. El narrador protagonista sabe que el alma está ahí momentáneamente presente, como un instante epifánico que inmediatamente vuelve a desaparecer. El alma se deja ver, pero no atrapar; es perceptible, pero inaprensible, exactamente igual que el rostro o *visage* como imagen del *otro* sobre los que reflexionará Lévinas pocos años después, aunque en su caso desde una perspectiva eminentemente ética. Como dice el narrador de *Estación*, «al sentirse observada callaría y perdería todo movimiento». Esta polisemia irreductible del rasgo fisiognómico queda confirmada en las líneas finales del pasaje, cuando el narrador afirma que el rostro de la mujer es «como una forma donde se puede inscribir lo que se quiera».

Esta afirmación final viene a validar la idea de la ambigüedad e indeterminación radical del signo fisiognómico, que en último término conduce a la negación de todo sentido, o como es más habitual en esta narrativa, al juego polisémico y al equívoco. Los ejemplos que se podrían aducir son numerosos. En la propia *Estación. Ida y vuelta*, algunas páginas más tarde, el narrador nos habla de la mujer que ama su amigo David y del peligro que a su juicio entraña esta mujer para el amigo. Lo interesante son los motivos que el narrador aduce para justificar este peligro: «Yo entonces vi su perfil por primera vez y me quedé aterrado; me pareció sorprender un complot. Estuve a punto de avisarle. ¡Esa chica!... Pero lo más temible no era la chica, era su perfil, su ojito rasgado, agudamente sensual, guiñado por el malévolo cosquilleo de la tentación. ¡Qué estupenda clave de un temperamento!» (*Estación* 100). El perfil y el ojito, rasgos fisiognómicos de la muchacha, constituyen la clave de su temperamento. La clave, del latín *clavis*, es la llave que descubre el misterio, que permite abrir el arca que encierra el secreto y liberarlo. Sin embargo, aquí como en la cita anterior, no se nos desvela ningún arcano, más bien al contrario: el procedimiento fisiognómico niega lo que afirma y su función fundamental acaba siendo precisamente la de reforzar la indeterminación semántica, la inaccesibilidad del sentido. Como afirmaba Ortega en uno de los textos citados más arriba, «la carne es jeroglífico», y como tal, indescifrable (1964a: 42).[5]

Un caso particularmente interesante de la presencia del procedimiento fisiognómico en la narrativa de vanguardia es el relato «Datos para una solución» de Ernesto Giménez Caballero, publicado primero en la *Revista de Occidente* en 1927 y posteriormente incluido en su libro *Yo, inspector de alcantarillas* de 1928. Este texto constituye un ejemplo especialmente interesante de la incorporación de la técnica fisiognómica a la narrativa de vanguardia, sobre todo por su carácter eminentemente paródico de este procedimiento. El relato está construido en su totalidad a partir de la observación por parte del narrador intradiegético de un rostro desconocido. En este sentido la obra tiene un claro componente metaliterario, toda vez que presenta una estructura *en abîme* en la que el narrador es un escritor que, una vez en su casa, trata de construir su personaje a partir de su recuerdo de los rasgos fisiognómicos de un hombre que ha tenido la oportunidad de observar durante un trayecto de 22 minutos en el tranvía.[6] El narrador descompone el rostro del personaje que describe en sus partes constituyentes, a las que dedica los varios subapartados de la primera parte del relato: «Datos de su faz», «Los ojos», «La nariz» y «La boca y el mentón».

El narrador parte de los rasgos faciales de este sujeto desconocido para elaborar jocosamente toda una teoría de su personalidad. Sin embargo, como vamos a ver, el aspecto que se destaca constantemente a propósito de estos rasgos es precisamente su ambigüedad e indeterminación. En efecto, el narrador comienza afirmando la naturaleza «dúplice, gémina, dicromática, bistrosa, equiparada» del rostro, que se presenta ante él como un «disco bicolor» en el que se mezclan lo positivo y lo negativo «como el huevo y el aceite en una mayonesa» («Datos para una solución» 23-24). En otras palabras, este rostro y estos rasgos fisiognómicos pueden significar igualmente

[5] La ambientación de esta escena en la novela es sumamente cinematográfica. En ella, el personaje de David está sentado detrás de la chica y hablándole al oído, de modo que ni el narrador ni el lector pueden oír las palabras que le susurra y, por tanto, al igual que en el cine, se trata de una escena muda en la que todos los indicios son de carácter visual.

[6] Domingo Ródenas de Moya ya ha hecho referencia a este relato de Giménez Caballero como una *tematización* del «proceso de construcción de un personaje», aunque sin prestar especial atención a la presencia del modelo fisiognómico del cine que a mi juicio subyace como referente implícito (1997: 50).

una cosa y la contraria: «No cabe duda que aquel rostro era un mejurje y una mescolanza. Mas, dentro de tal trabazón, uno de los elementos representaba un polo positivo, normal, rectilíneo, congruo y suave [...] en tanto que el resto —el otro elemento— era el que proporcionaba lo bruto, lo mostrenco, lo anormal y lo repulsivo del perfil» (24). Precisamente el objetivo que se propone el narrador en esta introducción de su relato es «discriminar esos dos elementos contradictorios en la faz de aquel individuo» y hacerlo «pacientemente, separando las dificultades con metodología cartesiana» (24).

Pese a este presunto objetivo de precisión y claridad, todos los rasgos que observa el narrador son igualmente indeterminados, ambiguos, e incluso contradictorios. Así, si los ojos eran «verdes, encharcados y miópicos», era «en la verdosidad donde residía lo atrayente, lo que decía sí, de ellos. El color positivo del disco», mientras que «las nubes que los empañaban de tiempo en tiempo eran casi todas negativas: Lujuria. Crueldad. Suspicacia. Cretinismo. Cansancio» (25). Estas características contrapuestas se dan de manera conjunta, «en vedijas tornasoladas, combinadas. Nunca la Crueldad se le mostraba a solas. Sino aliada a otras composiciones sentimentales. Pero siempre negativa tal amalgama» (25-26). Y de nuevo la contradicción: «La Crueldad le chispeaba envuelta en *un vaho de Gozo*, más el plus de *unas gotas de Tristeza*» (26; énfasis mío). Algo semejante ocurre con la nariz, que era

noble, aquilina, trémula, de artista. Por la nariz habría sido aquel hombre músico —aficionado de músico—, ya que la vida se la ganaba como corredor de comercio. Por la nariz se había aquel hombre enamorado de la esbeltez azucarada y engañosa de su primera mujer. Por la nariz se había aquel hombre hecho una cultura romántica de novelas baratas y le había interesado la teosofía. Por la nariz tenía aquel hombre saludos de distinguido, olfateos delicados de magnate, percepciones de altomundano. La nariz era su única salvación («Datos para una solución» 26).

Todas las esperanzas depositadas en la nariz del personaje, sin embargo, dan al traste por su propio descuido: «¡Lástima —insensato— que la fuese descuidando, que la amoratase un poco de alcohol, que la engranujientara con una sífilis, con la retícula de las venas inyectadas!» (26-27). La descripción de la boca sigue exactamente el mismo modelo indeterminado del resto de rasgos faciales: «La boca, como los ojos, era un si es no es. El bicolorismo estaba en ella tamizado y empastado hasta la indistinción, hasta el gris» (27). Las referencias constantes a términos que designan realidades indeterminadas, híbridas, de imprecisa definición, o simplemente contradictorias y excluyentes, confirman la incapacidad del rasgo fisiognómico de ofrecer un conocimiento certero y singularizador del personaje. El objetivo de Gecé, en definitiva, no es tanto la exploración del procedimiento fisiognómico como técnica de caracterización, sino más bien la parodización de esta técnica por medio del juego, la indeterminación lúdica, la paradoja, la exageración y el absurdo. El narrador del relato no pretende desvelar el «alma» del personaje por medio del estudio de sus rasgos fisiognómicos; quiere poner de manifiesto la desproporción y, a la postre, la desconexión radical entre los datos del rostro que describe y las conclusiones a las que llega por medio del estudio de estos rasgos.

Esta desconexión se hace evidente en la segunda y tercera partes del relato, en las que se exponen las inferencias del narrador a propósito de las «aficiones» y el «comportamiento» del personaje. Con una cierta influencia del surrealismo —al que Gecé era tan proclive en esta época— y grandes dosis de ironía y humorismo, el narrador deduce de los rasgos faciales del sujeto que sus mayores aficiones debían ser literalmente el clarinete, las mujeres gordas, los perros y la relojería, así como que debía de comportarse de manera muy retórica, que tenía pocos amigos, que era sucio, ansioso y muy severo, e incluso que no acudió al entierro de su tercera mujer (33-36). Por último, como conclusión al texto, el autor explica el proyecto narrativo que se ha propuesto desarrollar en su relato, que no es otro que la elaboración del perfil temperamental y psicológico de este sujeto cuyo rostro tuvo la oportunidad de contemplar en el trayecto del tranvía:

> Veintidós minutos le contemplé con esa soñarrera bordoneante de los largos trayectos eléctricos.
>
> Ya en casa, he comenzado a desencajar de mis órbitas estos datos inducidos. Estas honestas inducciones.
>
> Y con ellas —como con los artejos de un juguete— he intentado construir un muñeco puro del recuerdo. Una solución humana. Con estos datos arbitrarios he armado una estructura. Un molde rígido e intencionado.
>
> He construido una concavidad. Y... ¡bonito juego!, me entretengo en adecuarla a la realidad convexa aquella, a la imagen vital, aún en mí latente, del hombre del tranvía, a ver si coinciden... A ver si estos extractos han servido —de veras— para una solución conjunta y valedera («Datos para una solución» 36-37).

La solución que ofrece Giménez Caballero no es ni «conjunta» ni «valedera», sus «inducciones» son de todo menos «honestas», y su metodología, como él mismo la llama, es cualquier cosa menos «cartesiana». Con todo, esta subversión jocosa del principio fisiognómico muestra hasta qué punto tal procedimiento había sido incorporado a la panoplia de estrategias narrativas de que los nuevos escritores de vanguardia se servían para la elaboración de sus caracteres y personajes literarios. En este sentido, el relato de Giménez Caballero constituye una reflexión metanarrativa en clave lúdica sobre el lenguaje de la expresión fisiognómica como nuevo modelo de caracterización de la narrativa de vanguardia.[7]

Si bien el uso de la fisiognomía como estrategia de caracterización no es el objeto fundamental de reflexión de todos los textos de vanguardia, ni siquiera necesariamente una de sus temáticas más recurrentes, su presencia como procedimiento caracterizador se puede detectar en numerosas narraciones. En el relato «Erika ante el invierno» de Francisco Ayala, publicado en la *Revista de Occidente* en 1930, que según el propio autor surgió a partir de sus impresiones de Berlín tras su estancia en esta ciudad durante el curso 1929-1930, el procedimiento fisiognómico constituye la vía de acceso más importante —quizás la única— a la interioridad de los personajes. Los críticos que se han acercado a este texto han destacado la visión desolada, melancólica e incluso trágica de la experiencia humana que se proyecta en el relato.

En efecto, «Erika ante el invierno» narra en una prosa casi suspensa en el tiempo la experiencia de la joven Erika ante el mínimo mundo berlinés que le rodea, paisajes domésticos que pese a todo parecen resultarle incomprensibles, poblados por personajes y amigos igualmente impenetrables. Si algo destaca de este relato es que todas las cosas ocurren sin que nadie entienda nada, como repite hasta en tres ocasiones el narrador: «Nunca, nunca se sabe nada» (95 y 97). Y sin embargo, una y otra vez el relato nos presenta espacios cotidianos, ambientes marcados por la rutina y el hastío, situaciones que uno tiene la extraña sensación de conocer: la tienda de cereales, el trayecto en autobús, la sala de baile, la carnicería, la cocina de la casa o la

---

[7] Otros autores de la vanguardia se sirven de estrategias semejantes en sus obras. El contemporáneo mexicano Jaime Torres Bodet, por ejemplo, tituló uno de sus relatos de la *Revista de Occidente* «*Close-up* de Mr. Lehar» (1930), donde el término cinematográfico *close-up*, referido a los planos-detalle de los rostros de los actores y actrices, constituye de hecho una «semblanza» o «retrato psicológico» del personaje, a la manera del retrato elaborado por Giménez Caballero.

excursión por los campos nevados. Los ambientes cálidamente familiares aparecen revestidos en el texto de las connotaciones de lo desconocido, de lo siniestro. El ejemplo más claro es el asesinato casi indolente del pequeño Friaul, que muere degollado a manos del carnicero Mayer, su propio padre. El invierno al que se enfrenta Erika, en fin, no es realmente el de la estación climática, sino el paisaje frío e inhóspito de una existencia que pese a repetirse interminablemente no acaba de adquirir sentido y se presenta una y otra vez como el lugar de un exilio infinito.

A mi juicio es en este contexto en el que debe insertarse el uso recurrente del modelo fisiognómico en la representación de los personajes que participan en la narración y en el modelo de observación e interpretación de estos personajes: como una más de las estrategias de dispersión del sentido que despliega el narrador. La propia protagonista aparece descrita en términos fisiognómicos desde el comienzo del relato: «ni ella misma, Erika, era la remota niña de muslos rosa, húmedas naricillas y gritos rasgados. Sus ojos sí, seguían siendo vivos como los de un ave, y sus vestidos, blancos. Igualmente, se conservaba tierno el color de su carne. Pero las piernas se habían hecho largas y delgadas, y las caderas —amplias, bajas— tenían una leve oscilación ciclista» («Erika ante el invierno» 85). Con el desarrollo físico de Erika había llegado el cambio en el comportamiento de su amigo Hermann, que ahora se daba «aires de galán de cine» (86) y la transformación de su propio universo personal como «en uno de esos giros de escenografía que la vida tiene» (86). Al salir de trabajar en la tienda de cereales de su madre, Erika cogía el autobús o el metro, poblado de sujetos impersonales como ella misma que se dirigían igualmente a trabajar o volvían de regreso a sus casas:

> dos veces al día compartía durante media hora la suerte de unas decenas de personas extrañas. Fisonomías nuevas e iguales siempre, siempre repetidas, que permitían catalogar a la humanidad (los judíos, agrupados aparte) con relación a cuatro o cinco —o tal vez unos pocos más— tipos patrones, a alguno de los cuales había de ajustarse cada individuo. Ella misma se sabía perteneciente al modelo: *ojos azules y vivos*; *corpulencia*; *tez tierna y pelo casi albino*, aunque su boca enérgica, severa, la aproximaba al tipo ojinegro de rostro arquitectónico y expresión entre melancolizante y dura. (Esto le hacía vacilar y la envolvía en un cierto aire indeciso). Durante el verano [...] los distintos patrones se distanciaban un poco más entre sí. En invierno, los gorros, las expresiones ateridas, los abrigos y el difumino de la niebla, todo contribuía a dar mayor homogeneidad al rebaño («Erika ante el invierno» 88-89).

Los rasgos fisiognómicos aparecen aquí como el criterio de catalogación de los viajeros del autobús, con la excepción de los judíos, que a aquellas alturas de la República de Weimar eran ya objeto de segregación y se veían señalados y marcados socialmente por sus rasgos faciales y otros signos externos. Aunque es salirnos un poco del tema, los rasgos del «modelo» al que se refiere el narrador —ojos azules y vivos, corpulencia, tez tierna y pelo casi albino— son un presagio y un síntoma de la obsesión racial por la pureza aria que se instalaría en Alemania en menos de un lustro. La función catalogadora de las diferentes especies de personas asignada en el relato a lo fisiognómico tiende al objeto opuesto de la caracterización, que es precisamente la individuación del personaje, definido por características peculiares y propias. Aquí, por el contrario, los rasgos fisiognómicos contribuyen a difuminar su figura, desdibujar sus contornos y confundirlo en definitiva con la masa amorfa de otros grupos de hombres.

Incluso cuando lo fisiognómico aparece en el relato como procedimiento caracterizador, singularizador, el narrador se encarga de complicar esta individualidad del personaje. Así, el compañero de asiento de Erika en el autobús es descrito por unos rasgos faciales peculiares: «desentumeció su rostro, levantó la cabeza, y fue posible advertir con toda claridad que su mirada boreal comenzaba a deshelarse al mismo tiempo que su boca se abría en amplísima sonrisa» (89); y en otro momento: «advenido a total presencia, a estricto presente, se dilató el caucho de sus labios y su boca se abrió hasta el límite» (89-90). En la uniformidad gris y tediosa del autobús, la presencia de Hermann se singulariza por su enorme boca y su sonrisa, aspectos que van a ser precisamente las características peculiares que le servirán a Erika para localizar al joven algunos días después en «La selva negra», un local de baile en el que habían acordado reencontrarse. Cuando acude a su cita, Erika trata de encontrar los rasgos de Hermann y, en efecto, cree distinguir «entre los rostros mojados de risa, la nariz de dogo y la boca enorme de su amigo», momento en el que «también su expresión quedó parada, quieta, como el perro que aguarda el disparo» (91). Como señala el narrador,

> aquel hombre podía, en efecto, ser su amigo; ciertamente presentaba gruesa nariz de dogo y boca enorme. Pero [...] no sonreía en modo alguno; sus ojos estaban fríos, quizás neblinosos de cerveza y malhumor. Y, por tanto, pudiera no ser su amigo. Faltaba, al menos, esa hermética seguridad que no permite resquicios a la duda («Erika ante el invierno» 91).

El narrador destaca el carácter dudoso de la identificación de Hermann y del resto de sujetos por medio de la fisiognomía, que una vez más se presenta como un lenguaje difícil de descifrar. Mientras Erika intenta dilucidar de forma definitiva si el hombre es realmente Hermann o dónde se encuentra éste, un judío de pelo escarolado la saca a bailar. Finalmente, cuando termina el baile, el hombre de la nariz de dogo y la boca grande no está ya allí, y Erika se queda con «la duda, definitiva, fija y para siempre» (92). En el mundo que dibuja Ayala en su relato el conocimiento se presenta de forma fragmentaria, despojado de toda certeza. La duda, la vacilación gnoseológica, se ha instalado, como en el caso de Erika, en el centro mismo del universo narrativo. Un caso que viene a confirmar esta ausencia de verdades e identidades firmes es el de la noticia en el periódico de la muerte de Friaul a manos de su padre. Cuando Erika lee la noticia en el periódico sólo puede hacerlo de forma fragmentaria: «En la tarde de ayer se desa... hijo de 8 años de edad, Friaul... de la escuela. En los primeros...» (97). Y acto seguido de nuevo la indeterminación, el desconocimiento y la duda: «¿Cuándo habría sido la tarde de ayer? ¿De qué ayer sin nombre? ¿Y en qué sitio? ¿Tal vez en el Norte de la ciudad? ¿Quizás allí mismo, a unos metros de su propia habitación?... ¡Nunca se sabe nada, nunca!» (97). El procedimiento fisiognómico que el narrador utiliza con profusión es una más de las estrategias que contribuyen a dispersar el sentido, a sugerir sin designar, a describir realidades expresivas que no conducen a un conocimiento más certero de la realidad humana que habita la ficción, sino más bien al contrario. El rostro es inefable. Uno cree inmovilizar su gesto, entender su mensaje, descifrar su jeroglífico, y sin embargo siempre se le escapa su sentido. Si la cara es espejo del alma y el alma es en sí misma inaprensible, la expresión de ese rostro ha de ser también escurridiza, inaccesible.

Como afirma el narrador de *Locura y muerte de nadie* (1929) de Benjamín Jarnés, «por eso es tan duro llegar a conocer ninguna auténtica fisonomía. Hay que traspasar esas capas enrarecidas. No podemos fiarnos de su [...] transparencia. Lo normal es desistir de conocer a los hombres, porque ir en busca de su verdadero rostro es un comienzo de locura» (91). No obstante, y a pesar de esta imposibilidad del conocimiento a través de la fisiognomía que todos los narradores reconocen, los rasgos físicos del rostro y otras partes del cuerpo son el principal medio de caracterización y la pantalla sobre la que presentan y proyectan las interioridades, si es que hay alguna, de sus personajes. En *Escenas junto a la muerte* (1931) el personaje narrador de la novela se pregunta a sí mismo: «De todo mi desdén hacia la carne, de toda mi exuberancia erudita, ¿qué me queda?» (55). Pese a su rechazo de la carne, ésta es, tal y como había indicado Ortega, el medio a través del cual se expresa el alma. Por ello el personaje se responde a sí mismo con la constatación de que es la carne, y en particular el rostro, el único lugar en el que puede encontrar lo que queda de sí mismo: «Ya mi único libro es este espejo donde me veo agonizante, donde, despavorido, contemplo el rápido desmoronamiento de mi rostro, de mi último rostro» (55). Al comienzo del segundo capítulo de la novela, titulado «El marqués y la serranilla», encontramos al protagonista, escritor de profesión, en un momento de vacilación y transición vital. El personaje se mira en el espejo tratando de descubrir una mirada, un gesto, una pose de serenidad para su rostro-persona. La mención de sus posturas dramáticas «a lo Bertini» o «a lo Zacconi» nos sitúa una vez más frente al imaginario cinematográfico —las grandes estrellas del cine mudo italiano Francesca Bertini y Ermete Zacconi— en el ámbito de la representación literaria. El narrador ha abandonado su labor de escritor y se ha entregado a la contemplación de la decadencia y la ruina que se manifiestan en su rostro:

> Ésta es mi auténtica faz que comenzó pareciéndose a todas y ya comenzaba a no parecerse a la de nadie, en perenne avidez de ser original, ¡cómo la van resquebrajando las frenéticas lanzadas de este mi pobre corazón rebelde que busca un nuevo emplazamiento! Comienzan por afirmarse los ángulos, por hundirse lentamente estas pálidas cañadas donde suele florecer la planta del rubor; la misma nariz que pudo ser un gracioso relieve, aprovecha estos momentos de enorme depresión de las mejillas para agudizar sus perfiles. Todo en este lamentable rostro es ya nariz, lo que más descubre el esqueleto, lo que está más cerca de la muerte, como son los labios —lo más revelador de la vida— quienes mejor lo encubren (*Escenas* 56).

El rostro es una realidad dinámica, cambia y fluye, se manifiesta en diferentes formas, es imposible de detener en una imagen fija. El lenguaje fisiognómico que los escritores de vanguardia incorporan a su narrativa parte también de esta premisa, aunque despojada de las implicaciones profundamente éticas que le asignó Lévinas. La narrativa de vanguardia explora la naturaleza indeterminada del signo fisiognómico, su polisemia esencial, que en último término puede conducir a la asemia del signo, a su silencio definitivo, a la ausencia de todo sentido. Como se ha señalado en numerosas ocasiones, es el lector quien debe jugar a asignar sentidos y valores a los nume-

rosos signos, muchas veces mudos, que pueblan la narración.[8] Así ocurre
con la descripción de numerosos personajes en *Margarita de niebla* de Torres
Bodet, que aparecen presentados bajo la mirada radicalmente subjetiva del
protagonista: «Saludábamos un paisaje en cada alumna y en cada paisaje nos
sonreía nuestra propia complacencia. Largos rostros de muchachas estudio-
sas, aceitunados por la vigilia. Rostros duros de muchachas sensuales, perfo-
rados en cada ojo por una ráfaga de música. Otros, apenas esbozados, rostros
de muchachas demasiado buenas, demasiado tontas o, simplemente, demasiado jóvenes» (*Margarita* 8). En qué consiste el rostro de una mujer demasiado tonta, demasiado buena o demasiado joven es algo que no interesa,
porque narradores y personajes de vanguardia crean el mundo bajo sus ojos
desde una subjetividad radical, en un reflejo especular de la labor hermenéu-
tico-creativa del lector. Un buen ejemplo de este modelo de caracterización
fisiognómica se puede encontrar en «Epístola a Rocío» de Rafael Porlán y
Merlo, relato sobre el que volveremos con mayor detalle en el capítulo quinto. El narrador de esta historia se inventa literalmente la personalidad y biografía de una mujer, que de hecho no existe, a partir de unos rasgos fisiognómicos igualmente imaginarios: «el labio inferior se le quedó para siempre
gordito de insolencia, rezumante de brío [...]. Su vida de colegio fue poco
ejemplar, como lo demuestra la mirada bizca de sus incisivos. La fruición
con que aspiró la brisa cargada de especias de una tarde colonial le dejó la
nariz alerta, febril, y persiguiendo» («Epístola a Rocío» 372). Más adelante
hablará de «sus uñas de estafada» (373), de «las cejas levantadas y finas [...],
llenas de estupor eterno» (373), de su «cierta manera angelical e impura de
bajar los párpados» (373), de «la voz de sus pechos, que hablaron desde el
espejo» (374), o de la «oculta reserva de fuerzas en acecho, agazapadas en la
orografía virgen de sus orejas» (374).

Como muestran las citas precedentes, no sólo el rostro es susceptible de
expresar los contenidos del alma, sino que también otras partes del cuerpo
pueden transmitir ese conocimiento imposible que se expresa en los rasgos

---

[8] Numerosos críticos han destacado el papel preponderante asignado al lector en la narrativa de vanguardia. Pérez Firmat, por ejemplo, afirma que *Superrealismo. Prenovela* de Azorín
«ends at the beginning, it assigns to the reader a new role and importance. If the nebular novel is only a novel in potential, it is up to the reader to bring to completion what the text leaves
unfinished. [...] The reader thus occupies the center of the novel, and not only because of his
vantage point, but also because undoubtedly the mirrors will show him the reflection of his
own splintered self» (1982: 58-59).

fisiognómicos. Benjamín Jarnés había señalado ya en *Rúbricas* esa especial capacidad del cine para detenerse morosamente en un miembro del cuerpo y hacerle expresar algún oculto sentido al espectador:

> Se ha roto la distancia entre lo grande y lo pequeño de los seres. El cinema destruye todo prejuicio de arcaica relatividad y se complace en nivelarlo todo. El movimiento de impaciencia de un pie diminuto que aguarda, ha llenado todo el volumen que antes comprendía una ventana, un busto anhelante de mujer, unos ojos húmedos, unas manos inquietas que estrujaban el pañuelo, unas macetas líricas, un perro, un libro de versos. El piececito se mueve intranquilo y expulsa toda la carrocería sentimental de la «impaciencia amorosa», tema copioso, milenario, para sencillos poetas tradicionales.
>
> El piececito es un nuevo ser, autónomo, personal, porque le fue encontrada una original fisonomía. Cuando toda la vital emoción se traslada a un pie, basta con subrayar ese pie, con hacerle hablar el maravilloso idioma imposible de traducir a ningún arte (Jarnés 1931: 124).

Los narradores de vanguardia han aprendido en el cine el protagonismo que puede cobrar el «piececito» o cualquier otro órgano del cuerpo con «una original fisonomía» a la hora de transmitir los sentimientos, emociones o contenidos en general que se quieran hacer llegar al lector. Como dice Jarnés, para trasladar «toda la vital emoción» a un pie, «basta con subrayar ese pie», basta con fijar en él el foco de atención y otorgarle el protagonismo de la narración, tal y como hace la cámara del operador en la obra cinematográfica. Con todo, Jarnés reconoce también las limitaciones semánticas de este procedimiento, ya que si bien el lenguaje fisiognómico es un «maravilloso idioma», resulta «imposible de traducir a ningún arte». Sin embargo, lo cierto es que el procedimiento fisiognómico pudo de hecho incorporarse al arte y contribuir a moldear un cierto tipo de impresión estética —la narrativa de vanguardia es un claro ejemplo de ello—, pero en último término no puede transmitir contenidos que vayan más allá de una vaga impresión subjetiva en el lector. Así ocurre en la descripción que el narrador de *Estación. Ida y vuelta* hace de la pierna de Julia:

> Lo llenó todo aquella pantorrilla. Lo pervirtió todo. Nos pervirtió a todos. Estaba tan bien educada, tan bien informada. Sabía tanto de tennis como de tango. Con tacón, sin tacón, con media de seda, con media de lana. Eclipsaba la personalidad de su dueña. Es más: eclipsaba la de su compañera. Era una pantorrilla sola la que estaba en todo. La que saludaba a la gente, la que ofrecía

pastas. Esa muchacha tiene el pretexto de su pantorrilla. Ella no es gran cosa; pero su pantorrilla, no cabe duda, está bien. Y la dueña sabe participar indirectamente del éxito de su pantorrilla (*Estación* 90).

La pantorrilla se convierte en centro de atención y foco de la escena, tal y como había propuesto Jarnés. La personalidad de Julia es literalmente suplantada por esta pantorrilla, que cobra vida propia y se convierte en «un nuevo ser, autónomo, personal, porque le fue encontrada una original fisonomía». La narrativa de vanguardia está llena de descripciones semejantes en las que los personajes son presentados a través de los rasgos físicos de un órgano de su cuerpo. Esta descomposición del sujeto vanguardista en imágenes fragmentarias guarda una íntima relación con el lenguaje de fragmentación cinematográfica y puede considerarse una variante del sistema de *découpage* y montaje discutido en el capítulo anterior. Así, el sujeto ya no constituye un todo unitario e indivisible, sino un mecanismo complejo y articulado, caleidoscópico, que puede observarse desde múltiples perspectivas. Cabe observar, en este sentido, los cuatro dibujos realizados por el propio Xavier Villaurrutia para la primera edición de su *Dama de corazones* (1928), novela con que se inaugura la editorial Ulises de México, de los cuales tres presentan figuras humanas con miembros amputados.[9] También Jarnés incorporó este procedimiento en varias de sus novelas de vanguardia. En *Escenas junto a la muerte* el narrador se sirve de la descripción de las ma-

---

[9] En la primera ilustración aparece un caballero con pajarita que mira al frente, hacia el lector, y cuyas manos están cortadas, separadas de las muñecas. Pese a la amputación de las manos, el hombre está empuñando una pluma y escribiendo. El segundo dibujo está dividido en dos partes por una raya horizontal: los dibujos de arriba y abajo son exactamente el mismo, pero en posición invertida. El motivo de la ilustración es un rostro que nuevamente mira al lector, aunque en esta ocasión sólo con un ojo, pues el otro se lo tapa con la mano. De nuevo, la figura aparece desmembrada y, entre otras cosas, vemos los labios cerrados del sujeto flotando en el aire. Por fin, en la última de las figuras aparece un cuerpo con todas sus partes, aunque de nuevo mutilado: la cabeza separada del tronco y sujeta por un brazo al que a su vez le falta la mitad del antebrazo y la mano, una pierna cortada en dos trozos, la otra entera, aunque amputada, un brazo que sujeta esa pierna, y, finalmente, la mano cortada que cubre un ojo de la cara. El motivo de la mirada parcial y el ojo tapado por una mano cortada se repite en dos de las ilustraciones, lo cual introduce un inquietante matiz de subjetividad en la mirada. Por otra parte, volvemos al juego de puzzles, de miradas caleidoscópicas que van creando entes y figuraciones nuevas por medio de fragmentos, ráfagas, trozos, amputaciones. El nuevo sujeto de la vanguardia es un juego de piezas, de rasgos fisiognómicos discontinuos que cada lector debe articular a su manera.

nos y los dedos de la protagonista femenina de la novela para trazar indirectamente el perfil de su personalidad y su temperamento:

> El índice se yergue, envanecido, apuntando a la frente: es el dedo de la exactitud. El del corazón, el dedo sentimental, larguirucho, encogido, sin garbo alguno, divaga como un romántico en perpetua indecisión. El anular mantiene ahora el peso del arco de la ceja, muy atento a su modesta función de soporte: es el mozo de cuerda de la mano, donde se cuelgan todas las baratijas. El meñique, siempre infantil, se empina por alcanzar la ceja para ayudar a su hermano mayor, es el niño inútil que quiere disculpar su ociosidad. Y el pulgar, dedo romo, dedo impar, a quien una mala distribución ha mutilado sus falanges; dedo ausente cuando no se trata de funciones de artesano, que refunfuña si la mano se entrega a subrayar gestos faciales (*Escenas* 30).

No es casual que en este fragmento sobre la mano la narración termine haciendo alusión a los gestos faciales, considerados el medio fundamental de la expresión fisiognómica. En la narrativa de vanguardia las manos ocupan probablemente el segundo lugar en el *ranking* de importancia de los órganos del cuerpo en tanto que medios de expresión fisiognómica. El trabajo más interesante de la época sobre la función de las manos en la vanguardia es sin duda la conferencia que bajo el título de «Articulaciones de la mano en el cine» pronunció Ernesto Giménez Caballero el 25 de marzo de 1930 en la sala Mozart de Barcelona. La conferencia, que apareció publicada en un número extraordinario de la revista *Hélix*, órgano de la vanguardia catalana, se basaba en la película de anteguerra *La mano* (*The Thieving Hand*, James Stuart Blackton, 1908), y a partir del título y el argumento de la misma elaboraba toda una teoría de las manos, de los tipos humanos en función de sus manos, de la personalidad que se expresa a través de éstas.[10] Así, por ejemplo, Gecé habla de «una mano que aprieta como la de Douglas», «una mano que cosquillea como la de Keaton», «una mano que se hurga en las narices, como la de Charlot», «una mano que corre cortinillas de besos como la de Novarro», «una mano que atusa bigotes como la de Menjou», «una mano andaluza como la del catalán Dalí», «una mano catalana como la del madrileño Ramón» y, finalmente, «una mano madrileña como la del aragonés Buñuel» (Giménez Caballero 1930: 2).

---

[10] La película, una comedia de trucos muy característica del cine de los primeros años (1908), presenta a un personaje manco que decide hacerse con una mano ortopédica. Toda la problemática cómica del film surge de la autonomía de la mano postiza, que se dedica a robar de los bolsillos de la gente sin que el personaje pueda hacer nada por controlarla.

Giménez Caballero sexualiza su reflexión sobre las manos con sendas referencias al cuadro *El gran masturbador* (1929) de Dalí y a las manos infestas de hormigas de *Un chien Andalou* (1929) de Buñuel y Dalí, imágenes tradicionalmente relacionadas con cierta idea de la represión sexual como castigo que espera al onanista. El motivo erótico y auto-erótico de las manos y su relación con el cine se extiende a lo largo de toda la conferencia. Así, por ejemplo, afirma que «el cine acaba de nacer y manotea su mano en el aire sin vientre, con recuerdo todavía vaginal. Mano de niño que busca pechos, pezones a las cosas. Mano succionadora» (Giménez Caballero 1930: 2); y, un poco más adelante, que «toda película primigenia es un sueño de niño dormido que deja colgar sus manos inocentes cerca de su sexo, excitándolo levemente, angelicalmente» (2). Poco después retomará la imagen masturbatoria, esta vez a propósito del cine: «la mano del cine recién nacido es ella misma sexo. No necesita buscar nada. Le basta palparse a sí misma. Autoutilizarse. Gozarse. No olvidar que el cine recién nacido, se chupa el dedo. [...] En divina confusión de sexo, boca y dedo» (11).

No voy a entregarme aquí a la labor de interpretar las oscuras parafilias de Gecé, que acaso se proyecten en las citas precedentes y que sin duda ocupaban ya un espacio central en varios de los relatos de *Yo, inspector de alcantarillas*. Al margen de la influencia del psicoanálisis y de su teoría de las diferentes fases de la evolución libidinal en el desarrollo psíquico del niño (que en este caso es el cine), me interesa destacar la ubicua presencia de esta mano y su centralidad en el sistema de significación del texto. De una manera semejante, aunque quizás algo menos abrupta, los narradores de vanguardia pueblan sus novelas de manos y otros órganos que no son ya mero decorado en el fondo de la página, sino agentes de la narración que adquieren vida propia y cobran un protagonismo desconocido hasta entonces. Los personajes se definen en muchos casos por el valor que el narrador asigna a estos órganos, tal y como hemos visto en el caso de la pantorrilla de Julia en *Estación. Ida y vuelta* o en la mano del narrador en *Escenas junto a la muerte*. Otro ejemplo interesante que podemos mencionar es la descripción del movimiento de las manos de Lola sobre la guitarra en la novela *La rueca de aire* de Martínez Sotomayor:

> Lola ha desaparecido, sombra también. Pero sus manos quedaron prendidas sobre la guitarra. Sus manos blancas, sonoras. Una sobre el mástil, saltarina y multiforme, hace equilibrios sobre las cuerdas pinas; se tiende y se crispa, levanta los dedos en busca de gravedad o los hinca para sujetarse. Volatinera

mano de baile alocado y rítmico, que en el frenesí perdió un dedo. La otra, sobre la caja sonora, caliente el arpegio, lo enciende y lo lanza. Como fuera recia la voz, la mano funámbula voló al extremo del mástil, asustada, haciendo garabatos. Pero luego una vocecilla, mínima, apenas visible, como la punta de un alfiler, la atrajo, toda curiosa y suspensa, hasta adelantar un dedo sobre el pecho del instrumento, y allí el dedo se dio cuenta de cómo aquella vocecita casi sin vida, caía dentro del agujero negro de la guitarra.

[...] La mano que incuba las notas se sacude, tensa, epiléptica [...].

Aquellas son las manos de Lola, incansables. Ella se adivina en una mancha gris detrás de la guitarra: ¿Realmente estará ahí? (*La rueca de aire* 17-18).

Aparte de su evidente impronta cinematográfica, esta descripción recuerda vivamente a las diferentes series de cuadros cubistas que pintaron tanto Pablo Picasso como Juan Gris —y Georges Braque— con el motivo de la guitarra o la mandolina. En la cita que nos ocupa, las manos de Lola cobran protagonismo hasta el punto de hacer desaparecer a la propia Lola de la escena. De hecho, el personaje es reducido a una sombra oculta en el fondo del plano. El narrador lo afirma explícitamente al comenzar y al terminar el fragmento: primero es una sombra apenas visible, después una mancha gris detrás de la guitarra. Y pese a la viveza y energía visual de la descripción de las manos sobre el mástil de la guitarra y la caja de resonancia, encontramos al final la pregunta sobre la presencia de Lola: «¿Realmente estará ahí?». La fuerza expresiva de las manos ha suplantado definitivamente al sujeto. Y la descripción continúa: «¡Manos expresivas! Ve Ana las suyas pálidas en lo negro. Las levanta como pequeñas alas; los brazos... ¡ah, porque las manos son las alas con que se levantan los brazos!» (*La rueca de aire* 18). Finalmente, Ana ofrece una reflexión muy interesante sobre el valor de los gestos de las manos como indicios de la personalidad del nuevo sujeto vanguardista:

las manos hablan. Las manos de Lola cantan. Debe existir una nueva quiromancia. Sí, una quiromancia del gesto; sin grietas ni encrucijadas. En el gesto, cada uno de los dedos traza su signo. Rompiendo su gregarismo en actitud divergente, matizan el concepto; cada dedo dice una palabra de la frase. Cuando concurren todos a la expresión repiten la misma palabra: la elocuencia unánime del puño cerrado o de la mano que bendice. A cada dedo corresponde una parte de la oración. La mano sin pulgar perdió el sustantivo. La trunca del índice, perdió el verbo. El esperanto de las manos. Pero las manos tienen su lenguaje exclusivo y personal cuyo conocimiento forma la sabiduría de la nueva quiromancia (*La rueca de aire* 19).

Basta cambiar la palabra «quiromancia» por el sintagma «lenguaje fisiognómico» para obtener una descripción muy ajustada de éste. El uso de verbos como «hablar», «cantar», «decir», «matizar», «repetir», y de sustantivos como «gesto», «signo», «concepto», «palabra», «frase», «expresión», «elocuencia», «oración», «sustantivo», «verbo», «esperanto» y «lenguaje» nos sitúan claramente en el ámbito de la reflexión lingüística y semiótica, en la reflexión metapoética sobre el lenguaje gestual como un arte quiromántico que permite elucidar, una vez más, la naturaleza interior que se expresa en el gesto. Esta reflexión *en abîme* muestra el interés evidente del autor de vanguardia por la exploración de nuevos lenguajes y nuevas formas de expresión. El lenguaje fisiognómico como estrategia de caracterización se encuadra así en este sistema de superposición de lenguajes en que se fragmenta el sentido de la narración. En la misma novela encontramos algunas páginas más tarde otro ejemplo de esta «quiromancia del gesto» muy semejante al anterior:

> las manos de su amigo, viva quiromancia, moldeaban, plasmaban, acotaban el conglomerado, detallando con el rasguño del detalle. [...] las frases saltaban a la cuna que les formaban las manos con las largas varillas de los dedos, y se agitaban ahí —agitaciones pueriles— sin más afán que agitarse. Si las manos se divorciaban o cerraban los dedos gregarios, entonces la descripción se complicaba en los barrocos giros levantiscos de los puños, para luego volver a la simplicidad de las manos en paréntesis, hábito de blandura (*La rueca de aire* 37).

La referencia a la quiromancia nos remite a la gnosis, a un conocimiento oculto, mágico, reservado únicamente a los iniciados. La imposibilidad de descifrar el sentido de las manos, que en el caso de Chacel era la imposibilidad de descifrar la personalidad que se expresa en el rostro o la mirada, o acaso la ausencia de significación o sentido en ambos casos, viene a reforzar el argumento de Ortega sobre la expresión, que él mismo había definido como jeroglífico. Los narradores de vanguardia conciben de manera distinta la naturaleza de la relación entre los rasgos fisiognómicos externos y los sentidos íntimos y ocultos del alma. Textos como los de Jarnés y Porlán y Merlo siguen de cerca las ideas de Ortega sobre la expresión fisiognómica y no problematizan esta relación. Otros como Chacel y Porlán y Merlo, aunque aceptan sus postulados generales, ponen el acento en la profunda indeterminación del signo fisiognómico, y al hacerlo cuestionan en cierta medida su validez, si no al nivel ontológico, ciertamente a un nivel gnoseológico o epistemológico como sistema o vehículo de conocimiento. Por su parte Giménez Caballero opta por la subversión del principio fisiognómico por medio de la parodización de este lenguaje. Con todo, y pese a las diferentes posturas de estos autores, todos ellos recurren de una u otra manera al modelo fisiognómico de caracterización y en ese sentido participan de la discusión intelectual acerca de su validez, discusión en la que se reflejan algunos de los principales debates científicos, filosóficos y estéticos de su época. Por un lado, la discusión en torno al conocimiento y lenguaje fisiognómicos constituye un reflejo del cuestionamiento más de fondo que se produce en este periodo en torno al conocimiento racionalista y al modelo epistemológico científico-empiricista. Por otro lado, el vínculo de unión que establecía Ortega entre la esencia y la expresión, entre el alma y el cuerpo, se inserta asimismo en un proyecto más amplio de cuestionamiento de la metafísica tradicional y de sustitución de la concepción ontológica del mundo por un modelo fenomenológico donde el ser es todo manifestación en la conciencia. Por último, dentro del ámbito de las ideas estéticas, la propuesta de caracterización fisiognómica que adoptan los nuevos narradores problematiza y cuestiona el modelo tradicional de la mímesis realista propio de la narrativa anterior, algo que viene a complicar de manera particular el cine, espejo y referente en el que se miran estos autores, al conjugar la fuerte impronta de realidad de la reproducción fotográfica con un poderosísimo efecto de sugestión psíquica y estética.

En definitiva, el denominador común de la postura adoptada por los narradores de vanguardia en todos estos frentes es precisamente el de la ambigüedad e indeterminación. Esta ambivalencia se encontraba de hecho implícita ya en las reflexiones del propio Ortega, que con una mano proclamaba la importancia fundamental de la expresión fisiognómica como vehículo de expresión y conocimiento del alma, auténtica sustancia de la persona, y con la otra definía el signo fisiognómico como jeroglífico, que en su acepción etimológica designa una inscripción sagrada o mágica cuyo sentido se desconoce. Si bien Ortega afirmaba el carácter significante de la expresión, cuyo sentido vinculaba con el alma de la persona, al mismo tiempo reconocía la imposibilidad de leer el enigma de estos rasgos, reducidos así a la condición de signos mudos. En el capítulo anterior hacíamos referencia al modelo de interpretación de la nueva narrativa, segmentada en estructuras geométricas, objetos fotogénicos y espacios fragmentados a modo de estampas o imágenes que se presentan ante los ojos del lector para su decodificación. Este modelo hermenéutico, el de la gnosis visual, es perfectamente compatible con la idea del «jeroglífico» orteguiano o de la «quiromancia del gesto» que propone Martínez Sotomayor. Aunque en este caso concreto el uso del término «quiromancia» es también una referencia al conocimiento secreto —gnosis— de los brujos y adivinadores que *leen* el futuro en las líneas de la mano, en realidad el modelo recomendado por la hermenéutica fisiognómica se basa exactamente en los mismos presupuestos e implica una metodología idéntica. El modelo fisiognómico de caracterización reduce al sujeto a una suma de rasgos y accidentes visuales, su expresión, o incluso imágenes fragmentarias de partes de su cuerpo —generalmente el rostro, pero también partes de éste u otros órganos: manos, piernas, pies, pantorrillas...— que el lector debe interpretar a su manera y por su cuenta y riesgo.

En definitiva, los procedimientos fotogénico y fisiognómico son dos caras de una misma moneda, dos variantes de un mismo modelo, dos avatares de la misma influencia general del cine sobre la narrativa de vanguardia: la transformación del modelo semántico y de generación de sentido de la narrativa tradicional, que era el del logos, por un conjunto de signos visuales mudos —en el sentido de carentes de voz, de palabra, de sentido—, ya sean personas o cosas, sujetos u objetos, que constituyen una estructura semántica inestable, intuitiva, indeterminada, a cuyo conocimiento sólo pueden acceder aquéllos que han sido iniciados en los ritos secretos de la gnosis visual. Los narradores de vanguardia asumen estos postulados con todas sus consecuencias. El jeroglífico de la caracterización vanguardista encubre un sentido, pero el intérprete sólo puede acceder al significante, a la forma externa de un signo que es siempre indescifrable. Estos rasgos o signos visuales constituyen una estructura de significación inestable, indeterminada, cuyo objetivo último parece ser, como proponía Giménez Caballero, el entretenimiento y el juego. Quizás la mejor conclusión de este capítulo sean las palabras con que Xavier Villaurrutia supo expresar de manera insuperable en su novela *Dama de corazones* esta idea de la asemia del rasgo fisionómico y su función eminentemente lúdica, pasaje que constituye por sí mismo toda una guía de lectura de la narrativa de vanguardia:

mira ávidamente la palma [de la mano]. Se turba. Cierra los ojos. Vuelve a mirar. Más que una carta geográfica, parece el plano ferroviario de una región industrial. Se anudan las líneas, se complican, se interrumpen a trechos como si pasaran, subterráneas, por túneles bajo la epidermis; se enmarañan como una red de cabellos. No tienen significación. ¿Jeroglíficos? No. Arabescos que juegan con sus ojos, burlándolos (*Dama* 25).

4.

ENSOÑACIÓN CINEMATOGRÁFICA:
LA HIBRIDACIÓN DE MUNDOS FICCIONALES

> En el porvenir, cuando el progreso técnico
> haga factible la exacta traducción visionaria al
> mundo exterior de nuestros ensueños y fan-
> tasmas, el cine habrá absorbido la principal
> sustancia de las demás artes. Y su radio de ac-
> ción en nuestra conciencia será enorme.
> Antonio Espina (1927: 46)

En 1936 Benjamín Jarnés publicaba *Cita de ensueños*, libro en el que re-
copilaba buena parte de los artículos de crítica cinematográfica que había
ido escribiendo desde finales de los años veinte y que habían aparecido publicados en diferentes revistas y periódicos de aquella época. La única parte
del libro que no se había publicado con anterioridad era el texto que Jarnés
escribió como introducción al volumen. En él el autor reflexionaba una vez
más sobre las relaciones entre la literatura y el cine desde el punto de vista
del escritor, aunque entonces, a escasas semanas del comienzo de la Guerra
Civil y tras cinco años de hegemonía del arte social, la narrativa de vanguardia era definitivamente un producto del pasado:

> La pantalla se ilumina. Podemos saltar a bordo rumbo a Australia, a
> Florencia, a la Quinta Avenida, al sotabanco de cualquier inmueble nacional o
> extranjero. Comienza el desfile de imágenes. Quieta —o adormecida— la fa-
> cultad de pensar, libre y ágil la de sentir, la de soñar, la de imaginar.
> Incorporamos la vida que vemos a nuestra propia vida —tercera e ínfima clase
> de espectadores de cine—, la sentimos como nuestra. Imaginamos una vida
> más perfecta, corregida y aumentada —segunda clase de espectadores: la de es-
> píritus críticos—. De cualquier vida partimos, soñando, a otra más alta, no pa-

ralela a la allí vista, sino perpendicular al plano frecuentemente borroso —melodramático— que nos ofrece la pantalla. Y esta es la primera clase de espectadores, la de los que sueñan y alguna vez escriben sus sueños, en poemas, en fábulas, en cuentos, en farsas dramáticas (*Cita* 16).

Jarnés propone en este texto un modelo interesante de recepción de la obra fílmica. Partiendo de la premisa de que la «facultad de pensar» queda «quieta» o «adormecida» frente a la ficción visual de la pantalla —asunto sobre el que hemos de volver en breve—, Jarnés establece una división entre el sentimiento, la imaginación y la ensoñación como tres modelos de reacción ante la experiencia cinematográfica. Los espectadores se dividen así en tres grandes grupos en función de su actitud frente al fenómeno visual del cine: los que *sienten* epidérmicamente las escenas que contemplan y las comparan con su experiencia del mundo real; los que *imaginan* críticamente una vida mejor para sí a partir de las escenas que contemplan; y, por último, quienes *sueñan* otra vida, otra realidad, a partir de las borrosas ficciones que ofrece la pantalla. Esta última forma de expectación, que Jarnés considera superior, es la que debe adoptar a su juicio el literato y es la que justifica en definitiva el título de su libro, que presenta al cinematógrafo como el lugar privilegiado en el que se dan cita la ensoñación y la imaginación. El cine se convierte así en una especie de acicate que espolea el genio soñador y creativo del escritor. El objetivo de este espectador frente al plano cinematográfico debe ser «mejorar [el film] dentro de nosotros. Soñar, frente al film realizado, con el film por realizar» (*Cita* 17). Y cuando el escritor se encuentra cansado y no tiene fuerzas para crear sus propias ficciones, el cine no es tanto un acicate de la escritura cuanto un sustituto eficaz para las horas de desidia: «Por mi parte, siempre me senté frente a la gran cuartilla vertical —así llamó a la pantalla Antonio Espina— con la esperanza de ver allí escritos muchos ensueños que, por holgazanería o incompetencia, no escribí» (15).

La síntesis de ambas afirmaciones es que, a fin de cuentas, el cine es para Jarnés lo mismo que era para buena parte de sus coetáneos: un medio de expresión artística tan potente y con tal capacidad de penetrar en las capas más profundas de la conciencia humana, que sólo el sueño y la experiencia onírica podían compararse con él en términos de su poder de sugestión psíquica. Como afirmaba Jarnés al comienzo de la cita, en el momento en el que la pantalla de cine se ilumina el espectador salta a bordo rumbo a cualquier parte. El cine es sobre todo y fundamentalmente un medio de transporte, acaso de escape, un vehículo que nos desplaza hacia regiones desconocidas de la imaginación. El espectador de cine no se mueve de su asiento, no necesita desarrollar una actividad cerebral demasiado fatigosa, y, sin embargo, se ve trasplantado mentalmente a un mundo de ensueño que se percibe como profundamente real. Como en un sueño, las imágenes que se proyectan sobre la pantalla absorben al espectador y lo incorporan como una figura invisible que observa la ficción que se construye ante sus ojos y participa activamente de ella. Como había escrito Fernando Vela, la pantalla de cine es «la sábana de los sueños, la sábana de los fantasmas [...] y de los miedos infantiles» y no existe medio ni forma de expresión artística capaz de ofrecer «un mejor rendimiento fantasmagoral» (1925: 215).

El espectador de cine experimenta un cierto retorno al mundo de la infancia, se involucra en la ficción cinematográfica sin ser capaz de trazar una línea divisoria clara entre la verdad de lo que existe y los constructos de la imaginación soñadora. Antonio Espina destacó precisamente este fenómeno en una reflexión sobre el extraordinario poder de sugestión del cine y los efectos psíquicos derivados de la experiencia de inmersión en la oscuridad y el silencio de la sala: «el espectador idealmente prototípico experimenta, al sumergirse en la oscuridad y enfrentarse con la proyección, un misterioso retorno a la atmósfera infantil de los sueños. La atención, aumentada, se enfoca hacia la pantalla; sofrénase la censura razonadora del intelecto, y el oído, anclado en el silencio, descarga sus apetencias» (1927: 44). Al igual que durante el sueño, el espectador desactiva todos los resortes razonadores y es literalmente absorbido por la ficción que se proyecta en la pantalla: «el espíritu de este espectador prototípico se debate, pues, en una situación extraordinaria. En un estado de espíritu que, aun examinado ligeramente, vemos que tiene algo de musical y algo de religioso; propicio a la sugestión más profunda de la fantasmagoría» (ibid.: 45).

Si bien la novedad del arte cinematográfico en la década de los veinte puede explicar en parte la fascinación y absorción del espectador por la ficción visual de la pantalla, está claro también que para que la magia de la ficción funcione, hace falta un compromiso previo o al menos una cierta predisposición por parte del espectador. Jarnés en la cita anterior, al hablar de la quietud y adormecimiento de la facultad de pensar, y Espina ahora al referirse a la suspensión de «la censura razonadora del intelecto», nos están proponiendo en el fondo un modelo de expectación y aproximación a la ficción fílmica: el de la interrupción del pensamiento crítico-realista con respecto a la ficción, que viene a ser el modelo del *willing suspension of disbelief* propuesto por Coleridge, o sea, una cierta inclinación a la credulidad

o suspensión del descreimiento por parte del espectador que le permita ins-
talarse en la ficción y disfrutar de ella —vivirla— sin cuestionar su validez.
Este acto de cuestionamiento implicaría de hecho la ruptura del efecto dra-
mático y en definitiva el fin de la ficción. La comparación con el mundo
onírico funciona aquí perfectamente, ya que el sueño es una ficción en la
que el soñador participa activamente sin cuestionar la validez de nada de lo
que se presenta a su conciencia. La única forma posible de indagar en la naturaleza del sueño es desde la vigilia, o sea, desde la ruptura de la ficción
onírica, que implica la interrupción del sueño, su aniquilación. Al hilo de
esta semejanza entre ambos espacios ficcionales, Espina termina su artículo
precisamente con una referencia a la especial aptitud del cine para trasladar
a la pantalla la experiencia fantasmagórica del sueño y su enorme poder de
sugestión sobre la conciencia y la psique del sujeto: «En el porvenir, cuando
el progreso técnico haga factible la exacta traducción visionaria al mundo
exterior de nuestros ensueños y fantasmas, el cine habrá absorbido la principal sustancia de las demás artes. Y su radio de acción en nuestra conciencia será enorme» (1927: 46).

Los escritores de vanguardia, y en general los primeros estudiosos que se
aproximaron críticamente al fenómeno cinematográfico en este periodo, coin-
cidieron en señalar la especial capacidad del cine para presentar ante el espectador un mundo de ficciones visuales que guardaba una fuerte semejanza con
el mundo de los sueños y que era capaz de provocar en el espectador sensaciones muy intensas y cercanas a la experiencia onírica. El interés por el mundo
de los sueños se había acrecentado en toda Europa desde finales del siglo XIX y
hasta bien entrado el XX, interés en cuyo desarrollo, como han señalado diversos estudiosos, había tenido un papel importante el surgimiento y expansión
del cine.[1] *La interpretación de los sueños* (*Die Traumdeutung*) de Sigmund Freud
apareció publicado por primera vez en el año 1900, cinco años después de la
invención del cinematógrafo Lumière, y Henri Bergson, uno de los principales pensadores de la época, pronunció una conferencia enteramente dedicada
al estudio de «Los sueños» en el Institut Général Psychologique de París el 26
de marzo de 1901. Aunque Freud declaró en numerosas ocasiones a lo largo
de su vida su absoluto desinterés por el séptimo arte y Bergson no citó una sola
vez ni de pasada el nuevo fenómeno cinematográfico en su trabajo, la obra de

---

[1] Entre los críticos que han señalado esta confluencia entre el surgimiento del cine y el
interés por el mundo de los sueños de teorías como el psicoanálisis, cabe destacar los trabajos del psicoanalista Bruce Sklarew y la crítica cinematográfica Anne Friedberg.

ambos autores tuvo una influencia indudable tanto en la producción cinematográfica de los años veinte como en su recepción crítica. Buena prueba de ello es la influencia decisiva que sin duda desempeñó el mundo de los sueños y la teoría psicoanalítica en movimientos como el impresionismo y el surrealismo. Por su parte, las reflexiones de Bergson sobre la percepción, el tiempo, el sueño y la memoria están muy presentes en obras fundamentales de la teoría cinematográfica. *L'image-mouvement* (*La imagen-movimiento*) y *L'image-temps* (*La imagen-tiempo*) de Gilles Deleuze, que constituyen una de las principales propuestas de aproximación filosófica al estudio de la imagen cinematográfica, están construidas —especialmente la segunda— en diálogo constante con la obra filosófica de Bergson y particularmente con su libro *Matière et Mémoire*.

En *La imagen-tiempo* Deleuze reflexiona sobre la relación entre el cine y la experiencia onírica a partir de las películas del periodo de entreguerras que ejercieron enorme influencia en la obra de los narradores de vanguardia que ahora nos ocupan. Deleuze señala cómo frente al cine americano, más dominado por el movimiento y la «imagen-acción», el cine soviético, el expresionismo alemán y «la escuela francesa» —en sus dos variantes impresionista y surrealista— recogen «muy tempranamente un conjunto de fenómenos» que están íntimamente vinculados a la experiencia onírica y a los estados de alteración perceptiva y psíquica que habitualmente se asocian con aquélla: «amnesia, hipnosis, alucinación, delirio, visión de los moribundos y sobre todo pesadilla y sueño» (1986: 80). Para Deleuze,

> lo primero que tienen en común todos esos estados es que un personaje es presa de sensaciones visuales y sonoras (o incluso táctiles, cutáneas, cinestésicas) que han perdido su prolongamiento motor. Puede tratarse de una situación-límite, de la inminencia o la consecuencia de un accidente, de la proximidad de la muerte, pero también de estados más corrientes, el dormir, el sueño o los trastornos de la atención. En segundo lugar, estas sensaciones y percepciones actuales son tan ajenas a un reconocimiento de la memoria como a un reconocimiento motor: ningún grupo determinado de recuerdos viene a corresponderles y a ajustarse a la situación óptica y sonora. Muy por el contrario, todo un «panorama» temporal, un conjunto inestable de recuerdos flotantes, imágenes de un pasado *en general*, desfilan con rapidez vertiginosa, como si el tiempo conquistara una profunda libertad. [...] Lo mismo sucede con los estados de sueño o de extremo relajamiento sensoriomotor: el único lazo que conservan las perspectivas puramente ópticas o sonoras de un presente desinvertido es con un pasado desconectado, recuerdos de infancia flotantes, fantasías, impresiones de *déjà vu* (ibid.: 81-82).

La reflexión de Deleuze sobre el componente onírico del cine de los años veinte pretende destacar la sugestión subjetiva y el poder de inducción psíquica hacia estados fantásticos y líricos que espolea la imagen-sueño, frente a la sensación más objetiva que provoca la imagen-acción o la fuerza rememorativa de experiencias pasadas que suscita en el espectador la imagen-recuerdo. El uso de sintagmas como «panorama temporal», «conjunto inestable de recuerdos flotantes», «imágenes de un pasado *en general*», «estados de sueño o de extremo relajamiento sensoriomotor», «presente desinvertido», «pasado desconectado» o «recuerdos de infancia flotantes, fantasías, impresiones de *déjà vu*» se dirigen claramente a subrayar la subjetividad radical y la escisión de lo real y objetivo que caracterizan a este tipo de obras cinematográficas y a la experiencia del espectador que las contempla. En el contexto de la producción fílmica de los años veinte, Deleuze afirma que con esta técnica de la imagen-sueño «el cine europeo encontraba un medio para romper con los límites 'americanos' de la imagen-acción, y también para alcanzar un misterio del tiempo, para unir la imagen, el pensamiento y la cámara en una misma 'subjetividad automática'» (ibid.: 81).

La «subjetividad automática» del espectador puede fácilmente identificarse con el estado de «hipnosis» o incluso «violación» psíquica a que es sometido el espectador de cine al que alude Buñuel —que fue también un soñador empedernido[2]—, y con el «estado de espíritu especial» o «estado imaginativo» que, según Antonio Espina, induce en el espectador la experiencia cinematográfica (1927: 44). Benjamín Jarnés, en el capítulo inicial de *Cita de ensueños*, también enfatiza esta triple dimensión de lo cinematográfico como sentimiento, imaginación y ensueño, que tan bien cuadra con la tríada acción-rememoración-sueño de Deleuze. José Manuel del Pino ha destacado, en esta misma línea, la reflexión de Jarnés en *Teoría del zumbel* a propósito de los tres planos sobre los que se articula la narrativa de vanguardia: «el sueño (mundo del subconsciente), la vigilia (espacio de la realidad y el presente) y el ensueño (mundo de la imaginación y los deseos)» (1995: 93). En efecto, todos estos escritores muestran gran interés por las conflictivas relaciones entre el sueño y la vigilia, la realidad y la ficción, los estados de alteración psicoperceptiva y las facultades sensitivas o, por utilizar los términos de Deleuze, la exterioridad objetiva y la interioridad subjetiva.

[2] Buñuel afirma en sus memorias que si le quedara poco tiempo de vida, cada uno de esos días querría que le dieran «dos horas de vida activa y veinte horas de sueños [...]. Adoro los sueños [...]. Esta locura por los sueños, por el placer de soñar, que nunca he tratado de explicar, es una de las inclinaciones profundas que me han acercado al surrealismo» (1983: 92).

Creo que es a partir de los conceptos de lo exterior-objetivo y lo interior-subjetivo que deben interpretarse las palabras de Antonio Espina cuando propone incorporar a la literatura «los estremecimientos, el claroscuro, la corpórea irrealidad, o el realismo incorpóreo del cinema» (*Pájaro pinto* 7). El carácter paradójico y antitético de los sintagmas «corpórea irrealidad» y «realismo incorpóreo» ilustra muy gráficamente el proceso de fusión y confusión creciente entre lo sensorial y lo imaginario, la visibilidad exterior y la sensibilidad interior, lo objetivo y lo subjetivo o, en definitiva, la realidad y la ficción, cuyos límites el séptimo arte había contribuido sin duda a oscurecer y disipar. En este sentido es interesante la disociación que señala Deleuze en el fragmento citado más arriba entre las «sensaciones visuales y sonoras (o incluso táctiles, cutáneas, cinestésicas)» que estimulan al espectador de cine, y la pérdida de «su prolongamiento motor» como imagen física y objetiva de su (in)existencia en el espacio exterior. El espectador viaja, siente, ve, observa, percibe, vive la fantasmagoría cinematográfica como si fuera protagonista real de estos ensueños en el mundo exterior; y, sin embargo, toda esta experiencia tiene lugar en el interior de su conciencia y de sus sentidos, en un estado de absoluta inmovilidad corporal, exactamente igual que si se tratara de un sueño.[3]

Este sugestivo contraste entre la experiencia imaginativa de la conciencia y la existencia física en el espacio exterior es precisamente el motivo sobre el que reflexiona el mexicano Jaime Torres Bodet en su relato «Parálisis», aparecido en la *Revista de Occidente* en 1928. El protagonista de esta historia es un hombre paralítico, como el título sugiere, que pese a su situación de postración e inmovilidad describe la intensidad de sus percepciones y el ejercicio imaginativo de su subjetividad interior a partir de los estímulos que recibe por medio de sus sentidos.[4] El carácter metaliterario de la reflexión que propone el texto se hace patente desde sus líneas iniciales:

---

[3] Esta reflexión sobre el contraste entre la quietud o parálisis física del sujeto y su vida imaginativa está directamente relacionada con la idea del «viaje inmóvil» desarrollada por el crítico Patrick Duffey a propósito de la influencia del cine en la narrativa de Gilberto Owen.

[4] Una situación semejante de contraste entre el movimiento de las percepciones, el sueño y la imaginación y la inmovilidad física del sujeto se encuentra en relatos como «Peregrino sentado» de Juan Chabás, sobre la experiencia del viaje y la aventura que realiza mental u oníricamente un hombre inactivo y abúlico, y «Desde el hombro de San Cristóbal» de Antonio Marichalar, en el que esta reflexión aparece inscrita en la experiencia del viaje en automóvil, donde el viajero no desarrolla ninguna actividad física, pero se desplaza igualmente. Con todo, esta experiencia del «viaje inmóvil» aparece desde el comienzo del relato

¡Con qué escrupuloso cuidado cierra Luisa las puertas esta noche! La oigo aproximarse a la alcoba lentamente, con pausas. Como el renglón en blanco que concluye una estrofa, que la aísla dentro del compacto golfo de la página impresa, cada pausa en su andar aleja un peligro, termina una labor, colma un poco más el silencio («Parálisis» 145).

El relato se presenta como una reflexión sobre la naturaleza de la experiencia humana y su relación con la obra artística. La identificación del sonido y el silencio con la escritura y los renglones en blanco de la página impresa vienen a enmarcar la reflexión en el ámbito de las relaciones entre la vida y el arte, la experiencia exterior y el procesamiento interior de esa experiencia. La imagen del personaje-autor condenado a la parálisis en una silla de ruedas reproduce al nivel de la literatura la experiencia del espectador de cine que vive en la inmovilidad de su butaca una serie de escenas y sensaciones con una impronta de realidad fuera del alcance de ninguna otra forma de expresión artística. La reflexión de Torres Bodet profundiza precisamente en las diferentes modalidades de la percepción y la experiencia, así como en las diferentes formas y medios de expresión artística. El narrador protagonista del relato está en todo momento postrado en su silla de ruedas en la alcoba de la planta superior de la casa, donde espera la llegada de Luisa. Desde allí percibirá los perfumes de las flores del jardín, las luces y colores de la estancia, los sonidos —algunos apenas perceptibles, quizás imaginados— que Luisa produce al desplazarse desde la cancela del jardín a la puerta de la alcoba, los recuerdos de momentos anteriores vividos con Luisa... todo ello entremezclado con las sensaciones provocadas por las piezas de Debussy y Chopin interpretadas por la mujer al piano, la reflexión sobre la escritura que hemos mencionado brevemente, o incluso la referencia a escenas contempladas o imaginadas que tienen una fuerte impronta cinematográfica:

Desde la puerta de entrada, apoyado en el muro, la veía tocar. Tras ella, la luz del jardín, sostenida por el esqueleto anguloso de los árboles, desplegaba un biombo de plata. Sobre él, la figura de Luisa se deslizaba sin obstáculos, como proyecta-

---

relacionada con el cine: «El hombre mira siempre metas inaccesibles a su destino, y esa cuartilla blanca de la carretera, en la que toda posibilidad está inédita, viene a ser, extendida ante los ojos, un trozo de pantalla tersa que la velocidad, con su minuciosa falsilla esmerila, y en la cual se está haciendo y deshaciendo toda la inesperada peripecia de la ruta» (355).

da por el reflector de un cinematógrafo invisible, obediente a las leyes de la interpretación. Más que por la armonía de los sonidos, me sentí cautivado, subyugado, por la nobleza del ademán con que, en las teclas, los acariciaba, yéndolos a despertar apenas, temerosa de tener que crearlos, satisfecha sólo —al parecer— con haberlos suavemente presentido. Emanada de esa melodía lineal en que los ojos se recreaban, la música me pareció después más bella, realmente significativa. Imaginé lo que hubiera sentido, al oírla tocar así, alguno que no pudiera verla, sino oírla sólo. Y no, no hubiese sido su emoción comparable a la mía, hecha del goce de dos ritmos conjugados, en que el sonido no era, por fortuna, sino la consecuencia de lo que el admirable movimiento prometía («Parálisis» 148).

El narrador rememora su contemplación de Luisa, que inmediatamente pasa a formar parte de una escena cinematográfica u onírica sobre la pantalla que crea el «biombo de plata» de la luz del jardín, escena que *cautiva* y *subyuga* al espectador. A ella se añade la música que Luisa toca al piano, escindida ésta en dos componentes: lo auditivo —estrictamente musical— y lo visual, la sinfonía del movimiento —por utilizar la expresión de Buñuel— que interpretan los dedos de Luisa sobre las teclas. El relato abunda insistentemente en la hibridación de sensaciones que son constantemente amplificados por la hiperestesia del protagonista. Sin embargo, él mismo nos informa de que su capacidad de sentir es cada vez menor debido a su enfermedad y, de hecho, es la imaginación el único medio capaz de inyectar vida a su existencia inmóvil:

mientras conserve fuerzas para imaginarlos, algo de vida podré inyectar aún a mis sentimientos, y me quedará la pobre dicha de jugar a perpetuarlos, viéndolos adelgazarse uno por uno y hacerse transparentes, hasta obtener, sobre la superficie abstracta de mi memoria, la fluidez —¡ay, pero también la inconsistencia!— con que, en los planos sin profundidad de la pantalla, los personajes de una película se continúan, se persiguen a sí mismos, y desaparecen («Parálisis» 150-151).

Paralizado en su silla de ruedas, la única vida que disfruta el personaje narrador es la que alimentan, por este orden, la imaginación, los sentimientos y la memoria, todos ellos reunidos en «los planos sin profundidad de la pantalla». Como en una película muda, el narrador de vanguardia es un demiurgo que se entretiene en conjugar diferentes espacios narrativos y niveles ficcionales que, en la mayoría de los casos, no guardan entre sí otra relación que la del azar imaginativo del escritor. Estas cadenas de significantes configuran una estructura narrativa de carácter caleidoscópico y directamente vinculada al mundo de los sueños. En este sentido se puede hablar de un rebajamiento, o quizás simplemente transformación, del nivel de realidad y del sentido referencial de la narrativa como discurso representacional de la realidad exterior mediante la hibridación de mundos ficcionales que se opera en el seno de la propia ficción. La fantasía fabuladora y la imaginación visual del autor de vanguardia construyen una estructura compleja de niveles narrativos superpuestos. La peculiaridad de este procedimiento es que, como en el mundo de los sueños, las relaciones que se establecen entre estas narraciones, mundos simbólicos, niveles ficcionales o significantes en general, son siempre de carácter alógico y fortuito, proceso que Gilles Deleuze ha comparado con la estructura narrativa de los sueños y ha definido como «una serie de anamorfosis que trazan un enorme circuito» (1986: 83). Deleuze señala estas cadenas anamórficas de significantes como la característica definitoria de la imagen-sueño:

> El caso del sueño pone de manifiesto dos importantes diferencias. Por una parte, las percepciones del durmiente subsisten, pero en el estado difuso de un polvo de sensaciones actuales, exteriores e interiores, que no son captadas por sí mismas y que escapan a la conciencia. Por la otra, la imagen virtual que se actualiza no lo hace directamente sino que se actualiza en otra imagen, y ésta cumple el papel de imagen virtual actualizándose en una tercera, y así hasta el infinito: el sueño no es una metáfora sino una serie de anamorfosis que trazan un enorme circuito. [...] En *Entreacto* de René Clair, el tutú de la bailarina vista desde abajo «se abre como una flor», y la flor «abre y cierra su corola, estira sus pétalos, alarga sus estambres», para comunicarse a las piernas de bailarina que se separan; las luces de la ciudad pasan a ser un «montón de cigarrillos encendidos» en los cabellos de un hombre que juega al ajedrez, cigarrillos que a su vez pasan a ser «las columnas de un templo griego y después de un silo, mientras el tablero deja transparentar la plaza de la Concordia». En *Un perro andaluz* de Buñuel, la imagen de la nube afilada cortando la luna se actualiza, pero pasando a la de la navaja que corta el ojo y conservando así el papel de imagen virtual con respecto a la siguiente. Un mechón de pelos se vuelve piel de oso, que se transforma en cabellera circular para dar paso a un círculo de mirones (ibid.: 82-83).

Ya a finales de los años veinte había comentado Francisco Ayala esas mismas películas e imágenes encadenadas, en las que encontraba un ejemplo de la especial capacidad del cine para establecer nuevas relaciones y asociaciones semánticas entre realidades y objetos que hasta entonces habían

quedado inexploradas (1929a: 35-36). En términos semióticos, estas asociaciones constituyen un lenguaje nuevo o, al menos, una innovación de
lenguajes preexistentes por la vía de la renovación metafórica, que es en el
fondo una de las posibles aproximaciones al carácter innovador de la vanguardia. Cuando Deleuze afirma que «el sueño no es una metáfora sino una
serie de anamorfosis que trazan un enorme circuito», sus palabras pueden
interpretarse como una referencia a las nuevas cadenas de significantes que
el cine crea por medio del nuevo sistema de articulación sintagmática del
lenguaje visual del cinematógrafo. La incorporación de este lenguaje a la
narrativa es justamente uno de los métodos fundamentales de renovación
del lenguaje novelesco tradicional que desarrollaron los escritores vanguardistas. El lenguaje visual del cine mudo, y especialmente del cine-arte y el
cine de vanguardia, abrió todo un nuevo abanico de incitaciones visuales,
sugestiones, insinuaciones, sensaciones de todo cariz que ampliaban y reno-
vaban el marco de representación e interpretación de la obra de arte. [5] Los
escritores entendieron muy pronto que la impresión estética que recibía el
espectador quedaba así enormemente enriquecida. Por otro lado, muchos
de ellos destacaron el «estado psicológico especial» que la penetración en la
sala oscura y la contemplación de aquellos objetos y cuerpos luminosos en
espacios desconocidos, todos silentes, provocaban en el espectador. Los autores de vanguardia no sólo no fueron ajenos a este deseo de innovación y
«traducción visionaria al mundo exterior de nuestros ensueños y fantasmas», sino que la incorporaron de manera creativa a su obra. Obviamente,
el escritor no podía introducir figuras en movimiento sobre la página en
blanco de la novela, ni aspiraba a que el lector leyera ésta con los ojos cerrados.[6] Sin embargo, sí que se propusieron trasladar a la página un discurso
verbal plagado de referencias visuales de fuerte influjo poético que envol-

[5] José Manuel del Pino ha afirmado a propósito de esta hibridación que «el cine revela-
rá a los narradores una gran variedad de métodos para recrear en la pantalla los procesos
mentales de configuración de imágenes. La ruptura de una ordenación basada en la lógica
racional de causa y efecto facilita, por ejemplo, la representación artística de algo tan difícil
de captar y reproducir como la misteriosa y caprichosa asociación de imágenes que se da durante el sueño» (1995: 80).

[6] Con todo, Pérez Firmat encuentra en esta incorporación de elementos del cine en la
narrativa una de sus características más «escandalosamente transgresivas». Como afirma en
Idle Fictions, la narrativa de vanguardia «blurs distinctions by expropriating material from
other genres; it does not hesitate to foray into the territory of the poem or the essay, or even
of film» (1982: 51).

vieran al lector en un estado de ensoñación psicológica y de fantasmagorías sensoriales semejante al de la sala de cine. De hecho, como vamos a ver, esta incorporación constituye una de las marcas de identidad de la nueva narrativa, y el modo en que se manifiesta de forma más nítida es el rebajamiento o alteración deliberada del nivel de realidad de la novela y de su tradicional función referencial por medio de la fusión del espacio real con el espacio infrarreal —o pararreal— de la ensoñación, la paranoia, la reminiscencia, el discurso onírico, el delirio febril.

No es ninguna novedad afirmar que toda la narrativa de vanguardia está traspasada por una fuerte tendencia, casi estructural, a la recreación de mundos difusos de contornos imprecisos, espacios vaporosos, escenarios plagados de sensaciones vagas y etéreas. Un breve repaso por las principales obras de esta narrativa arroja títulos como *Margarita de niebla*, *Puerto de sombra*, *Sin velas, desvelada*, *El marido, la mujer y la sombra*, *La rueca de aire*, *Naufragio en la sombra* y *Novela como nube*, entre otros, en los que el gusto por los estados vaporosos y los cuerpos gaseosos —vela, aire, sombra, niebla, nube...— constituyen la expresión de un interés genuino por el mundo de los sueños, las representaciones oníricas de la realidad y los estados de sugestión y alteración perceptiva, como el *éxtasis* sensorial propugnado por Eduardo Villaseñor en su novela del mismo título. Otros autores, como Jarnés, se adentran incluso en la exploración de los procesos de aniquilación y desintegración del sujeto —y su capacidad raciocinante y perceptiva— que se propugna en títulos como *Escenas junto a la muerte* y *Locura y muerte de Nadie*, o en el de *Tres mujeres más Equis* de Felipe Ximénez de Sandoval, donde el proceso de alienación, despersonalización y vaciamiento metafórico/metafísico del sujeto ha llegado al extremo de identificar al protagonista con el símbolo de la incógnita por antonomasia: la «x».

La novela no sólo indaga en el sujeto y la naturaleza ontológica de la realidad exterior sobre la que especula el personaje de Equis sino que se propone también reflexionar sobre el problema gnoseológico del acceso del sujeto a la realidad y de la comprensión y representación de aquello que existe fuera de nosotros, algo que puede considerarse un *leitmotiv* de toda la narrativa de vanguardia. El personaje de la novela indaga en el estatuto ontológico de la experiencia onírica y cuestiona nuestra capacidad de acceder a la comprensión de este fenómeno: «¿Cómo reconocer la voz de un sueño ido o de una realidad borrada de sueños? [...] Un sueño es un diamante; si se quiebra, nada puede ensamblarlo nuevamente porque sus propios fragmentos se resisten a ello, se repelen, han adquirido una autonomía de cosas diferentes e inconsustanciales»

(*Tres mujeres* 142-143). La pregunta retórica sobre cómo se puede «reconocer la voz de un sueño o de una realidad borrada de sueños» es en el fondo la afirmación categórica de que para el nuevo sujeto de la narrativa de vanguardia no existe distinción alguna entre los diferentes niveles de la realidad y nuestra percepción de ésta. Así lo afirmaba el propio Ximénez de Sandoval al final de la «Autobiografía» que precedía a su novela:

> Parece que he empezado por la última de mis vidas, por la de los sueños. Quizá sea así, porque yo no he logrado aclarar todavía si la realidad vive de lo imaginado o al revés. Es decir, si la vida es un sueño corregido o el sueño es una vida retocada, y si el dormir es —como dicen— el reposo de la vigilia o la vigilia es el descanso del sueño, ni, por tanto, si el día empieza al levantarse o al acostarse, con el alba o el crepúsculo, con el sol o con la luna (*Tres mujeres* 9).

Esta igualación del alba y el crepúsculo, la vigilia y el sueño, la realidad y la ficción, se hará patente en numerosas ocasiones a todo lo largo de la novela, dentro ya de la ficción de la escritura. El narrador afirma que «como al volver de los sueños queda un puente de estupor que los enlaza con la realidad, y en él toda la realidad es aún material de ensueño, y aquéllos parecen vivir todavía en la sombra de la estancia y en el calor de la almohada, así le quedaba al novelista en los ojos el relumbre del milagro» (60). Más adelante, el narrador ofrecerá todo un resumen de esta fusión y confusión de espacios ficcionales en el que la referencia al cine convierte a éste en el estadio intermedio, eslabón o gozne que articula la mezcla de sueño y realidad que presenta la novela:

> Al otro día, el sueño mentiroso y el sueño de verdad, le serán ya inseparables a Equis, porque habrá pasado de uno a otro por el puente de sombra del pañuelo, goma de los objetos, que los dejó sin relieve, color o perspectiva, disolviéndolos en la espesa ola de tinta negra de la nada que ahogaba las pupilas. [...] le parecerá que aún tiene vendados los ojos; pero no con pañuelo de seda ahora, sino con la venda de los sueños, tan estampada de la imagen perseguida, que por aquéllos la mete una, cien, mil veces, con toda la movilidad de un *film*. El sueño presenta una realidad fantástica e inconsciente, al contrario que la vigilia que trae del fondo de la conciencia, fantasías reales. Soñar despierto es crear —con elementos de realidad y con conciencia de la creación— un poema de vida. [...] Quien sueña despierto puede destruir la realidad y crear conscientemente el artificio, la imagen pura, lo incomprensible para los demás, el absurdo real, que es uno de esos fenómenos de ilusionismo en que el mago quita el escabel al médium y lo deja suspendido en el aire. El escabel era necesario para el experimen-

to, pero también era necesaria su eliminación para la apariencia milagrosa. El arte es ilusionismo que, forzosamente también, para parecer milagroso habrá de eliminar —sin prescindir de él— el apoyo en lo real y necesario (*Tres mujeres* 103-105).

La materia imaginativa de la novela constituye así un espacio intermedio entre la vigilia y el sueño en el que los límites y contornos de la realidad se han difuminado hasta resultar indiscernibles a los ojos del lector-espectador: ni una realidad absoluta ni una fantasía absoluta, sino una mezcla de las dos. Así es el ambiente en el que se desenvuelve el personaje de Equis, que está permanentemente soñando, imaginando, recreando a las tres mujeres con las que se relaciona a lo largo de la novela. Del mismo modo que Equis da vida a sus mujeres en el acto de imaginarlas, también el autor da vida a sus personajes y al mundo ficcional en que se mueven en el acto de imaginarlos, y asimismo en el origen y principio de este sueño creador yace la idea de que también el propio Dios crea el mundo en su sueño, idea que recoge un eco del dios del creacionismo de Huidobro y de las reflexiones de Unamuno sobre la existencia como sueño de Dios: «La creación de la Humanidad es el sueño de Dios. Lo estoy soñando cada día con más fuerza de sueños; pero como he dado una vida real a mi sueño, temo que los ruidos reales me lo quiebren un día» (*Tres mujeres* 143-144).

En una línea semejante, la novela *Éxtasis* del mexicano Eduardo Villaseñor, publicada en Madrid en 1928, ofrece una mezcla de sueños, realidad, embriaguez y ensoñaciones cinematográficas que desempeña un papel fundamental en la configuración de este espacio intermedio entre realidad y ficción en el que no es posible ya distinguir lo uno de lo otro. El narrador cuestiona, como hacía Equis, la diferencia entre la experiencia real, exterior, y la experiencia onírica, interior, derivada de las percepciones y ensoñaciones subjetivas: «Durmiendo. ¿Sabrá a punto fijo lo que es dormir? ¿Quién sabe lo que es dormir? El que está despierto no lo sabe. Tampoco el que está dormido. Acaso la embriaguez sea la linde del sueño; o al revés» (*Éxtasis* 142). A continuación se describe un sueño con numerosas referencias al cine:

Los reflectores lanzan sus rayos hasta el centro de la tierra a través de mis inútiles párpados cerrados. [...] De repente, están dentro de mi cabeza, como enterradas en la suave tierra removida, las garras de una formidable pata de águila, que se hunden dolorosamente. Ahora soy la estepa infinita por donde cabalgan cuatro caballos negros que persiguen a un artista de cine, en cuyo rostro, recién rasurado, se ve un maravilloso hilillo negro que parece sangre. Mi novia, junto a mí, me aprisiona la mano, pensando en los ojos tristes de la pantalla y en los labios voluntariosos. A mí me da un vuelco el corazón sobre el romanticismo que amontono, arrebatado, en un rincón, e inauguro el análisis de mis complejos ocultos. Piernas de la bailarina. Senos zigzagueantes bajo el vestido. Otro vuelco: Quietud. Mañana azul. Paisajes para turistas. Alegría sentimental. Poesía y ganas de correr. Colegiales yanquis. Bosque. Ya sucedió. Otro vuelco: ELLA, Ella, mi romántica figura de amiga, nunca novia; ella, heroína de novela; ella, delgada y ágil como personaje de cine, inconsciente de recóndita y dolorosa tragedia; ella, viajera; ella... [...] al fin, ella nada sabe de estas revoluciones íntimas, que harán estallar un día, en cualquier minuto, esta formidable cabeza de hierro, ya incapaz de tantas vidas metidas en los tupidos colmenares de mi conciencia (*Éxtasis* 143-145).

La referencia inicial a los «inútiles párpados cerrados» expresa sutilmente la fina —*inútil*— línea divisoria entre la realidad percibida con los ojos abiertos y la que se imagina con los ojos cerrados. Los párpados ya no son el muro de contención que separa la materia imaginativa y onírica de la materia de la realidad. Las referencias permanentes al cine, la pantalla, los rayos de luz, son la confirmación de que el cine constituye el espejo que sirve de modelo en esta hibridación de sensaciones y percepciones que se produce en «esta formidable cabeza de hierro» del personaje, en la que se agolpan «tantas vidas metidas en los tupidos colmenares de mi conciencia». La enumeración de escenarios y personajes a primera vista inconexos y las referencias a los planos yuxtapuestos de las piernas de una bailarina, sus senos, una mañana azul, el paisaje para turistas, los colegiales yanquis y el bosque reproducen exactamente las cadenas de imágenes anamórficas que Deleuze comentaba a propósito de *Entreacto* y *Un perro andaluz*, y son un indicio inequívoco de la presencia del cine-arte vanguardista como modelo de composición y vertebración del discurso narrativo.

La presencia del sueño y de la percepción obnubilada de narradores y personajes se puede rastrear en numerosos relatos y novelas de vanguardia. En *Escenas junto a la muerte* (1931) de Benjamín Jarnés encontramos la dubitación del personaje masculino que prepara sus oposiciones y cae en un estado enfermizo que le lleva a la alucinación y la percepción distorsionada de la realidad, que le impide saber si lo que ha vivido es real o resultado de su delirio febril (123-127). En esta misma novela, el tercer capítulo se titula «Elvira de Pastrana. Delirio decimonónico» y el quinto, «Charlot en Zalamea (Film)», en el que el autor traslada al célebre —entonces y ahora— personaje cinemato-gráfico a la Zalamea barroca de Calderón. Otra novela en la que el sueño y la hibridación de mundos ficcionales está muy presente es *Dama de corazones* (1928) del mexicano Xavier Villaurrutia, cuyo comienzo es todo un preámbu-lo de la fusión de percepciones aparentemente reales y sensaciones subjetivas que caracteriza la novela:

> Hace tiempo que estoy despierto. No atrevo ningún movimiento. Temo abrir los ojos a una vida casi olvidada, casi nueva para mí. Tengo abiertos los ojos, pero la obscuridad de la pieza se empeña en demostrarme que ello es com-pletamente inútil; al contrario, cerrándolos, apretándolos, se encienden peque-ñas lámparas vivas, regadas, húmedas, pequeñas estrías coloridas que me revi-ven las luces del puerto lejano, en la noche, a bordo.
> Me cargo en el lecho hundiéndome temeroso y gustoso en los cojines, en las mantas, como deben hacerlo los enterrados vivos a quienes la vida les hace tanto daño que, a pesar de todo, no quieren volver a ella (*Dama* 7).

La referencia a los ojos abiertos y cerrados vuelve a ser aquí metáfora de la combinación de lo real y lo soñado como materia narrativa con la que se moldea la nueva literatura. La vida onírica queda además igualada con la de los «enterrados vivos», expresión que convierte a todos, vivos y muertos, en una especie de *zombies* o difuntos redivivos que habitan en un espacio in-termedio entre lo real y lo irreal, entre la vigilia y el sueño, espacio en el que la percepción se desvirtúa y se transforma. Como se pregunta el personaje de la novela: «¿cuánto tiempo he estado así, indeciso entre la realidad y el sueño?» (*Dama* 26).

Otra novela en la que el sueño y la reminiscencia se convierten en pro-tagonistas de la ficción es *Puerto de sombra* de Juan Chabás, en la que el protagonista evoca toda su vida como en un sueño: «Cerrando los ojos, allí en la sombra del olivo, junto al mar, ahora quieto y brillante de calma y de sol, podía volver a vivir todos aquellos días. [...] Primero su memoria era débil y confusa, como el recuerdo de un sueño que se deshila en la mañana y luego trenza y ovilla sus hebras con la hilambre real de nuestra vida» (*Puerto* 17). Las referencias al estado de ensoñación reminiscente del perso-naje se repiten permanentemente a lo largo del libro. De hecho, la novela se abre y se cierra con una referencia al sueño del protagonista: «Cerró los ojos. Luego, muy despacio, levantó los brazos y acercando las manos al ros-tro, suavemente palpó con los dedos sus párpados caídos» (*Puerto* 11 y

135). Las últimas palabras del narrador confirman la mezcla de realidad y sueño en que ha consistido todo lo relatado y mantienen hasta el final la duda y el misterio de si el personaje ha vivido su peripecia en el mundo exterior de lo real o en el mundo interior de lo soñado.

En *La rueca de aire* (1930) de José Martínez Sotomayor el autor remite ya desde el título de la novela a la idea de un utensilio con el que se va tejiendo un hilo de aire, incorpóreo, que es quizás el hilo de la imaginación, la fantasía, o el hilo del discurso visual de luces y sombras que teje la rueca del cinematógrafo. La novela presenta un ritmo moroso y retardado, un tempo siempre interior que es el de los sueños, visiones, percepciones o tal vez delirios de Anita, la protagonista. La historia está narrada desde una voz omnisciente y extradiegética que asume en numerosos momentos la perspectiva subjetiva de la muchacha en su contemplación del mundo que le rodea. Lo que no llegamos a tener muy claro nunca es si Anita está despierta o soñando, si su percepción de las cosas y la realidad exterior está condicionada por algún tipo de delirio o visión, si lo que contempla existe efectivamente fuera de ella o es únicamente fruto de su imaginación. La ambigüedad se presenta desde las primeras palabras con que empieza la novela, en cuya escena inicial se presenta el desperezo de Anita tras el sueño: «Un grito fino y prolongado. Un grito metálico. La muchacha despierta: fue tan de improviso que se trajo algunas sombras del sueño pegadas a los ojos» (*La rueca de aire* 11). Tres párrafos más tarde el narrador explica con más detalle ese modo de percibir de Anita a medio camino entre la vigilia y el sueño, en el que los sentidos no se proyectan tanto hacia afuera como hacia adentro:

> Todavía arropado el pensamiento de sueño, Anita se ha quedado inmóvil frente a la mañana. Los ojos fijos, ve sin mirar. [...] Taimada regresó por el borroso camino que va al continente sin tiempo y sin gravedad y que hacía poco visitaba. Quizás fue a completar la aventura que truncó el despertar; quizás olvidó algún recuerdo y fue a reconstruirlo. ¡El sonambulismo de los despiertos! En vigilia, a plena luz, súbito se van los sonámbulos a bucear en su vida extraordinaria, dejando —casa vacía— el cuerpo inerte; tan sólo se llevan la mirada de los ojos fijos para mirar entre la penumbra de los sueños: es la palmatoria de los otros sonámbulos, de los que se deslizan del lecho, los párpados cerrados, y recorren como almas en pena las habitaciones dormidas.
>
> Con los ojos ciegos en cauto acecho, Anita recorre la espelunca. Cultiva su pasmo con esmero. Estrambote de bienestar, prórroga al privilegio de sentir con los sentidos metafísicos de la fantasía. El cuerpo inerte (*La rueca de aire* 11-12).

La igualación de los ojos —la vista—, el pensamiento y el sueño que se presenta en el pasaje marca la tónica de toda la novela, en la que los personajes se desplazan como sonámbulos despiertos, en un perfecto oxímoron que se completa con «los ojos ciegos en cauto acecho» y el extraño «privilegio de sentir con los sentidos metafísicos de la fantasía». La referencia final al «cuerpo inerte» de Anita revalida las palabras de Deleuze sobre la desconexión entre las sensaciones visuales y sonoras y la ausencia de su prolongamiento motor en el estado onírico. La mirada de Anita, infundida de la gracia de la recreación y el descubrimiento, irá desvelando el mundo que le rodea con ese sentido metafísico de la fantasía que habita en un lugar intermedio entre el sueño y la vigilia, la realidad y la ficción, espacio impreciso del que la propia Anita es habitante privilegiado, al igual que el resto de personajes de la novela.[7]

La idea de superposición de los planos del sueño y la vigilia que aparecía desde el principio del relato y que se manifiesta en el carácter irreal y fantasmático de los personajes, se convierte en el motivo central con que termina la novela, que se cierra sobre su propio comienzo en una estructura circular que no viene sino a confirmar el juego de fusión y con-fusión de lo real y lo irreal, lo exterior y lo interior, lo objetivo y lo subjetivo, la realidad y la ficción, el pensamiento y la fantasía. Si al inicio Anita despertaba con los ojos todavía poblados de las sombras del sueño —las visiones-percepciones-reflexiones que aparecen a lo largo de todo el relato—, las palabras finales presentan a Anita enferma en la cama, poseída por una fiebre muy alta y víctima de la calentura y el delirio. ¿Es cierta alguna de las aventuras vividas por Anita? ¿Son reales los personajes? ¿Acaso es todo un sueño? La respuesta se encuentra en los tres párrafos finales:

---

[7] Estéfana, la anciana criada, es descrita como un fantasma, un alma que vaga como un bulto torpe e insensible excitando los objetos que pueblan el paisaje doméstico de la casa: «Estéfana, siguiendo su costumbre, ha derribado una silla. Se excusa: ya casi no ve... Vieja, enjuta y larga, es un manojo de años. [...] Su presencia liberta todos los ruidos guardados en las cosas. Abre una puerta y se escapa el alarido cautivo tanto tiempo en los goznes; si es el cajón del aparador, escandalizan los cubiertos. Atraviesa el corredor y el loro da en chillar; se le escapan los platos de las manos y derriba los percheros» (*La rueca de aire* 12-13). El personaje de Estéfana se presenta como carente de voz, de habla, de voluntad, de sentidos. Es el sonámbulo dormido que habita en otro mundo, en otra realidad, la del sueño y los sentidos metafísicos de la fantasía. Sabemos que existe únicamente porque su presencia se deja sentir en los graznidos del loro, el alarido de los goznes, el derribo de sillas y percheros.

Titubea; no se decide. Al cabo abre los ojos. Sí, su alcoba... La muchacha se resigna a la evidencia de hallarse nuevamente en Villacruz, en su alcoba, en su lecho de enferma. ¡Qué cansancio! Las tinieblas frías cierran la lámpara votiva frente a la imagen. Hace un frío terrible; Anita está helada; rota de cansancio, deshecha: un despojo. Tic, tac, tic, tac: el reloj. Cerca, una acompasada respiración: ¿Estéfana?

Sonríe de su viaje; de su lamentable fracaso. ¡Su voluntad de vivir, juguete de la calentura! ¿No había para su vida otra solución que la del sueño? ¿Única síntesis? ¿Habría de ver siempre la realidad de lo imprevisto con los ojos de la fiebre? Imaginación... fantasmagoría...

Se arrebuja y se queda mirando Anita por la ventana, donde la noche pega su cara morena. Y la noche piadosa la consuela: ¡Dentro del cuadro de la ventana, como desde el cristal de un escaparate, el cielo le muestra, a ella sola, la dislocada constelación que acaba de inventar! (*La rueca de aire* 49).

El final de la novela sugiere que todas las imágenes, vivencias, personajes que pueblan el relato, han existido únicamente en esa dimensión infrarreal del sueño y la fantasía, en esa hibridación de mundos que el narrador denomina «única síntesis». La presencia implícita del cine como referente de esa experiencia de la visión interior —«imaginación... fantasmagoría...»— se confirma en el último párrafo, cuando aparece Anita de nuevo postrada en la cama, protegida por la oscuridad de una estancia en la que «las tinieblas frías cierran la lámpara votiva frente a la imagen» (*La rueca de aire* 49), y contemplando en silencio, sobre el *écran* de la ventana, el espectáculo cinematográfico de las estrellas.

La hibridación de espacios ficcionales que presenta *La rueca de aire* supone un cambio claro con respecto al paradigma realista de la narrativa decimonónica y plantea una transformación interesante en el tratamiento del espacio, que se desdobla en el ámbito exterior de lo real y el ámbito interior de lo imaginario-onírico. En ocasiones, sin embargo, la narrativa de vanguardia incorpora directamente la ficción fílmica en la narrativa por medio de la inclusión de la sala de cine como uno más de los escenarios y paisajes en los que se desenvuelve la ficción, con su consiguiente ficción fílmica dentro de la ficción novelesca, algo que varios críticos han señalado ya.[8] Este recurso implica de hecho una *mise en abîme* del acto de narrar

---

[8] Entre quienes han estudiado este fenómeno de la incorporación de la proyección fílmica y la sala de cine en la narración se encuentran Cyril Morris, Víctor Fuentes, Carmen Peña, Aurelio de los Reyes, Brigitte Magnien y José Manuel del Pino.

por medio del artefacto ficcional de la pantalla cinematográfica, y esto a su vez implica una reflexión metaficcional sobre el acto de la creación narrativa. La presencia de la sala de cine en la novela funciona en muchos casos como un procedimiento de desviación de la narración hacia el espacio de la infrarrealidad y el ensueño, y en otros como una imagen o reflejo de la historia principal que a su vez la comenta, la complementa o le sirve de contrapunto. En definitiva, se trata de un desdoblamiento de la narración principal en otra narración secundaria de carácter eminentemente visual, y del espacio principal de lo real en otro espacio generalmente infrarreal, el de la imagen-sueño.

Una variante de esta incorporación de la ficción cinematográfica en la narrativa es el del desdoblamiento del espacio ficcional no por medio de la incorporación directa de la pantalla, sino a través de un artefacto supletorio, generalmente provisto de alguna capacidad reflectante: espejos, ventanas, agua, superficies pulidas... Un ejemplo muy ilustrativo de este desdoblamiento del espacio se encuentra en *Señorita 0-3* (1932) de Juan Antonio Cabezas, novela de procedimiento vanguardista y fondo social que continúa la estela del nuevo romanticismo emprendida por José Díaz Fernández en *La Venus mecánica* (1928). *Señorita 0-3* narra la peripecia de Pedro, un joven de provincias que se traslada a Madrid para cumplir allí su servicio militar. Una de las tramas fundamentales de la novela es la aventura amorosa entre Pedro y Eléctrica, una joven telefonista, «la señorita 0-3», que el muchacho conoce en el autobús que le lleva a la ciudad. El autobús es el espacio predilecto del desdoblamiento espacial al que vengo refiriéndome: por una parte tenemos el espacio físico del autobús, donde viven y actúan los personajes de la novela, Pedro y Eléctrica; y, por otra, el parabrisas del autobús como espacio metafórico sobre el que se proyectan las imágenes de Pedro y Eléctrica, pero ya con un matiz simbólico, como una especie de representación-proyección cinematográfica paralela a la realidad que viven los personajes dentro del vehículo.

El primer encuentro entre Pedro y Eléctrica se produce, de hecho, sobre el cristal del autobús y no en la realidad. Los dos personajes viajan en el mismo vehículo, ella en el asiento de detrás de Pedro, pero la falta de profundidad de la imagen de ambos que se refleja sobre el parabrisas-pantalla hace que éstos aparezcan sobre el mismo plano, uno al lado del otro, y lleguen incluso a casi juntar sus labios en una imagen que el narrador compara, como no podía ser menos, con una escena de melodrama:

Pedro tuvo una sorpresa. Una mujer se proyectó en el cristal de enfrente. Iba a su espalda en la berlina y se le puso delante. El cristal cumplía su función de intermediario entre la realidad y la imagen. A los cinco minutos empezaba en la imaginación de Pedro una novela de amor. [...] Una mujer rubia se le metía en el alma por un cristal. Lo primero, examinó el muestrario de sus gracias. Un trozo de mano que apoyaba elegantemente en su maletín; un rizo que se salía del sombrero y enroscaba su cola de viborilla en el pabellón de la oreja; dos uñas tan repulidas y perfectas como suelen tenerlas las artistas de cine. ¿Una chica «Paramount», que volvía de Joinville con una patente de ingenua o de «mujer fatal»? La imaginación de Pedro se hizo audaz ante la posibilidad de descubrir una «estrella». La desnudó para probarle gestos y siluetas de otras mujeres. [...]

Una segunda sorpresa. En el mismo cristal está ahora la imagen de Pedro. Pequeña pantalla con dos protagonistas en primer plano. ¿Estaría iniciándose uno de esos *films* que nos parecen tan cursis en la pantalla y desearíamos hacer en la realidad? El automóvil corre a la vera de un río. En los espejos de remanso se combinan cuadros para «exteriores». Trozos de bosque, de prado y de montaña cortados y echados al río para verlos mejor sobre un fondo de cielo. La ilusión óptica va adquiriendo realidad. ¿Acaso no hay en todo amor una gran parte de ilusión óptica? La rubia acentúa su complicidad con una sonrisa. Se «entrega» al papel de protagonista. Cada movimiento del auto acerca más las imágenes. Deliciosa incorporeidad. Un bosque de pinos hace ahora el fondo de la escena. Los labios de los protagonistas están ya cargados de tentación. Se presienten besos «Greta» de largo metraje pasional. Pero un frenazo en seco hizo variar la ilusión. El señor que dormía absorbió de un trago todo el aire que había dentro del coche y se despertó. Un obstáculo en la carretera puede evitar una escena cursi (*Señorita 0-3* 29-31).

La clave de la superposición o desdoblamiento de los espacios en el pasaje la ofrece la referencia al cristal como «intermediario entre la realidad y la imagen». En el fragmento aparecen dos espacios diferenciados (o incluso tres, si incluimos los paisajes que están detrás del parabrisas y que sirven de «exteriores» o «fondo» de la escena reflejada en el cristal), a saber, la monotonía del viaje en autobús en el que Pedro y la joven rubia no intercambian siquiera un saludo, y el espacio imaginario del cristal en el que se produce la escena sentimental entre ambos (o entre los reflejos de ambos). Por otro lado, parece innegable la presencia del cine como espejo metafictivo de toda la escena. La descripción de las diferentes imágenes de Eléctrica que se proyectan en la pantalla al modo cinematográfico, grandes planos incluidos, la referencia a las «mujeres fatales», a las uñas de las «artistas de cine»,

la mención de la «Paramount» y de los estudios de rodaje que por esta época se construyeron en Joinville, en el sur de Francia, la mención de «Greta»,
el «largo metraje», la «escena cursi», etc., son todos ellos indicios muy claros
del nivel de penetración de la estética y el imaginario cinematográfico en la
narrativa. La escena que se proyecta sobre el parabrisas y que Pedro enri-
quece imaginativamente no es un simple decurso de la trama que empieza
y termina en la ensoñación del personaje, sino también un desdoblamiento
de la trama principal con consecuencias fundamentales sobre ésta. La experiencia ficcional del reflejo en el cristal será de hecho decisiva en la unión
real y efectiva de Pedro y Eléctrica. Aunque la culminación de la escena
amorosa del parabrisas-pantalla se había visto interrumpida abruptamente
por un bache de la carretera y el señor gordo que detiene sus ronquidos,
esta secuencia imaginaria servirá a Pedro como excusa para presentarse a
Eléctrica en el espacio *real* de la novela, fuera ya del autobús:

> Ya entre el bullicio de la estación, Pedro se atrevió a dirigirle algunas pala-
> bras. ¿Continuaría «rodándose» en la ciudad aquella ilusión cinematográfica?
> [...]
> —Claro, señorita. ¿No recuerda usted? Nuestras imágenes juntas en aquel
> cristal; en primer plano. Magníficos «exteriores». Vegas, montañas, bosques,
> una puesta de sol. ¿No recuerda? [...] Nuestra cinta tuvo un prólogo magnífico.
> En la primera vega me dio usted sus manos. ¡Qué gesto tan exquisito! En el
> bosque de pinos acaricié sus hombros. Cuando pasábamos bajo la falda de una
> montaña la besé en los ojos. Y al pasar el puente se quitó usted el sombrero.
> —Me oprimía las sienes. Sentía calor.
> —A mí me parecía muy bien. Estaba usted encantadora, señorita.
> Encantadora para las escenas culminantes. Los cabellos libres de la domestici-
> dad del fieltro. Los ojos, brillantes. Anhelantes los labios. El crepúsculo daba a
> su piel la última mano de esa crema especialmente fotogénica. ¡Maravilloso, se-
> ñorita! Tuve pena de Greta Garbo, de la Macdonald, de todos los astros y aste-
> roides de la pantalla. Yo la besé a usted diez metros en la frente, veinte metros
> en cada ojo, cincuenta metros en la mano, desde las últimas falanges hasta el
> codo. Ya no faltaba más que el beso en la boca. Ese que esperan con ansiedad
> las espectadoras del patio de butacas, porque suelen presenciarlo con un suspi-
> ro. En aquel momento fue el frenazo (*Señorita 0-3* 32-34).

Es precisamente a partir de esta primera conversación que surge del *film*
del parabrisas cuando Eléctrica y Pedro inician su relación, y a aquel momento iniciático habrán de volver, especialmente Pedro, en varias ocasiones

a lo largo de la novela. Sin embargo, la importancia de este recurso no se limita al comienzo de la relación entre ambos personajes, sino que será también el que marque el abrupto final de la relación —y de la novela misma— a raíz de la muerte de Pedro. Al final de la novela el personaje de Pedro vuelve al mismo asiento del autobús en el que conoció a Eléctrica, aunque esta vez no en dirección a la capital sino de vuelta a la provincia, y allí rememora el primer encuentro con su amada sobre la superficie ficcional del parabrisas:

> El autobús número 10 ronca y trepida. En marcha hacia el interior de la provincia. Pedro ocupa el mismo asiento. Todo el tiempo desde aquella tarde lo encuentra vivo en su memoria. Un pino, una montaña, un puente, al enfocarlos ahora desde otro punto de vista, le revelan su negativo de recuerdos. Es un niño que encuentra un recorte de película y lo desenrolla ante una lámpara. La luz saca las figuras de la sombra. Los recuerdos de Pedro se aclaran sobre el crepúsculo (*Señorita 0-3* 151-152).

Si bien en este momento de la reminiscencia la cinta del *film* que Pedro vivió en su ida a la capital se hace una con la cinta del recuerdo, a continuación, el plano del reflejo sobre el cristal y el plano de la realidad en el interior del autobús se funden de modo definitivo y final. Pedro y los demás pasajeros, conductor incluido, se convierten en protagonistas de la misma experiencia en el interior del vehículo y sobre el parabrisas. El autobús corre desbocado cuesta abajo sin que el conductor pueda controlarlo. Las imágenes que se proyectan en cada ventana del vehículo recuerdan las imágenes del movimiento acelerado en el cine, y la escena culmina irremediablemente en el fundido en negro de la muerte:

> Toda la luz de la tarde está ahora en el cristal que fue pantalla de sus sueños. El autobús ronca más. Corre más. Pedro mira al chofer, que tiene gesto de no poderlo contener. Se ha comido los frenos y devora los kilómetros en una avidez suicida. El paisaje ya no tiene contornos. Todo pasa en visión alucinada. Los montes dan vueltas de campana y los árboles arañan el cielo para no sentirse vencidos por el vértigo. Pedro recuerda la despedida telefónica. «Tengo mi pecho sobre el micrófono. ¿No oyes mi corazón? ¡Hay algo que no puede transmitir este hilo!» Así le hablaba ella. Y sentía algo que no eran palabras, sino latidos. El automóvil corre más. Ahora entra en una cuesta peligrosa. Lo mejor es cerrar los ojos (*Señorita 0-3* 152).

Al juego de repeticiones y contraposiciones que encierra este final (la vuelta al autobús, aunque esta vez en la dirección opuesta, el recuerdo del film sobre el cristal, la fusión de los planos del parabrisas y el interior del vehículo, la tensión entre el amor y la muerte), hay que añadir la referencia a la última conversación telefónica entre Eléctrica y Pedro que éste trae a su memoria mientras su final se aproxima inexorablemente. La afirmación de que «hay algo que no puede transmitir este hilo», referida a la incapacidad del teléfono de transmitir los latidos del corazón de ambos enamorados, conlleva una crítica a la tecnificación del trabajo (que en el caso de Eléctrica la llevará a una enfermedad nerviosa debida al estrés y a la sobrecarga de responsabilidades) y una defensa del arte, ya sea la novela o el tecnificado cinema con sus efectos visuales, que sí hacen posible la transmisión del amor y la belleza, tanto dentro como fuera de la novela.

Un último ejemplo de este procedimiento en la narrativa de vanguardia es el sueño-visión de Equis la noche que pasa encerrado en el calabozo en *Tres mujeres más Equis*.[9] Allí en la celda hay un pequeño ventanuco por el que se cuela la luz y que a ojos de Equis acaba convirtiéndose en la pantalla sobre la que se proyecta su sueño alucinado: «El ventanuco, un puente para trajín de sueños y de luces. Bastidor de bordados sin agujas. Ni pagodas, ni cigüeñas, ni crisantemos. Sólo bastidor. ¿Más? ¿Menos? Total belleza desnuda de *écran* sin imágenes aún» (*Tres mujeres* 132-133). Si en la novela anterior el parabrisas del autobús era «intermediario entre la realidad y la imagen», ahora el ventanuco es el «puente para trajín de sueños y luces» que une lo real con lo imaginado. El sueño que sigue, de una extensión de seis páginas, hace penetrar una mariposa por el ventanuco que acaba transformándose en una avioneta en la que viaja *ella*. La mujer invita a Equis a dar un paseo en avioneta y ambos recorren el mundo sublunar en una escena de indudable influencia cinematográfica en la que la cámara-ojo se recrea en la descripción de la tierra a vista de pájaro. Finalmente, la avioneta aluniza en un descenso forzoso —«brusco, violento, en espiral, en barrena»— en los campos lunares, y toda la película-sueño termina con el abrazo final de los amantes: «de entre los restos informes, los cuerpos de ella y Equis salen de un abrazo de amantes de leyenda» (*Tres mujeres* 137-138). De leyen-

---

[9] José Manuel del Pino ha comentado este pasaje de *Tres mujeres más Equis* como ejemplo de la penetración del imaginario y la forma cinematográfica en la narrativa de vanguardia bajo la especie del sueño (1995: 81).

da o de *film*, la aventura proyectada sobre el lienzo del ventanuco termina al desperezarse Equis «con susto en el camastro de su celda» (138).

Los narradores de vanguardia incorporaron a sus ficciones la fascinación por la pantalla de sueños en que consistió para ellos la experiencia cinematográfica. Como hemos tenido ocasión de ver, esta incorporación se manifiesta en diferentes niveles. En ocasiones, como en las novelas *Éxtasis*, *Dama de corazones*, *La rueca de aire* y *Puerto de sombra*, la narración se nos presenta desde la percepción distorsionada de unos personajes cuyas experiencias no sabemos si son realmente vividas o soñadas. En otras, las novelas se ven enriquecidas con subrelatos onírico-cinematográficos que contribuyen a debilitar el sentido de realidad de la narración, como en *Tres mujeres más Equis* o *Escenas junto a la muerte*. A éstas se pueden añadir las numerosas obras en las que los narradores incorporan el espacio real del cinematógrafo, la sala de cine, a la que los personajes acuden a contemplar películas que habitualmente guardan relación con el desenvolvimiento general de la trama de la novela, como es el caso de *Paula y Paulita*, *Locura y muerte de Nadie*, *Novela como nube* y tantas otras. Finalmente, como hemos visto a propósito de *Señorita 0-3*, los narradores recurren también a un mecanismo interpuesto, como el del parabrisas del autobús, con el fin de encubrir este recurso en una forma más elaborada cuyo reflejo y referencia, en todo caso, sigue siendo el de la ficción cinematográfica.

En todos los ejemplos mencionados el resultado es la fusión y confusión de diferentes niveles ficcionales en una narración híbrida que busca reproducir la fuerza de sugestión de la imagen onírica —o imagen-sueño, por usar el término de Deleuze— descubierta en el cine. En «Indagación del cinema» Francisco Ayala reflexionaba precisamente sobre esta especial capacidad de la pantalla para poetizar la realidad y transformarla estéticamente sin necesidad de romper el principio mimético, como habían hecho el resto de las artes del periodo. Con el advenimiento de la vanguardia, según Ayala, el arte «pulverizó la realidad, revolvió sus piezas como fichas de dominó y alumbró obras indecisas, alusivas y nada representativas» (1929b: 34); el cinema «ha realizado la hazaña que sólo un arte nuevo de raíz hubiera podido realizar»: la de «desprender de la naturaleza bloques íntegros dotados de calidad estética, sin apenas consentir en ellos inmixtión de elementos ajenos a tal calidad» (ibid.: 34). Lo que Ayala planteaba era la capacidad increíble que tuvo el cine para fascinar, hipnotizar, violar psíquicamente, absorber y envolver irremediablemente en su ficción al espectador, que sin embargo era plenamente consciente del valor estético añadido del producto artístico que contemplaba. Precisamente por ello, y aunque resulta profundamente incongruente, Ayala rechazaba de plano la obra de los que hacían con el cine lo que él mismo y sus compañeros de generación hacían con la narrativa: «Los ensayos de cine para minorías dan la impresión de cosa superflua, falsa, pedantesca. No llegan a satisfacer. Hacen preferible el cine de producción industrial» (ibid.: 36). Al margen de que su juicio sobre el cine «para minorías» resultara a la postre un presagio certero de lo que habría de ocurrir a la minoritaria novela de vanguardia que él mismo escribía, resulta llamativo el enorme contraste entre lo que el autor valoraba y rechazaba de la estética cinematográfica, modelo y referente de su escritura, y las características de su propia escritura (tan lejana, en este sentido, de su modelo).

La identificación que establecieron los narradores de vanguardia entre el cine y el mundo de los sueños se fundaba en la fuerza de absorción y sugestión psíquica que compartían ambas ficciones. El cine, para los vanguardistas, desarmaba la capacidad analítica del espectador y lo sumía irremediablemente en su envolvente ficción de luces y sombras, como el soñador en el sueño. Paradójicamente la incorporación de los mundos difusos y neblinosos, oníricos, del cine a la ficción novelesca provocó exactamente el efecto contrario: una duda e interrogación constantes del lector con respecto a la validez de los mundos ficcionales del texto, convertida en un discurso eminentemente metanarrativo por la permanente transgresión del principio de verosimilitud y la ruptura de los niveles ontológicos de la narración. El lector de novelas de vanguardia era constantemente expulsado de la ficción por el efecto de *extrañamiento* que le provocaba la propia ficción, de modo que su aproximación al texto se hacía en un constante movimiento de dentro hacia afuera y de fuera hacia adentro. Por usar un símil de carácter onírico, era un soñador condenado a desplazarse constantemente entre el sueño y la realidad, obligado a vivir al mismo tiempo en la envolvente calidez de la ficción y en la inhóspita sedición de la vigilia.

APARIENCIAS FANTASMÁTICAS
Y SEXUALIZACIÓN DE LA MIRADA

> La siento construida del perfume que aspiro, de la música que escucho como si, en vez de ser la muchacha que invité esta tarde al cinematógrafo, fuese ya una de las siluetas que admiró en la pantalla y que están hechas, para nuestra imaginación, de los colores del tiempo en que las contemplamos. Comprendo a qué peligros la expone esta facilidad de adquirir la consistencia de los demás, aun la fluida ingravidez de un personaje de cinematógrafo.
>
> Jaime Torres Bodet, *Margarita de niebla*

> La chica ve en evidencia su virginidad. Aquellas ropas están hechas a su medida. Perfilan curvas y escorzos de su cuerpo. Ella es quien se está quedando desnuda ante el hombre de mostachos. Ante el presunto marido que saborea ya la primera posesión de su carne intacta. La modista sigue implacable. ¿Una forma nueva de sadismo? La sala hierve de erotismo [...]. Ya no es sólo la protagonista. Cada espectadora le parece que se va a hacer festín de su desnudez.
>
> Juan Antonio Cabezas, *Señorita 0-3*

Uno de los aspectos que caracterizan y singularizan a la narrativa de vanguardia se encuentra sin duda en el peculiar tratamiento de los personajes, tanto en el modo en que son presentados al lector —en su vertiente objetiva, como objetos representados—, como en el modo en que ellos mismos observan y reflexionan sobre el mundo que les rodea —en su vertiente subjetiva, como sujetos sensibles y reflexivos—. En el capítulo anterior hemos analizado el cambio que se opera en la configuración tempo-espacial de la narrativa de vanguardia con el fin de sustituir las coordenadas objetivo-realistas anteriores por un espacio y un tiempo modificados, alterados, que son el tiempo y el espacio interiores y subjetivos de los sueños, a su vez fuertemente mediados y condicionados por la nueva estética del cinematógrafo. De manera análoga al tratamiento del tiempo y el espacio, los personajes que habitan en esa nueva realidad de contornos vaporosos e imprecisos participan también de este rebajamiento ontológico. Frente a la solidez y profundidad de los figurones típicos de la novela decimonónica, la nueva narrativa presenta a unos entes descompuestos, incorpóreos, apenas presentados por el lector, a modo de seres fantasmáticos que pueblan un espacio narrativo que se caracteriza por la reducción del sentido de realidad y la ambigüedad e hibridación de los mundos ficcionales.[1] El enorme poder de sugestión del lenguaje visual del cine acelera el proceso de cambio en la configuración del personaje de vanguardia. Al escritor no le interesa ya tanto la realidad que le rodea, el mundo exterior, y en su lugar indaga y contempla el lenguaje subjetivo de imágenes interiores en que se traducen sus percepciones sensoriales. La sugestión y fuerza de la imagen y su concatenación en una nueva sintaxis son valores al alza.[2] En el tercer capítulo de este libro hemos analizado la influencia del procedimiento fisiognómico del cine como nuevo modelo de caracterización en la narrativa de vanguardia, técnica que sin duda contribuye a la indeterminación del nuevo personaje vanguardista. Lo que me interesa destacar ahora no es su apariencia física, sus rasgos faciales o corporales,

---

[1] Gustavo Pérez Firmat detectó ya este fenómeno en *Iddle Fictions*, donde dedicaba un capítulo al proceso de *decaracterización* de los personajes de la narrativa de vanguardia, especialmente en la obra de Jaime Torres Bodet. Por su parte Domingo Ródenas de Moya, pese a rebatir la idea de la decaracterización de Firmat, definía al nuevo personaje vanguardista como un «constructo imaginario con encarnadura literaria» y reconocía «la impresión de desdibujamiento que tiene el lector, el antojo de estar ante un cúmulo o grupo de cualidades sin contornos precisos, sin un cuerpo opaco y duro» (1997: 50-51).

[2] Como señaló José Manuel del Pino a propósito de *Pájaro pinto*, «el personaje de la novela tradicional era mostrado al lector primariamente mediante rasgos fisonómicos y de comportamiento; pero era, sobre todo, su "voz" el elemento que con más fidelidad lo determinaba. Por el contrario, el predominio de lo visual sobre lo 'auditivo' va a ser fundamental en el proceso de caracterización/descaracterización de los personajes de *Pájaro Pinto*» (1995: 133). Pérez Firmat también recalcó la primacía de lo visual en el modelo de caracterización de la vanguardia, concretamente a propósito de *Margarita de niebla* (1982: 89-90).

sino el proceso de disolución y reducción ontológica del personaje y su conversión en un ente umbroso que a duras penas mantiene ya nexo de continuidad con la sustancia humana a cuya imagen había sido modelado.

En el último capítulo de *Los terribles amores de Agliberto y Celedonia* de Mauricio Bacarisse, el protagonista reivindica ante el escritor su naturaleza real, ante lo que el novelista sólo puede reconocer que «en efecto, aun viéndole tan material y tangible le había tratado como a un fantasma» (339). El personaje de la narrativa de vanguardia es, en efecto, un ser de naturaleza eminentemente fantasmática. Su referente y modelo de representación es el de los personajes y héroes que el novelista contempla en la pantalla. El escritor rechaza los caracteres y psicologías sólidos y completos, y en su lugar propone unos nuevos figurantes cuya característica más destacada es precisamente la indefinición ontológica, la vacilación, la carencia, la ausencia de rasgos descriptivos firmes. La profundidad psicológica de los personajes es sustituida por la apariencia de los gestos, los estados transitorios, la actitud. El narrador dibuja a trazos rápidos un personaje ambiguo, incoherente y contradictorio. La personalidad e incluso la corporeidad del personaje se hurtan a los ojos del lector. Su descripción es ofrecida de forma velada y fragmentaria, como una figura de sombra en la pantalla. En definitiva, en la nueva narrativa se produce un proceso de fusión o con-fusión de los personajes novelescos tradicionales con los de la ficción cinematográfica, de modo que el referente habitual de la novela, el mundo exterior, queda suplantado por el submundo ficcional del cinematógrafo, con sus personajes silenciosos de luz y sombra, su lenguaje lírico y simbólico y su característico modelo de representación.

Quizás el relato de vanguardia que mejor muestra este proceso de transformación del nuevo personaje vanguardista es «Chinina Migone» de Rosa Chacel, publicado en la *Revista de Occidente* en 1928. En él asistimos al proceso de desintegración de una muchacha, la hija de Chinina y del narrador intradiegético, a través de cuyos ojos y sentidos aparece presentada toda la narración. El relato tiene lugar en un espacio intermedio entre la realidad y la ficción, entre el mundo exterior y el mundo representacional de la música y el cine. La anécdota, aunque sumamente desfigurada, narra la transición entre una estética identificada con el final del siglo XIX, presentada a través de la música que cantaba Chinina, la madre, y la estética de comienzos del siglo XX, plenamente identificada con el cine, que absorbe por entero a la hija de la pareja.

El proceso de desintegración del personaje de la hija se hace patente a todo lo largo del relato. Si la percepción de Chinina por parte del narrador «no era lo que se veía, sino algo difundido allí que se respiraba» (79) y su objetivo de poseerla consistía en «custodiar, inmovilizar su ser ligero, hacerla pender de mí como la casa del cielo, por su humo» (81), la dispersión ontológica del personaje de la hija se produce como consecuencia de una fusión progresiva de su naturaleza humana con la estética cinematográfica que sirve de subtexto y de clave interpretativa a todo el relato. El primer síntoma de la transformación de Chinina es su silencio, su mudez, su renuncia a la comunicación verbal, algo que inicialmente provoca miedo y ansiedad en sus padres:

> los dos temblábamos por nuestra hija, viéndola prescindir de su palabra. Temíamos que se anulase algo en ella, como un miembro que no se usa. La interrogábamos continuamente, para convencernos de que aún sonaba su voz. Y ella nos contestaba asomándose desde su silencio, donde la veíamos discurrir, como un pez en su medio (83).

Más importante que la constatación de este silencio, es el descubrimiento por parte de los padres de que en realidad hay todo un mundo silente, el del cine mudo, en el que habita su hija, cada vez más alejada de ellos y más integrada en esa estética silenciosa de la imagen, el movimiento y la luz. Como afirma el narrador y padre de la niña, «lo que nunca pudimos imaginar es que fuera de ella pudiese haber algo donde encontrase continuado su elemento. [...] cuanto más contacto con las cosas tenía, más denso se hacía su silencio, poblado de algo, sin duda, de lo que ella se alimentaba» (83). Este «algo» que «alimentaba» la transformación de Chinina y su progresivo distanciamiento es el cine, que invade y empapa hasta las capas más profundas de la nueva estética. A su contacto, el alma de la hija «irremediablemente, se iba haciendo sombra, o, más bien, luz dentro de la sombra» (84). La industria cinematográfica crece y van creándose nuevas salas de cine en la ciudad, lugares que el narrador describe como «pálidos acuarios» en los que se desarrolla otra vida distinta, al margen del tiempo, como el sueño, en la que las figuras flotan silenciosamente, «agujeros en la vida [...] al hervidero de las imágenes, de todo lo bullente, de todo lo que en silencio fraguaba su vitalidad, para un día saltar e invadirnos» (84-85).

El siguiente paso en el proceso de pérdida y desintegración de la hija es su transubstanciación definitiva en un personaje cinematográfico:

Cuando, por fin, la vimos aparecer en la pantalla, sentimos que sólo dejando nuestras vidas podríamos seguirla. Y la teníamos entre nosotros, apretábamos sus manos; pero ella las había abandonado, las olvidaba, hasta hacernos pensar que si su calor sería sólo reflejo de las nuestras y habría volado su alma con todo su dinamismo a aquel espectro que se proyectaba por encima de nosotros, lejos, fuera de nuestro tiempo (85-86).

A partir de este momento, el espacio narrativo se divide en dos universos distintos y hasta cierto punto incompatibles: el mundo nuevo del cinematógrafo —el de la hija— y el mundo antiguo de la vieja estética —el de los padres—. Éstos pueden ver a su hija en el mundo nuevo del cine, sobre la pantalla cósmica de la modernidad y el presente, pero no pueden acceder a ella, penetrar en el mecanismo fascinante en el que permanece atrapada: «Inútil intentar entrar por la puerta de donde todo sale. Con terminante crueldad se nos aislaba, se nos incomunicaba» (86). La «puerta de donde todo sale» es el proyector, identificado aquí como el paso impracticable que comunica el mundo de la ficción cinematográfica que habita la hija —o sea, el ámbito de una modernidad y un presente radicalmente transidos y permeados por la nueva estética— y el mundo exterior de los padres —o sea, el del viejo mundo anterior al cinematógrafo.

Las comparaciones con el mecanismo del cine y de la sala oscura se convierten en el relato en el referente forzoso de cualquier explicación sobre el comportamiento y la naturaleza de la hija. Cuando el narrador quiere explicar el mecanismo que mueve el alma de la muchacha, tiene que recurrir al sistema de proyección de las películas: «Su silencio defendía la labor de su alma como la puerta de la cabina aísla al operador. Algo dentro se movía, maniobraba con luz. Un gesto a veces, una actitud de su mano, era una rendija luminosa; pero, para mirar al foco, era preciso volver la espalda a la proyección; así, para verla centrífuga, proyectada siempre lejos de sí misma, era preciso no mirarla» (86). Los padres acuden cada vez más al cinematógrafo y tratan de penetrar en su forma, su lenguaje, su estética, pero sin éxito. La muchacha está cada vez más lejos, más inalcanzable, hasta desaparecer por completo de sus vidas. Finalmente, la tristeza y el dolor por la pérdida de la hija provocan la muerte de su madre, Chinina. El relato, en fin, termina con la búsqueda tan desesperada como inútil de la niña por parte del padre.

«Chinina-Migone» ficcionaliza el hondo proceso de transformación de la narrativa literaria a raíz de la irrupción del cinematógrafo y la fascinación que provoca en la nueva generación de escritores, aquí representados por el personaje de la hija. El proceso de desintegración, dispersión y en último término desaparición de la hija, absorbida y hasta cierto punto vampirizada por la influencia del cinematógrafo (entendida esta influencia en los términos expuestos en el primer capítulo), constituye una reflexión metatextual sobre el cambio de paradigma narrativo del realismo a la vanguardia como consecuencia de la irrupción y desarrollo artístico del cine a lo largo del primer tercio del siglo XX. Con todo, no es menos importante el modelo específico de desintegración que propone el relato, que nos ofrece una idea muy valiosa del concepto que Chacel, integrante del grupo vanguardista, tenía de las características de la nueva narrativa como un rebajamiento y debilitamiento generalizado de los niveles ontológicos de la narración y del sentido de realidad y del universo representado.

Otro ejemplo interesante de disolución ontológica del sujeto vanguardista se puede encontrar en la novela *Margarita de niebla* de Jaime Torres Bodet, publicada en la editorial Cvltvra de México en 1927. La sola referencia al personaje «de niebla» que aparece en el título constituye un indicio claro de su insustancialidad, del carácter borroso de sus límites, de la imprecisión de sus contornos, tanto físicos como psíquicos. Este modelo experimental de personaje tiene un precedente directo en las figuras de luz y sombra que pueblan la pantalla del cinematógrafo: figuras cuya materialidad visual resulta extrañamente sugestiva al espectador, pero cuyo trasfondo psicológico se le presenta confuso y disperso en un lenguaje de gestos, rasgos, miradas, simulacros y poses. Como se ha dicho ya en el capítulo tercero, la ausencia del discurso verbal —ese aire *infantil*, en su sentido etimológico (sin habla, sin voz), que se ha destacado a propósito del cine de los orígenes y en concreto de la comedia muda[3]— delega en el discurso de la imagen, mucho más ambiguo y voluble, la función de transmitir al espec-

---

[3] José Manuel del Pino ha destacado la «infantilización transitoria» en el cine de Charlot que «supone una vuelta a la comicidad esencial y, en última instancia, un ataque de máxima eficacia a la gravedad del arte tradicional» (2004b: 97). Por su parte, Fernando Vela defendía en 1925 la puerilidad del cine al afirmar que «los que han visto la infantilidad del cine han visto bien, aunque no hayan sabido discernir sus causas. Esta infantilidad es la objeción de los hombres superiores —literatos, pintores, estéticos, etc.— contra el cine. ¿Prefieren, entonces, un arte para viejos? Nada deducen de que estos resortes funcionen todavía sin fallar nunca su efecto, que varíen tan poco, que sean tan simples, que, en fin, perdure en el hombre una parte siempre fresca y niña. Tal vez el adorador de la evolución se desconsuele de esta persistencia del niño en el hombre maduro de un siglo que va a la proa de los siglos. Pero más bien es motivo de optimismo que no se haya agotado y desecado la fuente de la puerilidad» (226).

tador la configuración psicológica de los personajes. Si el nuevo lenguaje pierde la concreción, especificidad y univocidad del sentido denotativo de las palabras, especialmente en la narrativa, aporta no obstante todo un nuevo y rico repertorio de símbolos, iconos y representaciones visuales que se prestan muy bien a la digresión lírica, la sugestión sensual, la libre interpretación y concatenación de significantes, o la callada e incrédula admiración ante el espectáculo fascinante que se proyecta en la pantalla. Si la literatura no puede introducir físicamente las imágenes en movimiento del cine en la página en blanco, sí que puede reproducir a su manera las sensaciones, los motivos, las escenas que configuran los personajes cinematográficos en un lenguaje de palabras. O al menos puede intentarlo.

Así ocurre en *Margarita de niebla*, donde encontramos ya desde el segundo párrafo referencias explícitas al cine como trasfondo o subtexto de la novela. Los personajes que aparecen en ella se nos anuncian como «tantos rostros morenos, inexactos, que su blancura y su precisión enfriaron la tarde como la aparición de un paisaje de invierno en el calor artificial de un cinematógrafo» (*Margarita* 7). El nuevo personaje de la vanguardia es una figura que se presenta como una aparición, generalmente en un contexto visualmente sugerente o impactante, carente de solidez y envergadura psicológica, y en una permanente actitud de observador, *voyeur*, o espectador de la realidad que se abre ante sus ojos, como ha señalado Pérez Firmat.[4] *Margarita de niebla* presenta con nitidez este tipo de personaje ingrávido, incorpóreo, insípido e incoloro que cada lector-espectador construye, recrea y visualiza a su gusto. Así ocurre en la descripción que nos ofrece el narrador de la protagonista de la novela:

[4] Gustavo Pérez Firmat ha puesto de manifiesto esta preponderancia de lo visual a propósito de *Margarita de niebla* y particularmente en relación con el modo en que Borja trata de penetrar en el espacio de Margarita, que es fundamentalmente a través de los ojos: «He replaces the sense of touch, which can only function in direct contact with its object, with the sense of sight, which not only woks at a distance but is capable —as here— of penetrating beyond the epidermis. On neither of these two occasions does Borja relay any impressions gathered other than through the sense of sight. He looks; he counts; he makes connections. Tactile appropriation immediately gives way to contemplation, to a studied consideration of her features. What holds his attention is the perfection of the veins, the pattern they weave, the artistic simplicity of her fingers. He behaves like a painter or sculptor inspecting and evaluating a possible subject. They are now outside the classroom but Borja still scans her with an examining eye» (1982: 84); más adelante, subraya «the similarity between Borja's perspective and that of a camera» (ibid.: 90).

Margarita no es ya la estatua de niebla que vi descender hace una hora del tranvía de San Ángel, en el zócalo. El contacto de otras parejas la dibuja dentro de una influencia maligna. La siento construida del perfume que aspiro, de la música que escucho como si, en vez de ser la muchacha que invité esta tarde al cinematógrafo, fuese ya una de las siluetas que admiró en la pantalla y que están hechas, para nuestra imaginación, de los colores del tiempo en que las contemplamos. Comprendo a qué peligros la expone esta facilidad de adquirir la consistencia de los demás, aun la fluida ingravidez de un personaje de cinematógrafo. Y recuerdo el título de un libro de Paul Morand: *Hojas de temperatura*. Porque eso es ella, más que nada: una hoja de temperatura, una hoja en blanco (*Margarita* 40-41).

De este párrafo se desprenden explícitamente algunos de los componentes medulares del personaje de la novela de vanguardia. En primer lugar, la pérdida de corporeidad, tanto física como psicológica, que venimos comentando, y que aquí aparece expresada en la idea de la «estatua de niebla» o de «la fluida ingravidez de un personaje de cinematógrafo». En segundo lugar, algo fundamental y que forma parte de las influencias más netamente cinematográficas en la narrativa: la idea de la personalidad del sujeto como una suerte de «complemento» mudable en función del contexto de la fotografía o imagen completa en que el personaje se inserta. En el lenguaje visual del cinematógrafo, cada elemento que figura en el plano de la pantalla, incluso los objetos fuera de cámara, contribuye al sentido total del plano o de la escena. La angulación, un claroscuro, un objetivo *flou*, el encuadre, una mano que tiembla, un rostro en *close-up*, son todos ellos elementos visuales de los que se sirve el intérprete para dotar de sentido a la imagen que se presenta ante sus ojos. Lo que percibe el espectador del personaje, de su psicología, su interioridad, queda así fuertemente mediado por el contexto visual en que se inserta, sobre todo si tenemos en cuenta que las figuras del cinema no empiezan a hablar hasta 1929. El narrador de vanguardia ha aprendido en el cine este procedimiento de la interpretación de indicios visuales y el enorme poder sugestivo que ejerce sobre la mente del espectador, y lo pone en práctica en su narrativa al interpretar a sus propios personajes de acuerdo con los elementos que los rodean, sus percepciones, su estado emocional o su propia subjetividad.[5] El narrador de *Margarita de*

[5] Como afirmaba Torres Bodet en 1928, «la tercera persona del relato pierde su trascendencia de espectador. Resulta más penetrante delicia la de intervenir en el espectáculo y es por ello por lo que, día a día, son más frecuentes las novelas autobiográficas, aquellas en que

niebla utiliza esta estrategia cuando afirma que a Margarita «el contacto de otras parejas la dibuja dentro de una influencia maligna», o cuando reconoce que el perfume que él aspira o la música que él escucha le hacen percibir una Margarita diferente y cambiante. El escritor no quiere ya figuras fuertes que arroben con sus virtudes o defectos al lector, sino que busca ampliar el horizonte de significación de la narrativa creando un mundo de insinuaciones, de imágenes superpuestas, de personalidades ambiguas, de sugestiones líricas, de indicios hermenéuticos que conducen adonde el lector los quiera llevar.[6] Así ocurre en la autorreflexión del narrador intradiegético al observarse a sí mismo sobre la superficie del espejo. La descripción por parte del personaje de su propio rostro se convierte en un ejercicio de angulación y encuadre sobre la pantalla-página, con unos aderezos de discurso ekfrástico, en cuyo trasfondo vuelve a aparecer la idea de la transformación y mutabilidad del rostro en función del contexto visual en el que se inserte, la idea de la personalidad fluida que escapa a cualquier intento de inmovilización, todo ello enmarcado en un contexto intensamente visual y pictórico:

> Las seis menos cuarto. Un cambio de escuelas en el arte decorativo del espejo. La tela impresionista del amanecer ha ido endureciéndose, enfriándose hasta lograr el esqueleto y la temperatura del cubismo. La niebla que es la carne de los personajes fluidos de María Laurencin, cedió el puesto a un sol oblicuo y psicológico. Como en ciertos cuadros de Picasso, los árboles del fondo resuelven el problema de sus volúmenes con una habilidad geométrica y mi semblante, que parecía hasta hace media hora el retrato de Daudet por Carriére, se ha enrojecido en los pómulos y se ha limitado con un grueso óvalo de sombra hasta adquirir semejanza con *El Americano* de Grigoriew (*Margarita* 68).

---

la memoria derrama su caudal en el vaso de las formas puras y las ilumina por dentro con el color de su realidad asimilada, de esa realidad posterior que ha madurado ya toda en espíritu y que, apenas por momentos, está viciada de existencia tangible» (1987: 19-20).

[6] Pérez Firmat ha resaltado este hecho en *Margarita de niebla* y lo ha puesto en relación con una cita de las memorias del propio Torres Bodet: «the shadowy figures that populate *Margarita de niebla* are not characters in the full sense of the word. Torres Bodet admits as much when he states in his memoirs that his purpose was not to depict psychological states, but to describe landscapes, moods, thoughts: "I was less interested in the personalities I meant to sketch than in the landscape where I was going to put them, the atmosphere of the drawing rooms where they would meet and perhaps live, the car and boat rides, the thoughts that adorned their letters or their conversations"» (1982: 82; cita de Torres Bodet 1985: 232).

Los elementos que componen la imagen, el fondo sobre el que se destaca el rostro, la angulación de los rayos del sol, son elementos decisivos para
la configuración de la imagen del personaje en el espejo, que es metáfora de
su personalidad, de su conciencia, de su sustancia, de su alma. A medida
que cambia la luz y pasa el tiempo, el *close-up* del rostro del personaje se va
transformando: de la imagen de «niebla» al estilo impresionista de Marie
Laurencin se pasa a la geometría de líneas cubistas de Picasso, de ahí a la es-
tilización espiritualista de los retratos de Eugène Carrière, para terminar finalmente con la experimentación vanguardista de Boris Grigoriev. Los
nombres de los pintores pueden decir mucho, poco, o absolutamente nada
al lector, pero eso es lo de menos. Lo importante es la idea del sujeto como
un ente fluido, cuya sustancia no reside en el modelo que sirve de referencia al arte —el hombre como ser, en su sentido ontológico, antropológico—, sino en la manifestación artística precisa y puntual —fenomenológi-
ca— en la que toma momentáneamente forma. El sujeto no *es*, sino que *se
manifiesta*, existe únicamente en la representación, y especialmente en la representación plástica, visual. Si la niebla es, como afirmaba explícitamente
el narrador, «la carne de los personajes fluidos de María Laurencin» —y
esto recuerda a la propuesta de Gilberto Owen sobre el nuevo Ixión y su
Hera nebulosa en *Novela como nube*, de la que me ocupo en el próximo capítulo—, «Margarita de niebla» ha de ser una Margarita fantasmática compuesta de esa materia cambiante y fluida, inapresable, que a cada instante y
en función del ángulo de la luz o de los elementos decorativos que la rodean —como el personaje que se mira en el espejo— ha de tener un rostro
distinto pero igualmente suyo.[7] Y como Margarita, todos los demás personajes de la ficción novelesca. Al inicio del último capítulo de la obra, el mismo narrador que se mostraba tan ducho en el arte prestidigitador de la niebla, reconoce el desliz de haber considerado durante tanto tiempo a los
señores Millers, padres de la mujer que ama, Margarita, como cuerpos firmes, sólidos, tangibles, y a continuación nos ofrece su última lección en
materia de fantasmas: «Sólo ahora entiendo por qué tantos errores de apre-

---

[7] La importancia de la luz y su función como modeladora del carácter y la personalidad
de los personajes aparece también en la reflexión que el protagonista de *La educación sentimental* de Jaime Torres Bodet nos ofrece sobre su propia imagen-personalidad: «Tras de
echar a perder muchas negativas por exceso desconsiderado de sol, el tiempo, como un fotó-
grafo de provincia, ha acabado por concederme, contra la pantalla de la luz envejecida en
que me contemplo, una vibración espiritual, opaca, de resonancias discretas» (1930: 30-31).

ciación me lastimaban en el trato diario con los Millers. Quise juzgarlos con el criterio de un escultor, proyectándolos sobre la solidez de un espacio, y ellos querían ser estimados como entidades musicales, es decir, como un juego de sombras en la pantalla del tiempo» (*Margarita* 99).

Una de las características definitorias del personaje de vanguardia es su ausencia de voz. Los ojos, la mirada, son el medio por el que se abre al mundo. Como afirma Owen en *Novela como nube*, «mi personaje sólo tiene ojos y memoria; aun recordando sólo sabe ver» (64). La fuerza de la imagen suplanta cualquier otro discurso. Cada visión es un mensaje, un símbolo, un indicio; y es precisamente por ello, por el volumen incontrolable de visiones que lo bombardean, por lo que el nuevo sujeto de la modernidad vive preso de una confusión esencial que se manifiesta en toda la narrativa vanguardista. Quizás quien mejor ha descrito este estado de postración de la inteligencia bajo el imperio de los sentidos, y sobre todo de la vista —la mirada, propia y ajena—, ha sido el mexicano Eduardo Villaseñor en su novela *Éxtasis* (1928). Como afirma de sí mismo el protagonista del relato:

> Cuando se rompió el secreto, como un sobre lacrado —pedazos de cristal que perdieron el agua, flor de hielo deshecha entre las manos—, se me acababa el alma en una sola angustia, —¡oh dioses!—, y me faltaban tantas todavía.
>
> Ahora estaba desnudo ante los ojos de todos —como un reo a quien le saben su sentencia, como la fuente ante la luz del sol, todo yo transparente como el aire—, sin vestido, sin cuerpo, sin corazón, sin alma.
>
> ¿Qué me quedaba ya entre las ruinas de mi vida?
>
> Flor de un día, miraje de un instante, postrer rayo de sol, último pañuelo de mi barco, mirada final de agonizante. Fatal adiós de la hoja apenas suspendida de la rama esquelética de invierno.
>
> Aquí voy, como un tren vacío, sin guía, sin rumbo, sin viajeros. Barco perdido al azar de los vientos de la vida, sin puerto de salida ni llegada, sin mar, sin velas, sin tripulación. Sepulcro ignorado, llave olvidada, arcón perdido. Pluma inútil sobre página en blanco. Alambre sin mensaje, aire sin luz (*Éxtasis* 70-71).

En el contexto de la modernidad en que se desarrolla la narrativa de vanguardia, el sujeto es un espacio vacío, una marca carente de contenido y sentido, y la realidad es pura visión, imagen, simulacro, en cualquiera de sus múltiples acepciones y posibilidades: espejismo, ilusión, sueño, pesadilla. En la nueva narrativa se produce una transición de las facultades mentales y racionales a las facultades perceptivas y sensoriales, donde las leyes de configuración del mundo exterior, de raíz empírico-racionalista, ceden paso a la percepción sensorial radicalmente subjetiva del mundo.[8] La referencia de la escritura no es ya tanto la realidad objetiva exterior cuanto la percepción subjetiva de esa realidad en la mente y los sentidos del personaje-autor-espectador. Quizás por ello las dos oraciones finales del pasaje citado cuestionan las posibilidades de representación y comunicación del arte en este nuevo espacio: la pluma infecunda que no escribe nada sobre la página en blanco, la ausencia de mensaje en el alambre del telégrafo o el teléfono, y el «aire sin luz», o sea, la oscuridad, la falta de visión, o acaso el aire estéril que no se deja fecundar por la luz nutricia del cinematógrafo. Podríamos decir que la referencia de la escritura no es ya el objeto real sino la impresión visual de éste en la retina o la forma singularizada que le confiere la imaginación del sujeto, que es ahora fundamentalmente un observador, un mirón, un *voyeur*. Los personajes, igualmente, aparecen configurados, o tal vez *des*figurados, a través de la mirada y, especialmente, de su ambigüedad y versatilidad, como le ocurre al personaje de Luis, amigo de la protagonista, en *La rueca de aire*:

> ¿Tenían un color definido aquellos ojos? Ni siquiera podía señalarlo. ¿Color? ¿Verde? ¿Azul? ¿Negro? No, ningún tono se afirmaba consonando con el gesto de la cara. [...] Es posible que los ojos no tengan color, sino que se entinten con el color de la mirada. Ojos invariables que sigan el color de un solo pensamiento. Ojos cambiantes que persigan un mudable sentir. Sí, Luis cambiaba el color de los ojos; ojos versátiles como su inquietud (34).

La referencia a los ojos como metonimia de la vista, de la mirada y, en definitiva, del ser, tiene aquí una importancia decisiva. La naturaleza y esencia del personaje no se manifiesta en sus actos, su acervo intelectual o sus valores, sino que viene configurada por la facultad creadora y redescubridora de la mirada. Los ojos del personaje no son el utensilio que le permite descubrir los objetos y personas de un mundo dado, exterior a él, completo y acabado. Antes al contrario, su mirada desempeña un papel fundamental en el proceso de *crear* y *recrear* ese mundo, inventarlo, falsearlo, dotarlo de sentido. El modo en que cada sujeto mira, la perspectiva desde la que observa,

---

[8] Umberto Eco ha estudiado este crecimiento de las facultades sensoriales en detrimento de las racionales en el caso del *Ulysses* de Joyce (1966 61). En una línea semejante, el psiquiatra suizo Carl Gustav Jung llegó a comparar la escritura del *Ulysses* con las características del discurso esquizofrénico (1966: 116).

es lo que le confiere su propia esencia (aunque mudable), su naturaleza, su forma específica: «la mirada tiene un timbre idéntico y persistente, que individualiza, que identifica. La mirada es como el hilo que engarza las cuentas policromadas de las pupilas. Es lo que da ser» (*La rueca de aire* 34-35). El ser del personaje viene así conferido por su propia mirada y la de los demás. Anita trata de descubrir —y recrear— al verdadero Luis por medio de la observación del modo en que él la mira, que es como decir el modo en que Luis a su vez la moldea, la define y la recrea. Ella trata de recordar los diferentes colores de los ojos con que Luis la ha mirado en situaciones diversas. Sin embargo, el lenguaje de los ojos no resulta fácil de descifrar y la protagonista no puede llegar hasta el fondo de la personalidad del amigo.

La ambigüedad e indefinición esencial del personaje de vanguardia puede rastrearse en numerosos relatos y novelas. Así sucede con los personajes de *Estación. Ida y vuelta* de Rosa Chacel (1930), novela fundada sobre la contradicción-ambigüedad inicial que se apunta ya desde el par «ida y vuelta» del título. Es cierto que la novela habla de viajes y algunas aventuras interiores, pero sobre todo nos presenta la esencial ambigüedad de unos personajes, y especialmente la de su protagonista masculino, que descubren el sinsentido y la nada tras un viaje iniciático cuyo resultado final es el contrapunto del regreso, el comienzo, el punto de partida. En la novela de Chacel esta idea queda confirmada en ese final-comienzo con que se cierra. Tras el viaje experimental, tras las vivencias sentimentales y el intento de crecimiento interior del protagonista a lo largo de esta novela cercana al *Bildungsroman*, todo lo que queda es la nada, el silencio inicial, el vacío esencial del personaje:

> La existencia de un hombre sin destino debe brotar por generación espontánea, como flora invisiblemente fecunda. Toda mi esperanza aguarda el misterioso germinar del nada, del sustancioso fruto hueco, el cero[9], total de mi balance. Tesoro que no abruma con su peso, sino, al contrario, incita con su prurito ascendente.
>
> Algo ha terminado; ahora puedo decir: ¡principio! (*Estación* 199-200).

[9] La mención al «germinar del nada, del sustancioso fruto hueco, el cero» recoge un eco de las reflexiones que por entonces ponía Antonio Machado en boca de Juan de Mairena al exponer el pensamiento metafísico de Abel Martín en diálogo con la metafísica de Spinoza. Machado publicó *Los complementarios* en 1928, dos años antes de la aparición de la novela de Chacel, y en su libro habla de su visión de Dios como la gran Nada, el gran Cero, la copa de sombra, que no obstante fecunda con su nada al ser y le sirve como condición de posibilidad de su existencia.

El carácter jánico, indeterminado, polimorfo de los rostros y personajes de vanguardia, su pluralidad de personalidades y actitudes, encuentra en el modelo de configuración del personaje cinematográfico un antecedente directo. La idea misma de representación, de actuación, pasa a formar parte del repertorio cotidiano de estrategias psicológicas del sujeto. El espectador de cine aprende a comportarse, a actuar, a posar, a simular, a ser. Las personalidades rígidas fundadas sobre valores fuertes bien asentados se diseminan en infinidad de actitudes, poses, miradas, sonrisas, gestos que se combinan entre sí formando cuadros diversos, como en el juego de un caleidoscopio, cuyo resultado final es la disolución del sentido que se manifiesta en la duda constante de sí mismo a que vive abocado el héroe vanguardista y que en *Estación. Ida y vuelta* halla su expresión más acabada: «Pero yo... Yo, entonces iba fatigosamente detrás de mí mismo; iba queriendo alcanzarme, llamándome, no *tú*, sino *yo*. Yo estaba perdido, y me buscaba, como se buscan para encender en un cuarto oscuro los dos hilos de un cable. Aquella penumbra se aclaraba momentáneamente en la conjunción de mi conciencia vacilante y mi *yo*» (*Estación* 164). El protagonista reflexiona sobre la naturaleza mudable del nuevo sujeto de la modernidad al investir de estas características al protagonista de su propia obra literaria, que tendrá «un temperamento como el mío, poliforme como un vegetal, indefinidamente ramificable» (*Estación* 162). La imposibilidad de acceder a la verdadera naturaleza de los personajes plantea de hecho el problema de si tal autenticidad existe realmente o si, por el contrario, se trata tan sólo de uno más de los espejismos heredados del pasado que la narrativa de vanguardia se propone deconstruir, desfigurar, deformar. Más aún, en la negación constante de las realidades tangibles se puede detectar un rechazo generalizado de una epistemología fundada sobre una metafísica positiva fuerte, y su sustitución por una nueva episteme basada en la imagen, la apariencia y el simulacro. El sujeto no está ya fundado sobre una antropología filosófica firme, sino que es la suma de toda una serie de elementos cambiables de naturaleza más o menos difusa, y en todo caso el acceso a él, el conocimiento de su naturaleza —si es que tal cosa existe—, está vedado. En su lugar, lo que obtenemos son visiones parciales, a modo de destellos momentáneos, la suma de los cuales puede arrojar alguna información, siempre endeble, sobre la naturaleza del sujeto.

Llevado al extremo, este esquema plantea una vez más el problema epistemológico entre lo que existe y lo que no, entre la realidad y la ficción, entre la persona y el fantasma. Un buen ejemplo de esta problemática lo proporciona el relato «Epístola a Rocío» de Rafael Porlán y Merlo, publicado en la *Revista de Occidente* en 1930 y donde una voz masculina dirige una carta a un ente femenino fantasmático, de rasgos imprecisos, como los de una sombra en la pantalla. En rigor, no conocemos demasiado de ninguno de los personajes: del hombre sólo su voz, desde la que está compuesto el relato-epístola, y su mirada, que funciona como una red que envuelve a Rocío, la recoge, la moldea, le otorga una forma, una perspectiva y una luz. Según las palabras del narrador, dirigidas a modo de apóstrofe a Rocío, ésta no pasa de ser un nombre, una sombra, una proyección de luz, una «suma de accidentes» en cuya descripción aparecen siempre de manera implícita referencias al mundo del cinematógrafo: «súbitamente te ilumina no sé qué proyector, y lo que suelo designar con tu nombre se me aparece como una suma de accidentes» (371). El relato ofrece algunos indicios que conducen a pensar que Rocío puede ser una actriz de cine que va dando vida a diversos personajes y heroínas. El narrador habla de «esas criaturas que, no siendo tú, sólo tienen vida porque tú la tienes» y afirma que lo que busca «son esas costumbres, esas aventuras, esas promesas, esos arrepentimientos, esos rasgos que te hacen tu rostro, tus manos, tus andares, pero que ¿de quién son?» (376). En otro lugar, el narrador define a Rocío como «el rastro fugaz y luminoso de un ser» y le apostrofa: «No eres [...] una pluralidad cuya unificación consiste en la semejanza de sus repeticiones, sino una concreción de vida impar, errante, y sólo brevemente luminosa en la oscuridad que te circunda» (377). Las referencias a la luz y la oscuridad, la perspectiva insólita sobre la que el narrador proyecta su imagen de Rocío, la subversión del efecto de realidad en el relato por medio de las dudas e indicios que el propio relato proporciona, son todos ellos elementos que colocan a la narración en un espacio intermedio entre la realidad verosímil y el mundo ficcional del cine.

Esta estrategia de hibridación, inestabilidad y desasosiego ontológico que caracteriza al personaje de Rocío viene corroborada por el modo en que culmina el relato, en el que las percepciones visuales y sobre todo el cuestionamiento de la validez de éstas desempeñan un papel fundamental. El narrador decide ir a encontrarse con Rocío en la casa tras cuyo balcón alguna vez la ha entrevisto. Cuando llega al edificio y pregunta a la portera de la casa, ésta le informa de que no solamente no vive allí ninguna Rocío, sino que además el balcón no existe, es un mero dibujo en la fachada. Así, el conflicto entre realidad y ficción, entre imagen e imaginación, no sólo no encuentra solución en el relato, sino que queda reforzado en las palabras finales del narrador, que son la respuesta del amante a la incómoda objeción de la portera: «Por eso he visto en él tantas veces a Rocío» (382). La insistencia y obstinación del narrador en la visión, la paranoia o el delirio, y sobre todo su desprecio de la realidad objetiva, cuestionan la existencia de Rocío a los ojos del lector, al tiempo que colocan al mismo nivel ontológico los objetos del mundo exterior y las copias o simulacros creados por la imaginación. Un balcón vale tanto como el dibujo de un balcón, y Rocío vale tanto como la proyección fantasmática de un deseo subjetivo llamado Rocío. Al igual que el espectador de cine proyecta su deseo sobre las figuras incorpóreas que observa en la pantalla, el narrador de «Epístola a Rocío» sitúa el objeto de su deseo en una figuración fantasmática de contorno y rasgos imprecisos, cuya característica más definitoria es precisamente su carácter de proyección subjetiva del deseo del observador. La mirada —enfermiza o no— que el narrador arroja en palabras se convierte en el medio de creación y dominación de su fantasma. Desde el punto de vista del lector-espectador, el personaje de Rocío va perdiendo su corporeidad de manera progresiva a lo largo del relato, hasta desaparecer por completo como un espejismo en las palabras finales del narrador.

Otro caso paradigmático de construcción de personajes fantasmáticos en la narrativa de vanguardia es el que propone Felipe Ximénez de Sandoval en *Tres mujeres más Equis*, novela publicada en 1930 en la colección «Valores Actuales» de la editorial Ulises. Tal como el propio título indica, se trata de un ensayo novelístico sobre la naturaleza de tres mujeres distintas y un personaje masculino, que por su propia impersonalidad aparece bajo el signo de la incógnita, la «X». Las tres mujeres del relato responden a tres mujeres-tipo que a su vez se corresponden con tres de los cuatro elementos de la naturaleza: el agua, el fuego y el aire. Es muy significativo que el autor descarte de entrada precisamente el único elemento sólido de los cuatro: la tierra. Las mujeres, parece sugerir la novela, pueden ser fluidas como el agua, ardientes como el fuego e inasibles como el viento, al estilo de la niebla de que estaba compuesta la protagonista de *Margarita de niebla*.

En efecto, los tres tipos de mujer —agua, fuego y viento— comparten la misma característica: todas son inaprensibles, incorpóreas, gaseosas.[10] Así, el narrador habla de la mujer de agua como «huidiza, escurridiza, que-

---

[10] Jarnés, en *Escenas junto a la muerte* (1931), plantea también la disolución de un sujeto cuyo motor es el deseo. Este sujeto de un deseo aquejado también por el virus de la informidad y la disolución, «es un fantasma» que «se sostiene en pie por alguna insuflación desconocida». Y continúa: «Está aquí; puedo tocarlo y lo toco. Podría hincar en él más agu-

bradiza» en numerosos lugares (*Tres mujeres* 124, 125, 126 y 145). La mujer de fuego es evocada por Equis en un monólogo interior que pone de manifiesto su insustancialidad esencial y la función determinante de los sentidos y las percepciones sensoriales como vías de acceso al conocimiento del sujeto: «todas las imágenes de su realidad se desvanecían en la niebla de lo pasado y eran nuevas las sensaciones imprecisas de los sentidos y de las facultades anímicas. Cuando yacía en la voluntad de los ojos, en el entendimiento del oído, en la memoria del tacto o el olfato como la piedra dormida en el fondo del estanque; cuando era ya imagen desfigurada de crepúsculo de infancia o de amor de adolescencia; cuando el desencanto de toda la realidad posterior al sueño pesaba sobre él» (140-141). Por último, al final de la novela aparece la descripción de la mujer de viento, cuya característica más destacada será nuevamente la carencia de características definitorias, su fluidez y ambigüedad, su indefinición e indefinibilidad esencial:

> Cada sombra tiene su cuerpo, cada río su cauce, cada eco su voz. Sólo el viento carece de voz, de cauce, de cuerpo. El enigma del viento es el único que no puede descifrarse. Cada mujer de viento es un libro único de un idioma borrado y sin clave, intraductible. Ríen, sonríen, lloran, están serias. Eléctricas de insensibilidad, sacuden, sin embargo, estremecimientos de origen desconocido. Ella irá sonriendo, gota a gota, todo su ser incógnito. Equis, adorador de sombras disfrazadas de sueños, tendrá cada momento más deseo y más odio, más celo y más celos (*Tres mujeres* 203).

En rigor, el rasgo común y fundamental de las tres mujeres es precisamente la ausencia de características definitorias, su indefinibilidad, su naturaleza fluida y voluble. La imagen de Equis como «adorador de sombras disfrazadas de sueños» al final del pasaje confirma esta idea de que en realidad todas estas mujeres son apariciones o apariencias, fantasmas carentes de sustancia, continentes sin contenido, y en este sentido resultan perfectamente intercambiables entre sí, pues cada una de ellas representa un conjunto vacío de características.[11]

---

das saetas de razón, verle las entrañas, analizar este poco de niebla, aplicar el microscopio a esa médula de viento, verlo desmoronarse entre mis dedos...» (*Escenas* 99).

[11] Siguiendo los planteamientos de Walter Benjamin en «La obra de arte en la época de su reproductibilidad técnica», Gustavo Pérez Firmat interpreta la pérdida de individualidad de Margarita en *Margarita de niebla* como una consecuencia del procedimiento cinematográfico que utiliza Borja al observarla. Al igual que la película por su propia reproductibili-

Todas las mujeres son en la novela una cosa y la misma, a saber, el objeto del deseo de Equis. El deseo del hombre que propugna esta narrativa no tiene una forma específica que busca satisfacerse en una mujer específica. De hecho, el éxito o el fracaso de la empresa amorosa le trae sin cuidado al personaje, pues cada mujer no es sino un reflejo fantasmático más de esa noción a su vez fantasmática y difusa en que consiste la mujer. Como afirma el narrador en cierto momento, «él, fracasado con cada una, siempre tendrá un millar de repuestos en quienes clavar el alfiler de esperanza de reaparición de la mujer fantasma» (*Tres mujeres* 117). Si la mujer es un fantasma, el deseo que la busca es una fuerza fluida y ambigua que construye su objeto, también fluido y ambiguo, bajo el poder creador de la mirada. En el caso de Equis creo que podemos hablar incluso de un proceso patológico en el que el deseo alimenta un fantasma que a su vez alimenta el deseo, en un círculo vicioso que lleva a la ruptura delirante con la realidad: «¿Cómo se puede parecer el agua al fuego y ser iguales unos ojos azules a otros negros? Así será el milagro de la nueva mujer que esperará a Equis. Otra, tan otra, que nada la igualará a la perdida, pero con tanto de ésta como de ella misma. Vino idéntico en diversas ánforas. Voces distintas, pero ritmo exacto» (145). La misma idea aparecerá repetida en un diálogo entre la mujer de fuego y Equis en el que éste último trata de comprender el misterio de la semejanza entre la mujer de agua que había conocido y la mujer de fuego con la que intercambia un breve diálogo:

> —Pero tú no eres ella. Pero ella no eras tú. (Sin sentimiento, sin melancolía.)
> —Yo soy ella. Y soy otra.
> (Y tendrá una magia de bengalas en las pupilas.)
> —¿Hielo, agua, vapor?
> —¡Agua, fuego y viento!
> —Deliras.
> —Vivo.
> —¡Ah!
> —Bésame otra vez.

dad carece del fuerte sentido de unicidad del que disfrutan otras obras artísticas como un cuadro de Velázquez o una escultura de Michel Angelo, el personaje de la obra cinematográfica se despersonaliza al diseminarse en un número potencialmente infinito de copias y proyecciones. Como afirma el crítico, «from the recognition of the lack of individuality of the art work there is but a short step to the recognition of the lack of individuality of the artistic subject» (1982: 89).

Se habrán besado en la estación del «Metro», en la casa de Dios, en el cinema, en el jardín, en el columpio (*Tres mujeres* 147-148).

Si vivir es delirar, como plantea Equis, y delirar es inventar un nuevo mundo bajo los propios ojos, entonces vivir es inventar, recrear el espacio y los objetos y sujetos que lo habitan desde la propia e irreductible subjetividad de la mirada. Sólo en las palabras finales de Equis se deshará parcialmente el embrujo del caos gnoseológico del personaje que desembocará finalmente en el asesinato de *Ella 3* —la mujer de viento— a manos de Equis y en su propio suicidio. Lo que Equis sugiere en sus palabras finales es un conflicto irresoluble entre la percepción subjetiva y la realidad exterior: la irreductibilidad de la conciencia en su función de atrapar, comprender e interpretar el mundo exterior a ella, máxime cuando el objeto que se persigue es aquél sobre el que se proyecta el propio deseo. Como sostiene Equis, «el sueño es una mentira, y es un yo de mentira ese yo que te forjas. No soy yo mismo. Es otro. Otro. Mi rival más odiado, porque usa la artimaña de vestirse de mí, de parodiarme, para engañarme y engañarte» (*Tres mujeres* 205); es decir, que aquello que la mujer ama no es tanto él mismo, cuanto la imagen de él que ella se crea en la mente, en sus pensamientos, en sus sueños. Esa imagen mental de Equis se convierte así en el peor enemigo del Equis real, pues es en el fondo el que de forma más eficiente y decisiva lo suplanta. Así, cuando Equis sufre de amor en la soledad de su estancia, la imagen de él que acompaña a la mujer no puede ser él mismo, sino tan sólo el constructo mental de él —un fantasma, un espectro, una sombra— que se ha forjado la amante:

> El que estará a tu lado será otro distinto. El que tú llevas en el fondo de tus ojos, una sombra pintada con materiales míos. ¿Qué alma mía te puede llevar ese fantasma? Estará alegre de mirarte a la cara, y entre tanto, yo, yo de verdad, este Equis de huesos y de sangre, está triste de ausencia de ti en la ventana. ¿No ves la mentira de cristal ahora? ¿No la comprendes? ¿Cómo llego hasta ti? No llego. Salgo de ti. ¿No es eso? Pues no puedo ser yo, que estoy muy lejos. ¡El rival que más odio es esa imagen mía a quien tú quieres quizá más que a mí y que no puedo ser yo, ni puede ser siquiera un mensajero mío, porque no sé quién es ni cómo es ese sueño de mí que tú tienes! (*Tres mujeres* 206).

La clave del pasaje está encerrada en la constatación de Equis de que él no *llega* a la mujer, sino que *sale* de ella. La imagen fantasmática no responde a la naturaleza real del objeto, sino que es un puro constructo mental del observador, un «discurso interior» —por utilizar el término de Eikhenbaum— que el espectador elabora a partir de las imágenes que capta en la retina. Así, también, la imagen fantasmática que la mujer crea de Equis no tiene tanto que ver con la naturaleza real del personaje —la de «huesos y sangre»— sino con la proyección subjetiva de su deseo sobre él. El poder de sugestión de la imagen, la subjetividad esencial en el proceso de creación del discurso interior del sujeto a partir de las percepciones e imágenes exteriores, desembocan en la novela en un abismo de incomunicación que en último término desencadena un proceso patológico, la locura, que culmina en el asesinato y el suicidio como fin definitivo y absoluto de la confusión entre sueño y realidad: «¡No sueñes más conmigo, no me imagines otra vez cuando me marche! Vente conmigo a la oscuridad, a la sombra, a la nada, al infinito» (*Tres mujeres* 208).[12]

Como se puede apreciar en *Tres mujeres más Equis* y en buena parte de los textos analizados hasta aquí, la invención y recreación a través de la mirada del narrador y de los personajes en la narrativa de vanguardia tiene un fuerte componente sexual y de género, y no está de más hablar de un proceso de sexualización de la mirada, algo que ya habían destacado varios de los teorizadores del medio a propósito del cine en España. Las grandes estrellas de la pantalla habían cautivado a los espectadores de medio mundo desde los comienzos del cine mudo y, de hecho, no son raras las reflexiones de teorizadores y críticos sobre los diferentes tipos de heroínas en el cine, como es el caso de las *vamp*, las *flappers* y las *femmes fatales* sobre las que escriben Jarnés, Ayala, Arconada, Pérez Ferrero y otros a finales de los años

---

[12] En *Tres mujeres más Equis* el protagonista masculino constata la imposibilidad de discernir entre la visión subjetiva y la realidad exterior, entre la mujer soñada o imaginada y la mujer real de carne y hueso, y tal descubrimiento lo conduce al crimen y al suicidio. Sin embargo, no todos los personajes de vanguardia reaccionan de igual manera. En *Puerto de sombra* de Juan Chabás, el personaje de Aprile entra en un proceso melancólico tras la muerte de su amada Juliette que le impide aceptar su muerte y le lleva a seguir viéndola, imaginándola, como si todavía estuviera viva, siempre en el contexto del personaje fantasmático de la vanguardia: «Para él había sido siempre de aire, voladora y ligera como el aire. La veía ahora, al evocarla, como una sombra también extática a su lado, igual a su deseo. Pensaba: 'Cuando murió Juliette'. Y luego, ya solo, vivo en su memoria, volvía a ver toda su juventud unida a la imagen de ella, que iba trasformándose a través de todos sus recuerdos para ofrecérsele única en el momento de la muerte, alegre y suya. Los días que siguieron a la muerte de Juliette él no los sentía presentes. Todo lo que había sucedido desde entonces fue para Aprile un largo tiempo muerto. Inútilmente quiso incorporarse a una vida que a su lado rebullía. No pudo. Cuando después de muchos meses pretendió volver sus ojos hacia lo que todos contemplaban, sintióse ciego. No comprendió nada» (*Puerto de sombra* 132-133).

veinte, y que habían ocupado numerosas planas en las revistas divulgativas de cine desde comienzos de siglo.[13] Si el cine es «escuela de la mirada» en el sentido de que contribuye a redescubrir la fisionomía y plasticidad de toda una serie de elementos que anteriormente habían pasado desapercibidos a los ojos, también es escuela de esa otra mirada masculina, *voyeurista* y cargada de erotismo, que ha sido objeto de numerosos estudios en el ámbito del cine.

Desde el ya clásico artículo de Laura Mulvey «Visual Pleasure and Narrative Cinema» (1975), la crítica feminista ha señalado repetidamente el modelo de representación de la mujer en el cine como un objeto pasivo, de contemplación y dominación visual, mientras el papel activo, de observador y dominador, ha quedado reservado a la mirada masculina. La mujer se convertía así en un objeto cuya finalidad era básicamente la de satisfacer el deseo erótico masculino y procurarle un «placer visual» que Mulvey denomina escopofílico, haciendo uso del término definido por Freud en sus *Tres ensayos sobre teoría sexual*. Como afirma Mulvey:

> In a world ordered by sexual imbalance, pleasure in looking has been split between active/male and passive/female. The determining male gaze projects its fantasy onto the female figure, which is styled accordingly. In their traditional exhibitionist role women are simultaneously looked at and displayed, with their appearance coded for strong visual and erotic impact so that they can be said to connote *to-be-looked-at-ness* (1990: 33).

El papel de la mujer y su modo de representación en la ficción cinematográfica se dirigen desde muy pronto a subrayar su calidad de objeto de observación y satisfacción escopofílica de la mirada masculina, tanto dentro como fuera de la ficción. Su función consiste en recrear tanto el deseo del espectador de la cinta como el del héroe y personajes masculinos que participan en la ficción. Como ha señalado María Donapetry siguiendo el modelo de Mulvey, «la objetificación de la mujer nos viene dada por las 'tres miradas': la mirada de la cámara, la mirada del héroe y la implícita mirada

---

[13] César Arconada publicó en 1929 una biografía novelada de la actriz Greta Garbo, titulada *Vida de Greta Garbo*. También Ángel Antem escribió en 1930 una biografía o hagiografía novelada de Mary Pickford y Douglas Fairbanks titulada *Mary y Douglas*. Ayala dedica varias secciones a diferentes actrices en *Indagación del cinema* y Jarnés hace lo propio en *Cita de ensueños*. Lo mismo hacen críticos como Miguel Pérez Ferrero, Buñuel y otros.

del espectador. Las tres son netamente masculinas, y el objeto de esa mirada es el personaje femenino» (1998: 8). Si la mujer es reducida por el cine a
su condición de «objeto de la mirada masculina», el hombre por su parte es
inducido a una escopofilia creciente, a un proceso paulatino de sexualización y voyeurización. El cine le enseña o le despierta la energía libidinal de
su mirada, le descubre el valor de ésta como medio de abastecimiento de
placer visual, y esto a su vez transforma sustancialmente el modo de mirar
del nuevo sujeto masculino: «el hombre puede mirar, desear satisfacer su
deseo escopofílico a través de la película. La mujer se queda sin mirada, en
situación de desear ser deseada, en desear ser mirada, en ser objeto de la mirada masculina» (ibid.: 8).

Con la legalización y desarrollo de la industria pornográfica a partir de
los años setenta y su socialización y globalización a través del video, la televi-
sión, los formatos digitales e internet, cuesta siquiera imaginar el impacto
del cine de las primeras décadas en materia de usos amatorios y erotismo.[14]
Como ha estudiado Gubern, el género erótico y pornográfico, aunque prohibido, se desarrolló relativamente pronto en España, e incluso Alfonso XIII
encargó secretamente la elaboración de algunas cintas para su disfrute escopofílico privado (Gubern 2005: 9). En *Efectos navales* (1931) de Antonio de

---

[14] Al hilo del efecto «corruptor» del cine en las costumbres, en esta época surge en España
toda una literatura que tiene como objeto denunciar el carácter inmoral y decadente de ciertas
películas. En 1914 aparece *La moral en la calle, en el cinematógrafo y en el teatro*, obra del religioso capuchino Francisco de Barbéns, en el que el autor trata de mostrar científicamente los
peligros no sólo morales sino también físicos y psicológicos a los que se exponen los espectadores de cine. El 21 de diciembre de 1919 Ramón Rucabado pronuncia una conferencia en el
Institut de Cultura i Biblioteca Popular per la Dona de Barcelona, que aparece publicada en
1920 bajo el título de *El cinematògraf en la cultura i en els costums*. Rucabado confiesa no haber
pisado un cinematógrafo desde 1909 por el carácter corruptor de la mayor parte de sus argumentos folletinescos y propone la creación de un órgano de control para evitar que los más jóvenes se expongan a estos peligros. En esta misma línea, en 1924 el sacerdote Bernardo
Gentilini publica en Madrid el libro *El cine ante la pedagogía y la medicina, ante la moral y la religión*. Salvo en el caso de muy pocas películas, el cine es considerado por Gentilini una
«Universidad de la iniquidad» «en cuyas aulas se educa para su desdicha la juventud y el pueblo» o, como dice un poco antes, la «blanca tela donde las modernas generaciones van arrojan-
do, al pasar, la imagen fugaz de sus desvaríos y de su corrupción» (5-6). Dos años más tarde, en
1926, el teniente-coronel de Artillería don Enrique de Vicente Gelabert publica *Cinematógrafo
«Pro Infantia»*, en el que despliega todo un plan para la creación de unos comités provinciales
cuya labor consistiría en catalogar y promover películas aptas para niños. Algo semejante, aunque más centrado en el uso pedagógico y educativo del cinematógrafo, propone Miguel
Gómez Cano en *El cinematógrafo y las escuelas ambulantes de puericultura* de 1927.

Obregón se puede encontrar ya una referencia —acaso la primera— a una película erótica casera y su proyección pública.[15] Lo cierto es que el cine tuvo sin duda un impacto considerable en la conformación de la mirada masculina y en su temprana sexualización y voyeurización, fenómeno que constituye una más de las numerosas variantes de la influencia cinematográfica en el imaginario de la narrativa de vanguardia. Un antecedente literario de la fascinación que provocaron las divas de la pantalla en los primeros espectadores del cine mudo se puede encontrar en «El misterio del Trianón Palace» del narrador bohemio Gonzalo Seijas, incluido en su libro *La confesión* de 1914. En él, don Diego de Albornoz decide quitarse la vida cuando una actriz apodada «La Maja» falta a la cita que el aristócrata había concertado con ella. Como indica el narrador, «Diego de Albornoz viera la película y fascinado, hechizado por una sugestión más fuerte que su raciocinio, había leído en los labios de aquella sombra danzarina la promesa de un amor real. Y se apasionara por ella, imagen, ilusión, fantasma, como si fuese la verdadera 'Maja'. Había esperado a aquella sombra amada. Y la sombra no compareciera. Y la decepción lo mató» (Seijas 2005: 157).

En lugar de quitarse la vida como don Diego de Albornoz, los narradores de vanguardia crean su propia «imagen, ilusión, fantasma» de mujer de acuerdo con el modelo aprendido en el cinematógrafo. El erotismo, particularmente en su modalidad de creación —y recreación— de un objeto de deseo femenino por parte de un sujeto masculino, es sin duda uno de los temas más recurrentes de esta narrativa. Todas las novelas que hemos comentado hasta ahora comparten la característica de estar narradas desde una voz —¿mirada?— masculina a la busca y captura del objeto de su deseo: la mujer, aunque sea en su variante fantasmática (o precisamente por ello). *Margarita de niebla*, *Tres mujeres más Equis*, *Cuentos para una inglesa desesperada*, *Paula y Paulita*, *Señorita 0-3*, *Novela como nube*, y tantas otras —escritas todas ellas por hombres— tienen como protagonistas a personajes masculinos en trance erótico bajo cuya mirada se construye el personaje femenino.[16] Hasta Rosa Chacel, probablemente la única mujer escritora de

---

[15] Aunque la mención sea discreta, se trata de una cinta grabada por la pareja de amantes protagonistas de la novela: «Volvieron a recurrir al *whisky* y a las mezclas. Se pusieron inyecciones haciendo votos por el restablecimiento de una salud que no habían perdido, se filmaron en todas las actitudes y hasta exhibieron una película de su vida privada que fue recogida por la Policía» (*Efectos* 139-140).

[16] Un caso interesante de creación de un personaje masculino en la imaginación de otro femenino es el novio que Anita se inventa para sí misma en *La rueca de aire*. Ella misma de-

narrativa netamente vanguardista en España durante este periodo, se trans-
figura en una voz de hombre tanto en *Estación. Ida y vuelta* como en su relato «Chinina Migone».

Una de las novelas en las que aparece de forma más clara el papel del
cine como iniciador y en parte educador sexual de las sociedades urbanas es
Señorita 0-3 de Juan Antonio Cabezas. Para Pedro y Eléctrica, protagonistas de esta historia, el cine se presenta como una escuela de erotismo y una
proyección de su mutuo deseo. El personaje de Pedro llega incluso a afirmar que una vez casado podrá ahorrarse las entradas del cine, pues ya no
necesitará satisfacer su pulsión escopofílica, sino que podrá disfrutar directamente de sus relaciones sexuales con Eléctrica sin la mediación sustitutiva
de la pantalla: «¿Para qué el cine? Las palabras dulces se las dirá en la calle.
Las caricias maliciosas aprendidas en la pantalla se las hará en casa. ¿No era
ya su mujer?» (*Señorita 0-3* 69). La última vez que la novela nos presenta a
los protagonistas juntos antes de la muerte de Pedro es de nuevo en la sala
de cine.[17] El pasaje comienza con una reflexión sobre el amor como un
«complejo eróticosentimental» que «es ante todo rito». A continuación el
narrador afirma que es domingo, «el día de amar»: «En los parques, en las
calles de escaso tránsito, en los tranvías y en el cine, levanta el instinto sexual los tingladillos de ilusión para sus comedias» (137). Pedro y Eléctrica
quieren participar de esta disposición dominguera a los ritos erótico-senti-
mentales y deciden hacerlo en el cine, que se presenta así una vez más como
espacio del amor y el erotismo, acrecentado en esta ocasión por la cinta que
se proyecta, *Maniquí desnudo*, cuyo título es preludio de su lubricidad. En
la escena que describe el narrador aparecen tres personajes y un maniquí:
una hermosa joven, su novio y futuro esposo, mucho mayor que ella, y la
modista en cuyo taller se reúnen para hacer las pruebas del vestido de novia
(sobre el maniquí). El narrador nos hace entender que la modista es en el

---

cide crear esta figura imaginaria y dotarle de una vida: lo sitúa en París, le da el nombre de
Mario y comienza a escribirle cartas reales que se van amontonando en su *secrétaire*. Lo interesante del caso es que Anita acaba enamorándose de él, de Mario, el fantasma creado por
ella misma. La relación termina cuando poseída por la furia que le suscita su desdén, Anita
decide romper el retrato de Mario que tenían en su mesilla y que, como afirma el narrador,
«lo había encontrado en una revista de cine» (20).

[17] Los momentos decisivos de la relación entre Pedro y Eléctrica vienen marcados por la
presencia real o virtual del cine: la película del parabrisas del autobús a través de la que se co-
nocen; la película real que ven juntos antes de despedirse por última vez; y finalmente la película del autobús que se repite para Pedro, aunque esta vez culminará con su propia muerte.

fondo una alcahueta que ha pactado con el viejo ir desnudando paulatina-
mente al maniquí, representación de la joven, proyectando de esta forma el
deseo del novio y llamando la atención de la doncella sobre la pretensión
sexual del anciano. Veamos el modo en que se refiere la escena en la novela,
que por su extensión la incluyo sólo parcialmente:

> En la pantalla se complica la trama ingenua. ¿Por qué tiene la chica tanto
> espanto en los ojos? Eléctrica comprende enseguida. La modista está despojan-
> do al maniquí de los atavíos nupciales. El susto de la chica va en aumento.
> Ahora sus ojos, en primer plano, vierten lágrimas de gran tamaño. El viejo ríe.
> Le tiemblan los bigotes. Se le ve enredarse en su propio deseo. Cerrarse dentro
> de él. Gusano sexual preso en capullo de carne y de seda. En la sala estalla una
> carcajada. Aumenta el rubor de la chica. Y la cosa no es para menos. La vieja
> modista descubre los senos, las caderas, la cintura del maniquí. La chica ve en
> evidencia su virginidad. Aquellas ropas están hechas a su medida. Perfilan cur-
> vas y escorzos de su cuerpo. Ella es quien se está quedando desnuda ante el
> hombre de mostachos. Ante el presunto marido que saborea ya la primera po-
> sesión de su carne intacta. La modista sigue implacable. ¿Una forma nueva de
> sadismo? La sala hierve de erotismo. En la galería se oyen exclamaciones proca-
> ces. Un título: *Fuera el corsé*. La risa es ahora un rugido. La vieja, en primer pla-
> no, suelta una carcajada sardónica. Al viejo se le caen los guantes y el bastón. La
> chica no mira ya. El maniquí tambaleó su torso sin cabeza. La modista desata
> con rapidez las cintas. En la sala se hizo silencio. Va a caer el corsé. Bastidor que
> oculta inocentes trucos femeninos. Eléctrica se acercó más a Pedro. Ya no es
> sólo la protagonista. Cada espectadora le parece que se va a hacer festín de su
> desnudez (*Señorita 0-3* 139-140).

El narrador combina sagazmente la descripción de la película que se
proyecta en la pantalla con la reacción de los espectadores ante ella, que es
básicamente la progresiva subida de la temperatura erótica en la sala. La estructura en abismo de la escena se convierte así en un eficaz aparato metatextual que explica y revela el múltiple mecanismo sustitutivo del voyeuris-
mo escopofílico. El maniquí, en efecto, no tiene otra función que la de
representar la desnudez de la doncella, que a su vez provoca la excitación
del anciano, «gusano sexual» al que «se le ve enredarse en su propio deseo».
La imagen del maniquí reproduce a la perfección esta idea de la transformación de la mujer en un objeto para la recreación de la mirada masculina,
fenómeno que se hace aún más obvio en la reducción del cuerpo femenino
a las partes más susceptibles de excitar el deseo escopofílico del hombre:

«los senos, las caderas, la cintura», «su virginidad» y las «curvas y escorzos de su cuerpo». Como se encarga de aclarar el narrador, la mirada masculina que participa del espectáculo es tanto la del viejo «que saborea ya la primera posesión de su carne intacta», como la del público de la sala, que «hierve de erotismo». Si el deseo escopofílico del viejo se transfiere al resto de espectadores masculinos de la película, también la sumisión objetual del maniquí se traslada a la doncella y, lo que es más importante, al resto de mujeres que observan la ficción desde el patio de butacas. Como dice el narrador, cada espectadora participa de la desnudez de la joven, situación de la que la mirada masculina «hace festín».

En este contexto, Pedro alterna la contemplación de la película y el maniquí con la contemplación directa de Eléctrica, pues ella es en definitiva el verdadero objeto de su deseo: «La penumbra obliga a los amantes a juntar manos y rodillas. [...] Pedro empieza a encontrar en la penumbra el busto de Eléctrica. Tiene los ojos fijos en la pantalla y le abandona su mano. Pedro es feliz. Un breve relámpago acabó de formar a su novia» (*Señorita 0-3* 138-139). En otro momento es Eléctrica la que «aprieta contra su muslo la mano de Pedro» y ambos «se dan un beso disimulado» (139). Finalmente, tanto la tensión sexual de la película como la que inunda la sala y domina a Pedro y Eléctrica, quedan liberadas por el final cómico de la cinta: «Lo grotesco rompió la ilusión. Un empujón y todo ha terminado. Modista y maniquí ruedan por el suelo. En la sala se repiten las carcajadas» (140). A pesar de este final suavizado por la válvula de escape del humor, *Señorita 0-3* presenta la sala de cine como el espacio del aprendizaje y la sugestión erótica, y pone de manifiesto la temprana reducción de la mujer en este medio a su condición de objeto del deseo y la mirada masculina.[18]

La sexualización de la mirada vanguardista se manifiesta en el papel dominador del nuevo sujeto narrativo, que construye un personaje femenino a la medida de su deseo, por más que este deseo sea en numerosas ocasiones una fuerza indeterminada y difusa. Tal es el caso de *Dama de corazones*

---

[18] Benjamín Jarnés ofrece la situación opuesta en su novela *Paula y Paulita*, en la que presenta una «sesión blanca» de cine en homenaje al Obispo de Antinópolis, que acude como espectador de honor. El hecho de que el autor presente la sala de cine como «un templo», el palco del obispo como un «púlpito» y el programa del día como un «manípulo» son muestras claras de que la experiencia del cine, o ciertamente de algunas películas, se percibía como un espectáculo moralmente subversivo o al menos problemático desde el punto de vista de la moral tradicional que el obispo representa.

(1928) de Xavier Villaurrutia, cuyo título es ya un anticipo interesante de la doble visión de la mujer que recorre la novela: como «dama» —del latín *domina*: dueña, señora— del corazón —el deseo— del hombre; y como la carta de la baraja que el título designa, con la que este mismo hombre, convertido en tahúr absoluto de la ficción, juega a su antojo. El personaje y narrador masculino de la obra observa a la mujer y la construye a partir de retazos, impresiones y reflexiones subjetivas. En este caso la mujer son dos, Susana y Aurora, primas del protagonista intradiegético, cuya escritura en primera persona acentúa el carácter subjetivo de la narración. Aunque se trata de dos mujeres, en rigor no hay diferencia entre una y otra (como ocurría con las mujeres de agua, viento y fuego en *Tres mujeres más Equis*), pues ambas son un recuerdo borroso, una sustancia leve y etérea que el narrador-jugador manipula a su gusto, como él mismo reconoce: «apenas las recuerdo esfumadas en la infancia» (*Dama* 7).

El narrador de la novela es un ser autosuficiente y absoluto: nada existe fuera de sí mismo, pues todo adquiere sentido en y a través de su subjetividad. Un ejemplo paradigmático de esta autosuficiencia es la breve historia de la cicatriz de Aurora, que es también su marca de identidad, lo que la distingue de Susana y el resto, lo que le permite al narrador reconocerla. La cicatriz de Aurora es la consecuencia de una caída con un fuerte componente simbólico: «Creo que fue en la huerta. Aurora había subido a un manzano y me prometía un fruto; en vez de dejar caer la manzana se dejó caer ella, distraída. No recuerdo más» (*Dama* 8). El relato de la manzana del pecado se ha transformado en esta narración en la ofrenda directa y sin cortapisas de la propia Eva —en este caso Aurora—, que cae ella misma en cuerpo y alma del árbol como una fruta madura. *Dama de corazones* puede leerse como la historia de un antojo sentimental narrado desde la perspectiva de un diosecillo caprichoso que construye la realidad a su arbitrio. No en vano, la vida es para el narrador de la novela el ejercicio de crear mirando, o de mirar creando: el ejercicio de construir cada objeto al investirlo de la subjetividad de la mirada. Como el propio narrador indica, cuando se agota el poder recreador de la mirada todo lo que queda es la muerte: «morir es estar incomunicado felizmente de las personas y las cosas, y mirarlas como la lente de la cámara debe mirar, con exactitud y frialdad. Morir no es otra cosa que convertirse en un ojo perfecto que mira sin emocionarse» (*Dama* 30).

Sin embargo, la ficción que reproduce el proyector sí que emociona a los narradores, y particularmente emocionantes son las actrices que pueblan los bastidores de sombra de la pantalla. La fijación de los narradores de vanguardia con las estrellas de cine de la época, reales o inventadas, es una constante en sus obras —y en algún caso, como en el de Gilberto Owen, no fue parte de la ficción sino de la vida real—.[19] En *Cuentos para una inglesa desesperada* el argentino Eduardo Mallea utiliza las referencias al cine como espacio del amor que no se vive sino que se contempla. La novela es un compendio de amores desdichados e imposibles que el narrador intradiegético evoca en su incorregible melancolía. Sus aventuras amorosas, sin embargo, nunca se materializan, se limitan a la admiración a distancia de la mujer como un objeto de culto inalcanzable, sólo apto para la recreación escopofílica. El narrador tiene sobre su mesa una «fotografía de una mujer bellísima» que no es ni «amiga, ni hermana, ni novia», sino «simplemente, una actriz de cinematógrafo» (*Cuentos* 16). Desde aquí hasta el final del relato el narrador cuenta la historia de sus múltiples fracasos amorosos y de las mujeres que ha amado y admirado secretamente. La novela termina con seis narraciones breves tituladas «Seis poemas a Geórgia», acaso la «bellísima actriz» cuya fotografía tenía enmarcada sobre la mesa. El subtítulo que precede al capítulo, «Al margen de Charlie Chaplin», despeja cualquier duda sobre la identidad de la tal Georgia, que no es otra que la actriz Georgia Hale, compañera de reparto de Chaplin en *La fiebre del oro* (*The Gold Rush*, 1925).

En una línea semejante, Jaime Torres Bodet dedica su novela *Estrella de día* (1933), publicada en España por Espasa-Calpe, a la actriz inventada Piedad Santelmo. La novela vuelve sobre los motivos de la intangibilidad de la estrella cinematográfica a los ojos de Enrique, joven cinéfilo infatuado con la imagen de la actriz. Lo interesante de este caso es que Enrique no se conforma ya con el placer visual que le depara la observación a distancia de la mujer, sino que decide hacerse actor para poder compartir rodaje con Piedad y, aunque dentro de la ficción y la representación, conseguir besar a la diva. La escena final de la novela describe precisamente ese momento: «Dentro de los brazos que le rodeaban, sorprendido de su hallazgo, Enrique encontró de improviso una rosa pequeña, trémula, terca, derecha: una rosa de invernadero. Era la boca de Piedad. Consideró discreto imitarla. Cerró

---

[19] En 1928 Owen se enamoró perdidamente de la joven actriz mexicana Clementina Otero, un amor, al parecer, no correspondido. Según la opinión de Vicente Quirarte, Owen salió de México ese mismo año en misión diplomática a Nueva York precisamente con el fin de «establecer una distancia con el objeto de su amor» (Quirarte s/f).

los ojos... Nunca hubiese creído que le cegase ver una estrella de día»
(*Estrella* 159). La diferencia fundamental entre la propuesta del personaje
de Mallea, que se mantiene siempre en el espacio de la realidad aunque suspirando por la fantasmagoría de las actrices que ama —especialmente
Georgia Hale— y la de Torres Bodet, reside en que en este último caso el
personaje decide penetrar en el mundo de la representación para vivir una
aventura amorosa con Piedad, aunque el beso no fuera más que un compromiso adquirido por la actriz en su contrato.[20]

Casos semejantes se pueden encontrar en numerosas de estas narraciones y, de hecho, han ido apareciendo en varios de los textos comentados a
lo largo del libro, aunque entonces no fuera este aspecto el foco central de
mi análisis. Una obra especialmente interesante desde el punto de vista de
la configuración de la mujer como objeto del deseo escopofílico masculino
es el relato «Andrómeda» de Benjamín Jarnés, publicado originalmente en
la *Revista de Occidente* en 1926 e incluido después con leves variaciones en
Salón de estío (1929) y *La novia del viento* (1940).[21] El protagonista y narrador del relato encuentra una noche a una mujer desnuda a la que han asaltado unos ladrones y la han atado a un árbol. La narración se desarrolla a lo
largo de las escasas horas entre el momento en que Julio encuentra a la mujer, cuando ha transcurrido ya más de la mitad de la noche, y la mañana siguiente, cuando Julio acompaña a la mujer a diversos almacenes para comprar ropa y los mejunjes de la *toilette*. Sólo después de verla engalanada y
ataviada como una diva descubre el protagonista que la mujer que ha salva

---

[20] Un caso semejante al de *Estrella de día* se encuentra en la novela *Puerto de sombra* de
Juan Chabás. En ésta, la Condesa di Castell D'Arezzo se enomara de Bettinelli, un joven y
apuesto oficial hijo de un político eminente. Con el fin de vivir un idilio con el joven, aunque sólo fuera en el plató y por imposición del guión, la condesa decide rodar una serie de
melodramas «a la moda de las películas italianas del 17»: «llegó a impresionar películas de
propaganda con argumentos sentimentales que ella disponía para ser con Bettinelli protagonista de las escenas finales, cuando la aristocrática enfermera se rendía al amor del oficial
convaleciente con un largo beso prolongado» (*Puerto* 92-93).

[21] Aunque en contextos diversos, Juli Highfill (1995) y Michael Schlig (2004a) han señalado ya la representación de la mujer como objeto del deseo escopofílico del hombre en
«Andrómeda», en el caso de Schlig con algunas matizaciones importantes que provienen sobre todo de su lectura del texto en relación directa con los otros dos relatos incluidos en *La
novia del viento*. El motivo por el que yo no lo hago así es fundamentalmente la distancia de
13 años que separa la escritura de «Andrómeda» de los otros dos relatos, escritos en 1939,
casi una década después del final del periodo de la vanguardia histórica. Sobre *La novia del
viento* se puede consultar también el trabajo de Juan José Lanz (2000).

do es *La bella Carmela*, actriz de variétés con la que ha vivido una extraña aventura cinematográfica en la realidad.

Salvo el momento inicial del descubrimiento de la mujer en el campo y las compras de la mañana siguiente, la mayor parte del relato transcurre en el coche en el que Julio acompaña a Carmela a la ciudad. Durante el trayecto la narración consiste en el espectáculo erótico del cuerpo desnudo de Carmela, que está en todo momento dormida, mientras Julio la observa, la mira y la recrea visualmente. Como ha señalado Mulvey, la representación de la mujer como espectáculo erótico es contraria al principio de la narratividad: el hilo de la narración, el tiempo, su flujo, se detienen en el acto extático de mirar y recrearse la mirada en la contemplación erótica (1990: 33). El viaje de Julio y Carmela, pese a su duración en el tiempo exterior y el desplazamiento físico del automóvil, implica la congelación del tiempo de la narración en un lapso indefinido: el tiempo interior del éxtasis y el goce erótico.

Durante este tiempo suspendido, la mirada de Julio es, según las palabras del narrador, «semejante al arte rudo del primer hombre que, con unas pellas de barro bermejo, se construyó el primer dios» («Andrómeda» 148). La mirada construye a la mujer, la elabora, la posee y la domina, exactamente igual que el artesano da forma a la figura de barro. De modo semejante, Julio se sienta a observar los diferentes escorzos del cuerpo desnudo de Carmela, parcialmente cubierto por una manta de viaje que va velando y desvelando diferentes partes de su cuerpo en cada movimiento del automóvil o de la propia Carmela. El hecho de que la mujer duerma muestra con toda claridad su estado de indefensión, su reducción objetual, su incapacidad para responder o reaccionar de ninguna manera a la mirada que la posee y la domina. Asimismo, el paralelismo entre la labor del alfarero y la mirada escopofílica de Julio se hace patente en la afirmación de que la «manta de viaje podía ser una preciosa arcilla capaz de convertirse en todos los acicates inventados para hacer deseable el desnudo» (149). La imaginación erótica —y estética— del observador hace todo lo demás: «Con ella, bien ceñida a las piernas, pudo construirse el vivo pedestal de un torso de Afrodita. Subiéndolo hasta los hombros, se convirtió en una túnica, y envolviéndose en ella diestramente, en un severo peplo» (149). Si la modulación imaginaria del cuerpo se sintetiza en la imagen del artesano, el estudio atento y detallado de las formas corporales, su superficie y accidentes, es la labor del topógrafo:

La tela roja fue deslizándose por hombros, brazos y senos, descubriendo, por etapas inesperadas, todo el cuerpo, condenado aquella noche a exposición permanente. Julio acudía a abrigarla, pero un nuevo sobresalto la dejaba otra vez desnuda. En uno de estos paréntesis de inocencia edénica, Julio se detuvo a recordar empíricamente sus nociones de topografía femenina, pero quedó al punto vencido por las dificultades del terreno, y resolvió abandonar el campo de experimentación, haciendo recobrar a la manta envanecida de su pasajera calidad de estuche, sus modestas funciones de calefacción (153).

En otras palabras, Julio se plantea aprovechar que la mujer está dormida para desnudarla y explorar los accidentes de su cuerpo como un topógrafo de la geografía femenina. En otro momento el topógrafo no descubre sino que tapa la desnudez de la mujer: «Sólo el seno seguía revelándose infantilmente. Julio, con solicitud maternal, restituyó al travieso a su caliente nido. Aleccionado en un breve curso de topografía de varietés, siempre había considerado el pecho como cierta región bien jalonada, más allá de la cual era impertinente explorar» (154).

La tensión erótica del relato crece lentamente. Durante varios párrafos Julio se goza en los juegos de colores y los efectos de la luz naciente del amanecer sobre el cuerpo de Carmela: primero una «fina claridad blanca», luego «el ámbar, el ópalo, el rosa», hasta que «todo el cuerpo desnudo fue ya un espejo donde se contemplaba el amanecer. Un lejano Pigmalión comenzaba a resucitarlo con sus dedos febriles» (155-156). El clímax de la tensión erótica llega en el momento en que Julio sucumbe finalmente a la tentación de tocar a Carmela y quitarle la manta que la cubre, momento en el que ésta despierta:

Nunca supo qué le arrastró a apoderarse de la muñeca [...]. Tampoco averiguó por qué se apoderó de la otra mano, ni por qué apartó el embozo del seno. Realizaba él, topógrafo de la tierra, todo lo que hubiera podido realizar un médico, topógrafo de la piel. Se comenzó a inventar fórmulas de aproximación. Buscaba pretextos para seguir desembarazando a Star de su envoltura roja. Pero el segundo movimiento fue poco meditado. Star se estremeció. Al tercero, abrió los ojos (157).

Tras el viaje nocturno y la llegada a la ciudad comienza el *strip-tease* invertido de Carmela, a medida que van comprando las diferentes prendas de su indumentaria y sus afeites: primero las medias, luego la combinación, después la faja, el *mamillare*, vestido, sombrero, bolso, guantes... A medida que se viste, la mujer se va transformando en «una grácil heroína de la pantalla» y Julio descubre entonces «cuál es la condición esencial del ropaje: la de encarecer la desnudez, como los envases de fantasía» (164). La mujer impersonal del comienzo del relato, cuya identidad Julio desconocía y ella se negaba a revelar, va poco a poco tomando forma y sentido específicos a medida que va cubriendo su desnudez con cada nueva prenda, en una especie de anagnórisis truncada que en último término no conduce la narración más allá de la identificación de la mujer. Por otro lado, la indumentaria de la mujer no es suficiente indicio de su identidad, que será revelada por la expresión fisiognómica, o mejor dicho, por la máscara de afeites que cubre la expresión fisiognómica, pues «aún quedaba por vestir el rostro»:

> Los ojos esperaban un sombrío subrayado, y los pómulos, su leve nube de púrpura. Y la boca, un rojo corazoncito. Entonces una lenta máscara comenzó a revelar a Julio el secreto de su bella redimida. Un fino antifaz fue cayendo sobre la tez de Star, descubriendo poco a poco su verdadero rostro. Porque el corazoncito grana era el mismo voluptuoso corazoncito grana de *La Bella Carmela*, la *genial* creadora de danzas apócrifas de Oriente (165).

La mujer, como no podía ser menos, resultó ser una bailarina de danzas orientales, es decir, una *exotic dancer* o artista de varietés, como se diría en la época, o sea, una profesional en las artes de satisfacer el deseo escopofílico del hombre; pero no una bailarina cualquiera, sino la bella Carmela, de gran fama y renombre. Aunque en el fondo es básicamente lo mismo, el proceso de descomposición y disolución de la identidad de los personajes que veíamos al comienzo de este capítulo, invierte su sentido en este último caso: el personaje femenino pasa de la indeterminación inicial al reconocimiento final de su identidad, por más que esa identidad tenga una dimensión igualmente objetual. Al comienzo de la narración Julio propone llamar a la mujer desconocida con designadores generales como «Ella» o «Equis», de carácter netamente impersonal, y Carmela le sugiere que la llame «Eva», nombre también genérico y simbólico de la madre de todas las mujeres. Finalmente Julio decide llamarla «*Star*», igualmente impersonal y genérico pero más ajustado al modelo cinematográfico del que se sirve para la configuración del personaje. Esta mujer genérica, que representa a todas las mujeres en la medida en que su función es la de dar satisfacción al deseo masculino, no es designada por su nombre propio hasta la penúltima página del relato. Para acabar de rizar el rizo, nos enteramos de que Julio llevaba en el bolsillo una postal con la fotografía de Carmela, su fetiche, su objeto, y ni siquiera así había sido capaz de reconocerla.

En la breve conversación final antes de separarse, Carmela le invita a Julio a que se pase por Parisiana, el teatro donde trabaja, pero éste rechaza la idea, pues «sería muy penoso volver del revés este pequeño lance de vestir a Carmela. Tendría que retroceder a un punto de partida donde a su avidez de topógrafo nada le quedaba ya por descubrir» (167). Julio ha visto todo lo que tenía que ver y el viaje a Parisiana le ofrecería únicamente la repetición de un territorio corporal ya explorado y conocido, un objeto ya consumido por su deseo visual. En este sentido, el relato concluye con la confirmación definitiva por parte del narrador del carácter objetual de la bella Carmela, que a modo de resumen y compendio de la peripecia escopofílica de Julio, se presenta finalmente como un elemento más del mobiliario erótico en el paisaje urbano de la ciudad, o como afirma el narrador, «uno de sus más voluptuosos objetos decorativos» (167).

6.

A MODO DE CONCLUSIÓN: LA NEUROSIS *CINEGRÁFICA* Y EL FINAL DE LA UTOPÍA

> La Sombra había demostrado cierta inde-
> pendencia, había alabado a un poeta cuya po-
> pularidad él envidiaba, había mirado a su
> mujer con ojos profundos y codiciosos; le ha-
> bía tomado su ropa, huroneaba por todas
> partes y se fumaba con verdadero cinismo,
> uno tras otro, sus cigarrillos.
> El Novelista comenzó a pasear por la habi-
> tación, estaba nervioso y no podía escribir. [...]
> Iría a ver a su editor, a decirle que estaba en-
> fermo, neurasténico, y que no podía cumplir
> su compromiso
>
> Mario Verdaguer,
> *El marido, la mujer y la sombra*

El proyecto de fusionar los lenguajes cinematográfico y novelesco que persiguen los escritores de la narrativa de vanguardia se presentó desde sus inicios como un objetivo sumamente complicado, si no imposible. Las propuestas de incorporación del imaginario cinematográfico a la narrativa que hicieron autores como Espina, Ayala, Jarnés, Torres Bodet, Owen y otros, por más que resultaran sugerentes, demostraron ser más complicadas de llevar a la práctica de lo que habían calculado inicialmente. La imposibilidad material de llevar a cabo esta empresa de fusión de lenguajes, o de creación con los medios de la literatura de un producto con la fuerza de sugestión psíquica y estética del cine —fascinación, hipnosis, violación—, es la causa en último término de la breve y tormentosa existencia que padeció el géne-

ro. Si bien los propios novelistas entendieron esto muy pronto y reflexionaron sobre ello en diferentes lugares, lo hicieron sobre todo en textos de crítica, cartas, reseñas, comentarios personales o entrevistas, como en el caso
de la famosa encuesta de *La Gaceta Literaria* sobre cine y literatura que hemos comentado en el primer capítulo del libro. Sin embargo, dentro de la
propia narrativa de vanguardia se encuentran también una serie de textos
de marcado carácter metatextual y autorreflexivo en los que los escritores
exponen la naturaleza de su proyecto estético en tanto que proceso de incorporación del lenguaje cinematográfico en la novela.

Como dijimos en el primer capítulo, varios de los textos precursores, o
acaso fundacionales, de la narrativa de vanguardia —*El movimiento VP* de
Rafael Cansinos-Asséns y *El incongruente* de Ramón Gómez de la Serna—
señalaban desde sus inicios mismos la crisis del género y marcaban de forma clarividente el modelo de renovación que la narrativa debía acometer,
que a su juicio pasaba inexorablemente por la estética del cine. Si Cansinos
definía al cinematógrafo como el nuevo paráclito bajo cuyo influjo debía
reformarse todo el arte tradicional, el único fármaco capaz de aliviar la «incongruencia» del Gustavo de Gómez de la Serna era precisamente el de la
sala de cine. El optimismo con que ambos autores indicaban el camino que
habría de recorrer a partir de su alumbramiento la incipiente narrativa de
vanguardia, fue perdiendo vigor a medida que sus autores fueron conscientes de las dificultades inherentes a su proyecto estético. En este último capítulo voy a analizar algunas novelas que problematizan al nivel de la ficción
la compleja relación entre las estéticas narrativa y cinematográfica. Este fenómeno implica de hecho una reflexión sobre la delicada situación de los
escritores de vanguardia, atrapados en la disyuntiva entre dos salidas igualmente difíciles: seguir produciendo una novela cinematográfico-experimental que con menos de un lustro de existencia empezaba a envejecer y no
parecía convencer a nadie, o retornar al modelo narrativo tradicional en
cuya destrucción habían cimentado su identidad y razón de ser literaria.
Las novelas en las que esta crisis se aborda de manera más directa son
Novela como nube (1928) de Gilberto Owen y *El marido, la mujer y la sombra* (1927) de Mario Verdaguer. Como veremos, ambos autores reproducen
al nivel de la ficción el estado de postración de los escritores vanguardistas,
decretan la imposibilidad de fusión de los lenguajes cinematográfico y novelesco y presagian finalmente el destino que les esperó a todos ellos: la inevitable defunción del género.

Ya «Cuadrante. Noveloide» (1926) de Gerardo Diego, que hemos analizado en el segundo capítulo del libro, se prestaba a una lectura metatextual
que, más allá de la peripecia vital de los personajes de Olvido y Agudo,
ofrecía una interesante reflexión sobre la imposibilidad de pervivencia de la
armonía geométrica del universo que presentaba la narración y que podía
leerse como un presagio de la imposibilidad de fusión de los lenguajes narrativo y cinematográfico. Si el subtítulo «Noveloide» sugería que el texto
que anticipaba era resultado de la fusión entre el lenguaje novelar y el celuloide, y la constante insistencia a lo largo de todo el relato en el imaginismo
visual y la descomposición del espacio en imágenes plásticas armonizadas
reforzaba esta hipótesis, lo cierto es que el final del relato venía a destruir
trágicamente esta armonía y a negar radicalmente la posibilidad de pleni-
tud, y en definitiva de ser, de los dos protagonistas, que son tanto Agudo e
Impaciente como las estéticas visual y novelar. La unión entre novela y cine
que se anunciaba ya en el subtítulo de «Cuadrante» se transubstancia pau-
latinamente a lo largo del texto en la progresiva aproximación sentimental
entre Agudo e Impaciente, que finalmente culmina en su intento de unión
amorosa. Esta unión, sin embargo, no sólo resulta imposible, sino que provoca además el doble suicidio de los amantes. Si el relato subraya el proceso de remodelación del universo narrativo de acuerdo con su referente fílmico (el mundo de formas geométricas recogidas por la cámara que se
proyectan sobre la pantalla), la naturaleza alfileña de los personajes, así
como la reducción del universo espacial a un macro-tablero de ajedrez, deben entenderse también como un procedimiento de espacialización de la
narración y de fusión, en definitiva, de lo novelar y lo cinematográfico, que
son los auténticos protagonistas del nuevo modelo de estructuración y formación que el texto postula y encarna tanto como finalmente niega y con-
dena. En otras palabras, «Cuadrante. Noveloide» representa simultánea-
mente el momento seminal y originario de la narrativa de vanguardia y su
postrera negación y defunción. A Gerardo Diego puede atribuírsele, en fin,
el privilegio de haber sido el primero en postular al mismo tiempo la fusión
de lo cinematográfico y lo novelar en la nueva narrativa y la muerte e inviabilidad de esta criatura estética bicéfala.

Un caso semejante de ficcionalización de la inviabilidad de la narrativa
de vanguardia desde la propia narrativa se encuentra en *Novela como nube*
(1928) de Gilberto Owen, que constituye, como en el caso de «Cuadrante»,
un ejemplo paradigmático de fusión de los lenguajes cinematográfico y narrativo. El propio carácter metatextual del título —y de la obra en su con-

junto— nos da ya una idea de la voluntad plenamente consciente del autor de experimentar con el lenguaje narrativo para crear una novela nebulosa, o sea, un cuerpo visible que no obstante carece de la consistencia física y la solidez del edificio novelístico tradicional. La propuesta de incorporación del lenguaje cinematográfico en *Novela como nube* se manifiesta de entrada en su estructura de fragmentación y montaje, dividida en dos partes principales, cada una de las cuales está a su vez dividida en trece secuencias (o sea, veintiséis en el conjunto de la obra). La primera parte de la narración aparece bajo el subtítulo de «Ixión en la tierra» y la segunda bajo el subtítulo de «Ixión en el Olimpo». Estos subtítulos nos remiten a un capítulo de la mitología clásica que va a funcionar aquí como el subtexto en el que se esconden las claves de interpretación de la novela, algo que no ha escapado a la atención del crítico Christopher Domínguez Michael, si bien su interpretación del mito de Ixión difiere bastante de la nuestra:[1]

> Ixión, hijo del rey lapita Flegias, traicionó a su futuro suegro Deyoneo y lo quemó en la víspera del banquete nupcial. Por razones incomprensibles para nosotros Zeus perdonó a Ixión y hasta lo invitó a compartir su mesa. El pendenciero Ixión traicionó a su salvador intentando seducir a la ansiosa Hera. Zeus adivinó las malas intenciones de Ixión y aprovechando su ebriedad logró que se dejara engañar con una falsa Hera en la forma de una nube. Mientras Ixión pervertía la imagen Zeus lo sorprendió y ordenó a Hermes que lo azotara sin clemencia. Ese fue el destino del primer e involuntario iconoclasta de Occidente y desde entonces Ixión gira atado a una rueda ardiente en el firmamento (1992: 22).

El aspecto del mito que más interesa a nuestro propósito es la experiencia de Ixión con la falsa Hera, donde hay una puntualización importante que hacer a la exposición anterior. Afirma Domínguez Michael que Zeus engaña a Ixión «con una falsa Hera en la forma de una nube». Sin embargo, no se trata de *una Hera en forma de nube*, sino de *una nube con la forma de*

---

[1] Domínguez Michael concluye que «Ixión satisface su deseo con una nube. Con una ficción que se desintegra. Sumando *una* lectura superficial de *Los alimentos terrenales* de Gide con el mitema recogido por Apolonio de Rodas y Píndaro [el mito de Ixión], nos encontramos ante la esencia, poco original, de la *Novela como nube* de Gilberto Owen: sólo la imaginación satisface el deseo» (1992: 22). Como veremos, la referencia a Ixión encubre otros significados y posibilidades interpretativas que refuerzan el carácter metaliterario de la escritura oweniana.

Hera. Puede parecer una distinción menor, pero es de hecho esencial. La apariencia exterior del ser que sedujo Ixión era exactamente la de Hera, mientras que su sustancia, la materia de que estaba compuesta, era la de una nube, algo que Ixión nunca hubiera descubierto si no hubiera sido por el castigo de Zeus. El detalle es fundamental, toda vez que en esta usurpación de la auténtica Hera por una imagen perfecta de ella misma reside la ingeniosa referencia al cinematógrafo y a la cultura de los simulacros visuales que Owen introduce en su novela. Por otra parte, y en una línea semejante, no creo que Ixión *pervirtiera* el icono de Hera, sino más bien al contrario: trató de amarlo como mejor supo. De hecho, Zeus nunca hubiera castigado a Ixión si éste hubiera rechazado a la nebulosa diosa. Es precisamente el intento de Ixión de seducir a la imagen de Hera, esposa de Zeus, lo que saca a éste de sus casillas. En este sentido, difícilmente se puede considerar a Ixión el «primer iconoclasta de Occidente», sino más bien lo contrario: fue, sin saberlo, un amante apasionado de iconos, al menos del de su diosa preferida.

Decía más arriba que el mito de Ixión funciona en *Novela como nube* como un subtexto que dota de nuevo sentido al proyecto renovador emprendido por Owen. Lo que le interesa al autor del mito de Ixión no es su ingratitud incorregible ni sus artes de seducción, sino el influjo fascinador que una imagen con apariencia de realidad es capaz de ejercer sobre él. El propio Owen, y buena parte de sus compañeros de generación, conocieron ese mismo influjo, aunque no provocado por un dios demiurgo, sino por la magia del cine y su realidad evanescente de luces y sombras, como hemos tenido ocasión de ver a lo largo de este libro. Owen se siente un Ixión de la modernidad cuya nueva Hera nebulosa son las estrellas que pueblan la pantalla e invaden con su realidad virtual la vida y los sueños de millones de espectadores. La idea sobre la que pivota la novela, en definitiva, es la de la con-fusión entre la realidad y la ficción, o la sustitución de la una por la otra, bajo cuyo signo se desarrolló la nueva cultura visual de la modernidad que conocieron Owen y el resto de narradores de vanguardia.

La introducción del mito de Ixión en *Novela como nube* confiere toda una nueva dimensión metanarrativa a su relato. Owen no pretende tanto contarnos una historia, reproducir un microcosmos narrativo en el que uno o varios personajes se desenvuelven ante una serie de situaciones y peripecias, cuanto ofrecernos una reflexión de mayor alcance sobre la naturaleza misma de la escritura y el arte, y sobre los nuevos retos a los que se enfrenta un género como la novela, o incluso un arte como el literario, tras la irrupción del cinematógrafo en el panorama de las artes y los medios de expresión y representación artística de su época. Owen ya había escrito en su ensayo «Poesía –¿pura?– plena» de febrero de 1927 que la «formalidad expresiva» de esa poesía plena que postulaba «requeriría una afinación del estilo a que obliga al escritor el nacimiento de un arte nuevo, el cinematógrafo, por su superioridad en el dominio del movimiento y de la imagen visual inmediata» (1979b: 227). Además Owen hacía extensivo este diagnóstico sobre la renovación expresiva de la poesía al campo de la narrativa literaria: «Esta necesidad de afinar más y más el estilo, de perfeccionar el oficio y su utilería, se manifiesta no sólo en la poesía, también en la novela y en el teatro, con Giradoux y Jarnés, con Crommelynck y el Azorín del *Old Spain*» (ibid.: 227-228). *Novela como nube* constituye desde mi punto de vista la representación narrativa, la encarnadura literaria de este proceso de incorporación del cine al imaginario creador de la nueva novelística. Un proceso que, pese al encomiable espíritu innovador que lo alentaba, sólo podía estar, como propone el propio Owen, abocado al fracaso.

En «Ixión en la tierra», primera parte de la obra, el personaje de Ernesto, protagonista y nuevo Ixión de *Novela como nube*, habita el mundo sublunar de los mortales, donde se siente perdido y errabundo como el Ixión del mito. Ernesto persigue fantasmas de mujeres por las calles y cafés de la ciudad, pero el resultado de su búsqueda es siempre el fracaso y la frustración, a raíz de los cuales el personaje vive inmerso en una total abulia y apatía vital. Ernesto funciona aquí como trasunto del escritor, no necesariamente Owen, sino del escritor en el sentido más amplio del término. Su vagabundear sin rumbo fijo expresa a la perfección el estado de abatimiento creativo en que se encontraban los jóvenes narradores de los años veinte, que si bien sabían a la perfección lo que rechazaban —el modelo narrativo decimonónico—, no tenían tan claro el camino que habían de recorrer en su nueva escritura, como tuvimos oportunidad de discutir en el capítulo introductorio de este libro. El Ernesto de *Novela como nube* representa precisamente este estado de búsqueda infructuosa y frustración permanente de los jóvenes novelistas de vanguardia, cuyo deseo de renovación del género no acaba de dar con un proyecto narrativo al mismo tiempo novedoso y convincente. Este arcano estético, este grial creativo que persiguen Owen y sus compañeros de generación aparece en *Novela como nube* en forma de mujer: una mujer inaccesible y evanescente, imposible de atrapar. El personaje de Ernesto va detrás de ellas, confunde sus nombres, o las recoge a todas bajo la denominación genérica de la madre simbólica de todas las mujeres: Eva primera, Eva segunda, Eva tercera.

La dimensión metaliteraria de la novela de Owen viene reforzada por las constantes referencias a obras de arte, estilos artísticos, géneros literarios y otras reflexiones de tipo metatextual que aparecen en las descripciones de los personajes femeninos —arcanos estéticos— que persigue Ernesto. Tal es el caso, por ejemplo, de Ofelia, que aparece descrita como un objeto decorativo, como una muñeca o un motivo pictórico de Marie Laurencin, y cuyos aspectos más destacados tienen que ver con los ornamentos o elementos externos a ella misma, los colores de la paleta que la pinta, su disposición espacial:

> Se habrá dejado la cabellera de algodón, de muñeca francesa, que le aburre a él tanto. [...] Parecerá un juguete, un objeto decorativo, un cuadro de Marie Laurencin, lo mismo: la chalina en un hombro, desnudo el otro. Tendrá flores en las manos. Querrá que la besen, y en el rostro blanco y redondo sólo resaltarán, brillantes, los ojos y la boca. Será sólo como un beso rodeado de leche (*Novela* 12).

La mirada de Ernesto es la de un crítico literario o un marchante de cuadros que observa y cataloga a las mujeres en función de criterios estéticos externos, como objetos, casi negándoles todo atisbo de vida propia. En esta línea, poco después de la citada descripción de Ofelia, el narrador ofrece otra de su rostro, pero esta vez visto a través de una botella que hace el efecto deformante de una lente convexa, efecto visual que Owen y los demás espectadores de cine de la época se habían hartado de ver en numerosas películas y que tantos de ellos incorporaron a la narrativa con el fin de reproducir procedimientos visuales propios de la estética cinematográfica:

> Lo mejor es tenderse, cruzados los brazos, ante el rompecabezas plástico de ese rostro descompuesto, como por el olvido, por la lente poliédrica del botellón, allí enfrente. La nariz, bajo la boca, en el lugar del cuello. Tiene, aislada, un valor definitorio independiente; sensual, nerviosa, de aletas eléctricas como carne de rana en un experimento de laboratorio. Dos pares de ojos, en el lugar de las orejas, le brillan como dos aretes líquidos, incendiados. Así serían las joyas de la corona, hechas con los ojos coléricos de los mujiks rebeldes. La frente es todo el resto de la cara, multiplicada su convexidad por el cristal de la botella (13-14).

El carácter fragmentario, desintegrado y caleidoscópico de la descripción que ofrece el narrador puede decirnos algo, no sé si mucho o poco, de la confusión que le embarga al observar a la mujer, o de su voluntad analítica de reducir la complejidad del personaje femenino a elementos inferiores, más básicos, y por tanto comprensibles para él, o incluso apunta hacia el carácter paranoico y corrosivo de la mirada vanguardista. Como vimos en el tercer capítulo del libro, el modelo fisiognómico de caracterización del nuevo personaje conduce generalmente a su indeterminación. Lo que parece claro es que este tipo de descripción, si bien puede introducir ciertos matices y sugestiones poéticas, subjetivas, no aporta ningún dato sobre el personaje, no informa al lector sobre las características físicas ni psicológicas de Ofelia. Por el contrario, su reflexión se centra en los modelos de representación de la realidad exterior y en la exploración de nuevos paradigmas y arquetipos estéticos; en otras palabras, en la dimensión metapoética de la escritura.

Algo semejante se puede desprender de la descripción del encuentro entre Ernesto y Eva en la sexta secuencia de la primera parte. El narrador inicia su ejercicio de reconstrucción del personaje femenino: «Ahora, esbozado ya el fondo, le es muy fácil reconstruir por completo ese rostro. Toda esa mujer y el prólogo de una historieta interrumpida y olvidada. Ella alza un rostro que comprueba sus hipótesis» (20). A continuación, haciendo uso de un recurso de profusa tradición en la narrativa de vanguardia, el personaje es sustituido metonímicamente por los sonidos y grafías que la nombran: «¡Eva! ¡Ah, sí, Eva! E...V...A. Nombre triangular y perfecto, con perfección sobria, clásica. Agradable de pronunciar, cuando se alarga la E y se saborea la V como uno de esos besos que son mordida también» (20). Frente a la sobriedad clásica de su nombre, la escena que sigue viene marcada por el signo de una estética romántica cuya clave de interpretación es desvelada por el propio narrador:

> A esa hora se abre una glándula, de función más bien patológica, que segrega romanticismo. A esa hora todo está tremendamente exagerado. Bajo la soledad exaltada del crepúsculo agrio, los tenores dicen las cosas más inocentes [...]. Los jóvenes se gritan por teléfono esas cosas incendiadas que hasta en el interior de los cines están mal. [...] Eva sentía la necesidad de prometer algo para siempre, desfalleciendo y entrecerrando los ojos. Naturalmente, lo que juraba y quería que se le jurara era un amor que no sentían (20-21).

A este rechazo del romanticismo como segregación patológica de un organismo en decadencia le sigue la visión de Eva como un texto compuesto de retazos de corridos y música tradicional mexicana, que lleva al narrador a concluir que «su relato tenía demasiada hilación para ser verídico. No era ni siquiera verosímil» (22). Finalmente, el perfil de Eva termina con la muchacha convertida en figura accidental de la novela burguesa de costumbres que tan ferozmente rechazó la vanguardia:

> No tuvo fuerzas para negarlo, porque ella lo veía. Confesiones estéticas de una burguesa: le gustaba la pintura, pero sólo entendía, un poco, de música. Le parecieron ingeniosas estas vacías palabras. Llegó a atribuirle cualidades fabulosas. Creyó ver en ella, sin motivo, el mirlo blanco: una mujer mexicana con sentido del humor. [...]
> Se prometió hacerle un retrato y desquitarse exagerando un poco ese rasgo: —¿pinta usted? Resultaría la más impura, la más literaria de sus pinturas; bueno, ¿y qué? (22-23).

El personaje de Ernesto rechaza a todas estas figuras femeninas que persigue, pues todas ellas son reflejo de una estética obsoleta que no sirve a su deseo de renovación y modernidad. Por otro lado, la visión que se ofrece de Eva en esta última cita se acerca mucho a los «horteras y señoritas de almacén» a quienes Torres Bodet consideraba destinatarios últimos de la novela impura y decadente. En la misma cita, el autor de *Proserpina rescatada* afirmaba que el elemento diferencial entre la novela decadente y la que no lo es se encuentra precisamente en la incorporación a la escritura de elementos tomados de la nueva estética cinematográfica, algo que el propio Owen había secundado en el ensayo «Poesía –¿pura?– plena» que hemos citado más arriba.

En consonancia con lo que ambos autores habían propuesto a nivel teórico, en *Novela como nube* la solución a los males de Ernesto, la satisfacción de su deseo amoroso, vendrá también de la mano del cine, de manera análoga a la curación de Gustavo en *El incongruente* de Gómez de la Serna. En efecto, es su descubrimiento del cinematógrafo y su inmersión en la oscuridad de la sala de proyección lo que devolverá a Ernesto el encanto y la magia del amor, que en el sentido metafictivo que asignamos a la novela, funciona como metáfora del descubrimiento de una nueva estética, de una nueva forma de escritura que colme las necesidades innovadoras de la vanguardia. Hacia el final de la primera parte Ernesto penetra en una sala de cine siguiendo a una de las varias mujeres que acosa a lo largo de la obra. Es entonces cuando se produce el encuentro definitivo entre Ernesto y la mujer, o sea, entre el escritor y su musa, en el momento exacto en que el plano de la realidad narrativa se fusiona con el plano de la ficción cinematográfica que se proyecta en el lienzo. En la novela, esta fusión no sólo se produce a un nivel simbólico o metafórico, sino real y físicamente. En una descripción sumamente gráfica, el narrador refiere cómo Ernesto y la mujer se desplazan desde el patio de butacas a lo largo de todo el creciente cono de luz del proyector, hasta llegar finalmente a la pantalla:

> Empiezan los dos, la mano en la mano, como en un truco de Mr. Keaton, un viaje que va desde la caseta del mecánico hasta la pantalla. Empiezan pequeñitos, del tamaño de la película, para llegar al lienzo con estatura el doble de la real.
>
> Y se entran en una primavera sólo de luces y de sombras, como enmudecida por aquella carencia absoluta de color. [...] O todo se ha desteñido o Ernesto sufre un acromatismo exacerbado (*Novela* 36-37).

Desde este momento hasta el final de la primera parte, la que corresponde a la vida sublunar de Ernesto, la narración tiene lugar en este nuevo espacio híbrido entre la literatura y el cine en el que los sonidos están amortiguados y toda la realidad aparece en blanco y negro. En la secuencia número 12, significativamente titulada «Film de ocasión», Ernesto y la mujer vivirán su idilio cinematográfico, primero en las aguas del mar, después en un «hotel cosmopolita», y finalmente en un trasatlántico que antes de naufragar los conduce directamente a la mítica Atlántida. Después, Ernesto y la presunta Eva son recogidos por «un barco de pescadores de perlas». Para terminar su periplo amoroso, la última secuencia de «Ixión en la tierra» contiene la muerte cinematográfica de Ernesto, asesinado a manos del marido engañado de Eva segunda: «Después, muchos siglos después, cuando lo ha entendido ya todo, oye el disparo... [...] ¿Se ha apagado otra vez la luz?» (44).

El intento de asesinato de Ernesto a manos del marido despechado marca el momento de transición de la primera a la segunda parte de la novela, o como indican los subtítulos, de la «tierra» al «Olimpo». Esta referencia al Olimpo parece sugerir un nivel de conciencia y realidad modificados, al estilo del viaje a la pantalla con que había concluido la primera parte. Lo cierto, sin embargo, es que como en tantas otras novelas de vanguardia el lector no conoce exactamente las características del espacio en que se desenvuelve la segunda parte de la obra. Ernesto está convaleciente en la cama, no sabemos si despierto o dormido, o acaso en una duermevela delirante: «Al despertar, queda abrumado por el peso de tantos recuerdos de su sueño, más grávidos aún por el desorden, que los hace apretarle, desequilibradamente, en sólo algunos trechos de su memoria» (47). Poco después el narrador insiste en el carácter nebuloso de las sensaciones y percepciones de Ernesto, como si habitara en un espacio a caballo entre el sueño y la vigilia:

> Le queda un pensamiento divino, evolucionando como un león enjaulado por los dos hemisferios de su cerebro, describiendo mil veces cada vez el signo de ese infinito que entrevió en su sueño. Y una sed dolorosa de tenderse sobre su carne, de reposar en el ejercicio de sus cinco sentidos, tan olvidados ahora que puede ver sin sus ojos, tocar sin sus manos abandonadas, muertas, sobre las sábanas (47-48).

Las numerosas referencias al sueño, a la memoria, a la hipertrofia de los sentidos, o a una «vida anterior» que el lector identifica con la aventura cinematográfica de Ernesto y su amada sirven para reforzar esta impresión de irrealidad o transrealidad. El dilema ante el que nos encontramos responde a la continuidad en el plano de la realidad novelesca de los sucesos ocurridos en el plano de la ficción cinematográfica.[2] Con todo, si en un principio se mantiene la duda sobre el plano ficcional en que se desarrolla la acción, a medida que se va acercando el final de la novela se ve cada vez con mayor claridad que la narración se desenvuelve en el plano de lo real, aunque en él se mantienen todavía las secuelas de lo ocurrido en la ficción. Ernesto está recuperándose de sus heridas en la casa de su tío Enrique, en la ciudad de Pachuca. A su cuidado están Elena, la esposa de su tío, y Rosa Amalia, hermana de Elena. De nuevo, como en la primera parte de la obra, la función de Ernesto se limitará a la observación de estas mujeres, ahora más pasiva y más intelectual que nunca debido al impedimento físico añadido de su convalecencia.

---

[2] La ruptura flagrante de los niveles ontológicos de la narración no contribuye sino a desvelar la tramoya de la novela, a dejar al descubierto los artificios empleados por el autor, invitando así al lector a fijarse en ellos y a compartir su propia preocupación e interés por los diferentes modelos de representación de la realidad, las estrategias narrativas, los mecanismos retóricos, la estructura de la narración. En una palabra: es un llamamiento a la reflexión sobre la dimensión artística y estética de la obra literaria.

Las descripciones de Elena y Rosa Amalia aparecen, al igual que en la primera parte de la obra, impregnadas de elementos metaliterarios. Es particularmente interesante la constante identificación de Rosa Amalia con géneros narrativos que el personaje de Ernesto desprecia como obsoletos y caducos, o sea, un retorno a la insatisfacción anterior al viaje a la pantalla: «Él ya está acostumbrado a no entender las palabras de la hermana de Elena, atento a gozarse en el timbre de su voz. [...] se ha dado cuenta de que no dice nada interesante, —demasiado frío y lógico, demasiado sutil todo y rebuscado— entregada a un inconsciente afán de ponerle música a todas sus palabras» (55). Y poco después: «En los días lejanos del noviazgo con Elena, Rosa Amalia, menor dos años, terciaba algunas noches en la plática [...]. Era, le parecía a Ernesto, el pájaro y el jardín y los amantes en aquellos idilios deslucidos en los que sólo debía haber sido, siempre, la hermana de la novia, como en los versos cursis» (55-56). A mayor abundamiento, poco después el narrador describe las reflexiones en que se enfrasca Ernesto mientras Rosa Amalia le lee en voz alta las noticias del periódico:

> El mundo le llega a Ernesto empequeñecido, primero, por la mezquindad de los sucesos, y también regocijado por la modulación con que Rosa Amalia colabora. Llega a parecerle una zarzuelilla de aires populares agradables, pero incoherentes, en una trama pésimamente urdida. Los editoriales quisieran hablar con voz ronca y solemne sus discursos incontestables, pero es muy eficaz alambique el que se retuerce de los ojos a la garganta de la lectora y salen de él destilados en un dulzón aguardiente folletinesco, en que la cuestión social es una frágil señora entretenida y los hombres que sobre ella disputan unos simpáticos comediantes que representan sus papeles de bajos y tenores, de héroes y villanos, con una fácil cólera de teatralidad insospechable (56-57).

Frente a este rechazo de Rosa Amalia por parte de Ernesto, el personaje de Elena —con quien se nos informa que había mantenido una pequeña relación de noviazgo siendo todavía adolescentes— va suscitando en él una atracción cada vez mayor, algo que se manifiesta una vez más en la descripción que de ella hace el narrador. Si Rosa Amalia era descrita en términos de una constante identificación con estéticas y modelos literarios considerados obsoletos, la descripción de Elena será, no por casualidad, la de un dilatado y detenido *close-up*, sin duda el tipo de plano más popular, por su expresividad y emotividad, de la cultura cinematográfica de los años veinte:

Vislumbra Ernesto que su figura podría resolverse en chorros, en corrientes caídas de luces y colores. Está la cabellera bermeja, sin acabar de caer nunca, con sus oleadas de barro torrencial, sobre los hombros redondos y perfectos; y en la confluencia del entrecejo los ojos alargados unen sus aguas azules a las de las cejas, para seguir por el recto acueducto de la nariz, rosa de agua de luz de amanecer (57-58).

Sin embargo, pese a su amor por la mujer de los chorros de luz y las corrientes de colores, la novela terminará con el infeliz matrimonio de Ernesto con Rosa Amalia, la triste dama de los romances burgueses. En efecto, al final de la obra Ernesto decide dar el paso decisivo de declarar su amor a Elena, pero la oscuridad le juega una mala pasada y, creyendo declararse a ésta, seduce por error a su hermana Rosa Amalia. Para cuando quiere darse cuenta de su lamentable equivocación, el paso ya está dado, es demasiado tarde para cambiar las cosas: «Ahora, si se atreviera a decirle que no es ella a quien esperaba... No, muy endurecido en el mal estará él, pero no tanto que para salvarse tuviera que herir a Rosa Amalia, comprometiendo a Elena de paso. Tendrá que aceptar las consecuencias. Su rueda de Ixión será el matrimonio» (94). Con este final, el símil con el relato mitológico de Ixión llega a su culminación. No sólo comparten Ernesto e Ixión su deseo incontenible por las realidades virtuales y por la cultura de lo visual; también sufren ambos el castigo inherente a toda predilección por las reproducciones: la constatación desoladora de que la realidad se impone a la ficción. *Novela como nube* no tiene un final feliz porque no podía tenerlo. La obra no hace sino constatar la imposibilidad física de la fusión entre la literatura y el cine. El lenguaje de luces y sombras del cinematógrafo no era reducible a la blanca pantalla de la página en blanco. Ernesto había descubierto a su musa en el cinematógrafo creyendo por un momento llegar a poseerla, pero en la realidad las narrativas literaria y cinematográfica, por más que su fusión teórica resultara sugerente, se repelían mutuamente como el agua y el aceite.

Novela como nube encarna y representa al nivel de la ficción este proceso inacabado de fusión de ambas estéticas o incluso de ambos lenguajes. La primera parte de la obra muestra al personaje de Ernesto en su proceso de búsqueda de esa nueva estética en la que desempeña un papel absolutamente central la irrupción del cine en el panorama artístico del periodo como la más moderna y poderosa de las artes. Ernesto rechaza una tras otra las estéticas impuras, obsoletas, incapaces de incorporar a la escritura esa magia superior que estaba reservada únicamente a la experiencia de la sala de cine. Es justamente en este contexto en el que Ernesto descubre a su musa —el arcano estético que había perseguido infructuosamente durante todo aquel tiempo— en el preciso momento en el que se fusionan la ficción narrativa con la estética cinematográfica, momento que marca el clímax de la novela y la transición entre la primera y la segunda parte. Sin embargo, como hemos visto, esta experiencia de la escritura cinematográfica había sido sólo un espejismo y toda la segunda mitad de la obra se encarga de certificar esta imposibilidad real de fusión de ambos lenguajes, imposibilidad perfectamente condensada en la metáfora del matrimonio indisoluble con una mujer a la que no se ama, o sea, con una estética marcada por las limitaciones del género novelesco y su incapacidad de provocar los efectos estéticos del lenguaje visual del cine.

Esta misma idea de los problemas matrimoniales del escritor como imagen de su frustración y parálisis creativa marca el punto de partida de *El marido, la mujer y la sombra* (1927) de Mario Verdaguer, que constituye uno de los casos de reflexión metaficcional y autorreferencial dentro de esta narrativa en los que de forma más evidente se manifiesta la crisis de la novela en relación con el cine.[3] La obra comienza con una escena familiar de corte costumbrista en la que el protagonista de la historia, escritor de novelas, su mujer y sus dos hijos están sentados en torno a la mesa del comedor. Los niños piden a su padre, el novelista, que les ayude a recortar un monigote de papel. La problemática de la novela surge en el momento en que la sombra del monigote se proyecta sobre la pared de la sala y, ante la estupefacción de todos ellos, cobra vida propia y empieza a moverse a su libre albedrío por toda la casa.

Los términos específicos de «sombra» y «proyección» nos trasladan directamente al ámbito del cinematógrafo, en este caso incorporado como un elemento más al paisaje de la ficción narrativa. La superposición de cine y literatura viene reforzada por el hecho de que el protagonista principal se dedique al oficio de la escritura, y particularmente de la novela. Asimismo, toda la tensión argumental de la obra se sustenta en el empeño de la sombra por seducir a la mujer del novelista —que muy bien puede representar aquí al público lector o espectador— y en los consiguientes celos del escri-

---

[3] Aunque desde una perspectiva distinta, Brigitte Magnien ha analizado la influencia del cine en la novela y la presencia en ella de algunos recursos visuales e imaginistas procedentes de la pantalla (2005: 443-447).

tor, que no acaba de encontrar el modo de reconquistar a su mujer y superar a la sombra en sus estrategias de seducción, o en otras palabras, en su capacidad de sugestión estética. A pesar de la estructura superficial de la narración, la del triángulo amoroso de la novela burguesa, lo cierto es que la amenaza de la Sombra aparece encuadrada desde el comienzo no sólo en el ámbito personal y familiar del Novelista, sino también en el profesional y artístico, o sea, estético:

> La Sombra había demostrado cierta independencia, había alabado a un poeta cuya popularidad él envidiaba, había mirado a su mujer con ojos profundos y codiciosos; le había tomado su ropa, huroneaba por todas partes y se fumaba con verdadero cinismo, uno tras otro, sus cigarrillos.
> El Novelista comenzó a pasear por la habitación, estaba nervioso y no podía escribir. Pensaba que de un modo estúpido, él mismo, con un pedazo de papel, se había planteado un problema que era lógicamente insoluble (14).

La referencia a las alabanzas por parte de la Sombra de un poeta que el Novelista envidiaba, así como el nerviosismo del Novelista y su parálisis creativa, inscriben este conflicto en el contexto específico de la crisis general de la narrativa de vanguardia que glosaron de diferentes formas autores como Jarnés, Espina, Marichalar, De Torre y otros, tal y como vimos en el primer capítulo. Estas referencias a la crisis artística y estética del personaje se suceden en diferentes momentos de la novela, pero especialmente en el planteamiento inicial del conflicto, cuando el Novelista se lamenta de que la Sombra «se permite opinar, leer periódicos y acabará criticando mis novelas» (15), o cuando su mujer elogia la juventud y belleza de la Sombra y su agradable «voz», y el narrador confirma que «era verdad. El Novelista lo reconocía, los críticos literarios lo reconocerían también» (15). Finalmente, el narrador confirma que «había empezado para él una existencia insoportable», cuya primera y más notable consecuencia es precisamente la falta de inspiración, el silencio, y en definitiva la neurosis del creador paralizado: «iría a ver a su editor, a decirle que estaba enfermo, neurasténico, y que no podía cumplir su compromiso» (16).

Un aspecto que salta a la vista desde el principio y que contribuye a reforzar el carácter metanarrativo de la obra y la voluntad del autor de ofrecer una reflexión más general sobre la problemática relación entre el cine y la narrativa, es el hecho de que tanto el Novelista como la Sombra aparezcan siempre escritos con mayúsculas. Este detalle aparentemente nimio sugiere que en realidad el autor utiliza los términos «Sombra» y «Novelista» en sentido universal, o sea, que no designa con ellos a una sombra y un novelista particulares, sino al conjunto de todas las sombras semovientes proyectadas sobre una superficie o pantalla —o sea, el Cine— y al conjunto de todos los novelistas afectados por la intrusión e intromisión en sus vidas y obras de esta Sombra a la que nadie había invitado —o sea, los novelistas de vanguardia en general, que es como decir el género de la novela de vanguardia.

El título de la obra de Verdaguer, *El marido, la mujer y la sombra*, que al nivel más superficial reproduce como decíamos la estructura del triángulo amoroso, debe así reformularse en términos de otra estructura trimembre equivalente, en la que cada uno de los términos designe efectivamente el objeto de la reflexión metanarrativa del autor. La reformulación, en definitiva, sería algo así como «el Novelista, la Mujer y el Cine», donde el elemento central —la Mujer— designa el espacio y el objeto que los demás —el Novelista y el Cine— se disputan, ya sea en términos de éxito comercial, prestigio intelectual, emoción estética, capital simbólico o real, u otras. La conflictiva relación de los narradores de vanguardia con el cine se presenta así desde la perspectiva de Verdaguer como un burdo drama burgués en el que, como marcan los cánones del género, el marido, o sea el Novelista, tiene todas las de perder frente a los irresistibles encantos de la Sombra. Si el personaje de Owen se resignaba al matrimonio insufrible con una mujer a la que de entrada no amaba, el Novelista de Verdaguer opta por cederle al intruso su cama y abandonar su profesión y el calor del hogar para salir a la aventura por el ancho mundo. En otras palabras, la reacción del Novelista implica de hecho el reconocimiento de la derrota estética de la Novela frente el Cine, y el abandono del ejercicio de la escritura.

En suma, tanto Owen como Verdaguer ficcionalizan la conflictiva relación de los novelistas con el cine y ofrecen sendas reflexiones metanarrativas en las que llegan, aunque por vías diferentes, a la misma conclusión: el fracaso del proyecto renovador de la narrativa de vanguardia. El pronóstico extendido por ambos autores de que el modelo propuesto por esta narrativa acabaría sucumbiendo bajo el poder avasallador del cine fue una realidad antes de lo que ellos mismos hubieran imaginado. El drama de los personajes de *Novela como nube* y *El marido, la mujer y la sombra* fue en definitiva el drama de todos los narradores de vanguardia: persiguieron una quimera por definición inalcanzable.

La inestabilidad ontológica que caracteriza a la novela de vanguardia se debe fundamentalmente a la discrepancia entre los fines estéticos perseguidos por sus autores y los medios narrativos a su alcance. Como muestra *Novela como nube*, los escritores vanguardistas quisieron fusionar el lenguaje del cine con el de la narrativa literaria. Su propósito era crear con la escritura una obra de arte que fuera capaz de provocar en el lector la misma impresión estética, el mismo efecto envolvente, mágico, fascinador, hipnótico, violador, y con la misma intensidad de sugestión psíquica que provocaban las películas mudas en aquellos primeros espectadores de cine entre los que se contaban todos ellos. En otras palabras, y aunque no siempre fuera un objetivo declarado, quisieron hacer cine con la pluma y la palabra. Con tales premisas, su proyecto narrativo estaba abocado al fracaso. El final que les esperó a todos ellos fue idéntico al adelantado por Owen y Verdaguer en sus personajes de Ernesto y el Novelista: giraron durante unos pocos años atados a la rueda de fuego de una escritura que se pretendía innovadora pero que al cabo no satisfizo ni a autores ni a lectores, para ir al fin abandonando progresivamente la estética vanguardista, el género narrativo o incluso, en algún caso, la literatura misma.

BIBLIOGRAFÍA

NOVELAS Y RELATOS DE VANGUARDIA

ALONSO, Dámaso (1926): «Torcedor de crepúsculo y violín», *Revista de Occidente* 14, pp. 70-85.
— (1928): «Cédula de eternidad», *Revista de Occidente* 20, pp. 1-19.
ÁLVAREZ, Valentín Andrés (1927): «Dorotea, luz y sombra», *Revista de Occidente* 15, pp. 145-170.
— (1930): *Naufragio en la sombra*, Madrid: Ulises, Col. Valores Actuales.
AUB, Max (1927): «Geografía (fragmentos)», *Revista de Occidente* 18, pp. 61-79.
AYALA, Francisco (1927): «Hora muerta», *Revista de Occidente* 16, pp. 151-164.
— (1928): «Medusa artificial», *Revista de Occidente* 22, pp. 227-238.
— (1929a): «Cazador en el alba», *Revista de Occidente* 25, pp. 308-28; 26, pp. 38-56.
— (1929b): *El boxeador y un ángel*, Madrid: Cuadernos Literarios.
— (1930a): «Erika ante el invierno», *Revista de Occidente* 30, pp. 85-101.
— (1930b): *Cazador en el alba*, Madrid: Ulises, Col. Valores Actuales.
AZORÍN (1929): «Superrealismo (prenovela)», *Revista de Occidente* 26, pp. 145-157.
BACARISSE, Mauricio (1931): *Los terribles amores de Agliberto y Celedonia*, Madrid: Espasa-Calpe.
BARGA, Corpus [Andrés García de la Barga] (1923a): «Viaje occidental», *Revista de Occidente* 1, pp. 202-210.
— (1923b): «El amigo del hombre», *Revista de Occidente* 1, pp. 343-355.
— (1926): «Pasión y muerte», *Revista de Occidente* 11, pp. 302-348.
— (1987): *Apocalipsis. Pasión y muerte. Hechizo de la triste marquesa. Cuentos*, ed. Arturo Ramoneda, Barcelona/Gijón: Ajanca/Júcar [1ª ed. (1930): *Pasión y muerte. Apocalipsis*, Madrid: Ulises, Col. Valores Actuales].
BOTÍN POLANCO, Antonio (1931): *Virazón*, Madrid: Espasa-Calpe.

— (1933): *Logaritmo*, Madrid: Espasa-Calpe.

CABEZAS, Juan Antonio (1932): *Señorita 0-3*, Madrid: Argis.

CHABÁS, Juan (1924): «Peregrino sentado», *Revista de Occidente* 5, pp. 69-87.

— (1927): *Sin velas, desvelada*, Barcelona: Gustavo Pili.

— (1928): *Puerto de sombra*, Madrid: Rafael Caro Raggio.

CHACEL, Rosa (1928): «Chinina-Migone. 800-900», *Revista de Occidente* 19, pp. 79-89.

— (1929): «Juego de las dos esquinas», *Revista de Occidente* 23, pp. 210-234.

— (1930): *Estación. Ida y vuelta*, Madrid: Ulises, Col. Valores Actuales.

DE LA TORRE, Claudio (1924): «Octubre», *Revista de Occidente* 3, pp. 161-172.

— (1924): *En la vida del señor alegre*, Madrid: Rafael Caro Raggio.

— (1929): «Del diario de un hombre dormido», *Revista de Occidente* 25, pp. 30-39.

DIEGO, Gerardo (1926): «Cuadrante. Noveloide», *Revista de Occidente* 13, pp. 1-24.

DOMENCHINA, Juan José (1929): *La túnica de Neso*, Segovia: El Adelantado.

ESPINA, Antonio (1924): «Bi o el edificio en humo (proyección)», *Revista de Occidente* 4, pp. 145-151.

— (1925): «Varia fisga (poemas)», *Revista de Occidente* 9, pp. 92-99.

— (1927a): «Bacante», *Revista de Occidente* 18, pp. 1-28 y 185-204.

— (1927b): *Pájaro pinto*, Madrid: Revista de Occidente, Col. Nova Novorum.

— (1928): «Baco», *Revista de Occidente* 22, pp. 1-27.

— (1929): *Luna de copas*, Madrid: Revista de Occidente, Col. Nova Novorum.

FERNÁNDEZ ALMAGRO, Melchor (1925): «Del brazo de mí mismo», *Revista de Occidente* 9, pp. 317-323.

GARCÍA LORCA, Federico (1927): «Santa Lucía y San Lázaro», *Revista de Occidente* 18, pp. 145-155.

GIMÉNEZ CABALLERO, Ernesto (1927): «Datos para una solución», *Revista de Occidente* 17, pp. 23-37.

— (1928): *Yo, inspector de alcantarillas (Epiplasmas)*, Madrid: Biblioteca Nueva.

GÓMEZ DE LA SERNA, Ramón (1926): «El hombre de la galería», *Revista de Occidente* 13, pp. 299-316.

— (1927): «El defensor del cementerio», *Revista de Occidente* 17, pp. 317-338.

— (1928): «Suspensión del destino (novela)», *Revista de Occidente* 21, pp. 129-143.

— (1930): «El hijo surrealista», *Revista de Occidente* 30, pp. 27-52.

GULLÓN, Ricardo (1934): *Fin de semana*, Madrid: Literatura.

JARNÉS, Benjamín (1925a): «El río fiel», *Revista de Occidente* 8, pp. 145-169.

— (1925b): «Paula y Paulita», *Revista de Occidente* 10, pp. 129-160.

— (1926a): «Andrómeda», *Revista de Occidente* 13, pp. 137-167.

— (1926b): *El profesor inútil*, Madrid: Revista de Occidente, Col. Nova Novorum [2ª ed. (1934): Madrid: Espasa-Calpe].

— (1927): «Circe», *Revista de Occidente* 15, pp. 289-323.

— (1928a): «Locura y muerte de nadie», *Revista de Occidente* 19, pp. 1-39.

— (1928b): *El convidado de papel*, Madrid: Historia Nueva.

— (1929a): *Locura y muerte de nadie*, Madrid: Oriente.

— (1929b): *Paula y Paulita*, Madrid: Revista de Occidente.

— (1930a): «Teoría del zumbel», *Revista de Occidente* 27, pp. 11-39.

— (1930b): «Elegía a un amor beodo», *Revista de Occidente* 27, pp. 145-155.

— (1930c): «Elvira (cuento romántico)», *Revista de Occidente* 29, pp. 295-323.

— (1931): *Escenas junto a la muerte*, Madrid: Espasa-Calpe.

— (1932): *Lo rojo y lo azul*, Madrid: Espasa-Calpe.

— (1936): *Viviana y Merlín*, Madrid: Espasa-Calpe [1ª ed. (1930): Madrid: Ulises].

MALLEA, Eduardo (1947): *Cuentos para una inglesa desesperada*, Buenos Aires: Espasa-Calpe [1ª ed. (1926): Buenos Aires: Gleizer].

MARICHALAR, Antonio (1926): «Desde el hombro de San Cristóbal», *Revista de Occidente* 13, pp. 353-364; y 14, pp. 86-102.

MARTÍNEZ SOTOMAYOR, José (1986): *La rueca de aire*, México/Tlahuapan: Instituto Nacional de Bellas Artes/Premià [1ª ed. (1930): México: Imprenta Mundial].

MORENO VILLA, José (1924): «La doncella que bebía del pozo (embeleco)», *Revista de Occidente* 6, pp. 203-215.

NEVILLE, Edgar (1928): «Stella Matutina. Cabeza», *Revista de Occidente* 19, pp. 247-270.

NOVO, Salvador (1928): *Return Ticket*, México: Cvltvra.

OBREGÓN, Antonio de (1931): *Efectos navales*, Madrid: Ulises, Col. Valores Actuales.

— (1934): *Hermes en la vía pública*, Madrid: Espasa-Calpe.

OWEN, Gilberto (1928): *Novela como nube*, México: Ulises.

— (1979): *La llama fría*, en *Obras*, ed. Josefina Procopio, México: Fondo de Cultura Económica, pp. 123-145.

PÉREZ DE LA OSSA, Huberto (1925): «A porta inferi», *Revista de Occidente* 10, pp. 220-234.

PORLÁN Y MERLO, Rafael (1930): «Epístola a Rocío», *Revista de Occidente* 29, pp. 371-382.

ROS, Samuel (1932): *El hombre de los medios abrazos*, Madrid: Biblioteca Nueva.

SALINAS, Pedro (1924): «Delirios del chopo y el ciprés», *Revista de Occidente* 4, pp. 145-151.

— (1925): «Entrada en Sevilla», *Revista de Occidente* 9, pp. 145-152.

— (1926a): «Aurora de verdad», *Revista de Occidente* 12, pp. 1-7.

— (1926b): *Víspera del gozo*, Madrid: Revista de Occidente, Col. Nova Novorum.

TORRES BODET, Jaime (1927): *Margarita de niebla*, México: Cvltvra.

— (1928): «Parálisis», *Revista de Occidente* 20, pp. 145-156.

— (1929): *La educación sentimental*, Madrid: Espasa-Calpe.

— (1930a): «*Close-up* de Mr. Lehar», *Revista de Occidente* 27, pp. 85-119.

— (1930b): «Muerte de Proserpina», *Revista de Occidente* 29, pp. 1-36 y 177-215.
— (1931): *Proserpina rescatada*, Madrid: Espasa-Calpe.
— (1933): *Estrella de día*, Madrid: Espasa-Calpe.
Vela, Fernando (1929): «Fragmentos», *Revista de Occidente* 23, pp. 1-18.
Verdaguer, Mario (1927): *El marido, la mujer y la sombra*, Barcelona: Lux.
— (1934): *Un intelectual y su carcoma*, Barcelona: Apolo.
Villaseñor, Eduardo (1928): *Éxtasis. Novela de aventuras*, Madrid: Espasa-Calpe.
Villaurrutia, Xavier (1928): *Dama de corazones*, México: Ulises.
Ximénez de Sandoval, Felipe (1930): *Tres mujeres más equis*, Madrid: Ulises, Col. Valores Actuales.

Obras citadas

Albèra, François (comp.) (1998): *Los formalistas rusos y el cine. La poética del filme*, trad. José Ángel Alcalde, Barcelona/Buenos Aires/México: Paidós («Introducción», pp. 17-36).
Albert, Mechthild (ed.) (2005): *Vanguardia española e intermedialidad: artes escénicas, cine y radio*, Madrid/Frankfurt: Iberoamericana/Vervuert.
Alberti, Rafael (1973): «Autobiografía», en *Prosas encontradas (1924-1942)*, ed. Robert Marrast, Madrid: Ayuso.
— (1980): *La arboleda perdida*, Barcelona: Bruguera.
Aleksandrov, Grigori; Sergei Eisenstein; Vsevolod Pudovkin (1928): «Rusia y el film hablado», *Gaceta Literaria* 43, p. 4.
Alsina, Homero; Joaquim Romaguera (eds.) (1998): *Textos y manifiestos del cine: estética, escuelas, movimientos, disciplinas, innovaciones*, Madrid: Cátedra.
Antem, Ángel (1930): *Mary y Douglas*, Madrid: Compañía Ibero-Americana de Publicaciones, Col. Biblioteca popular del cinema.
Arconada, César M. (1927): «Cinema. Carmen: Raquel Meller», *Gaceta Literaria* 3, p. 5.
— (1928): «Música y cinema», *Gaceta Literaria* 43, p. 4.
— (1929): *Vida de Greta Garbo*, Madrid: Ulises.
Ayala, Francisco (1928a): «Charles Chaplin: El circo», *Revista de Occidente* 19, pp. 425-428.
— (1928b): «Cinema: Menjou o el actor», *Revista de Occidente* 22, pp. 384-386.
— (1928c): «Encuesta a los escritores», *Gaceta Literaria* 43, p. 6.
— (1929a): «Indagación del cinema», *Revista de Occidente* 24, pp. 31-42.
— (1929b): *Indagación del cinema*, Madrid: Compañía Ibero-Americana de Publicaciones.
— (1930): «Cine: La lucha por la tierra», *Revista de Occidente* 27, pp. 412-414.

— (1965): *Mis mejores páginas*, Madrid: Gredos.

— (1966): *El cine: arte y espectáculo*, Xalapa: Universidad Veracruzana.

— (1984): *Recuerdos y olvidos*, Madrid: Alianza.

AYALA, Óscar (2000): «La novela de Antonio Espina. Hombre de fina hoja mental en un paisaje bailable», en Francis Lough (ed.): *Hacia la novela nueva. Essays on the Spanish Avant-Garde Novel*, Oxford/New York: Peter Lang, pp. 113-133.

BALÁZS, Béla (1952): *Theory of the Film. Character and Growth of a New Art*, London: Dennis Dobson.

— (1953): «Der sichtbare Mensch», en *Theory of the Film: Character and Growth of a New Art*, New York: Roy, pp. 39-45.

— (1978): *El film. Evolución y esencia de un arte nuevo*, Barcelona: Gustavo Gili (en particular: «El hombre visible», pp. 32-37).

BARBÉNS, Francisco de (1914): *La moral en la calle, en el cinematógrafo y en el teatro. Estudio pedagógico-social*, Barcelona: Luis Gili.

BARGA, Corpus (1929): «Cinematografía: Almas y sombras», *Revista de Occidente* 26, pp. 261-265.

BAROJA, Pío (1927): «Nuestros novelistas y el cinema», *Gaceta Literaria* 24, p. 4.

— (1969): *Aurora roja*, Barcelona: Planeta.

BENJAMIN, Walter (1973): «La obra de arte en la época de su reproductibilidad técnica», en *Discursos interrumpidos I*, trad. Jesús Aguirre, Madrid: Taurus, pp. 15-57.

BEUCLER, Andre (1928): «Charlot, Buster Keaton y Harold», *Gaceta Literaria* 43, p. 4.

BLANCO FOMBONA, Rufino (1937): «Personalidades contra escuelas», *El espejo de tres faces*, Santiago de Chile: Ercilla, pp. 27-40.

BLOOM, Harold (1970): *Yeats*, New York: Oxford University Press.

— (1997): *The Anxiety of Influence. A Theory of Poetry*, New York: Oxford University Press.

BORAU, José Luis (2001): «Antecedentes fílmicos. Viajes desde el cine a la literatura», en Carlos F. Heredero (coord..): *La imprenta dinámica. Literatura española en el cine español*, Madrid: Academia de las Artes y las Ciencias Cinematográficas de España, pp. 431-445.

BOURDIEU, Pierre (1995): *Las reglas del arte. Génesis y estructura del campo literario*, Barcelona: Anagrama.

BUCKLEY, Ramón; John CRISPIN (eds.) (1973): *Los vanguardistas españoles 1925-1935*, Madrid: Alianza.

BUÑUEL, Luis (1927a): «Una noche en el Studio des Ursulines», *Gaceta Literaria* 2, p. 6.

— (1927b): «Del plano fotogénico», *Gaceta Literaria* 7, p. 6.

— (1927c): «Metrópolis», *Gaceta Literaria* 9, p. 6.

— (1927d): «La dama de las camelias», *Gaceta Literaria* 24, p. 4.

— (1928a): «Variaciones sobre el bigote de Menjou», *Gaceta Literaria* 35, p. 4.

— (1928b): «'Découpage' o segmentación cinegráfica», *Gaceta Literaria* 43, p. 1.

— (1928c): «'Juana de Arco' de Carl Dreyer», *Gaceta Literaria* 43, p. 3.

— (1983): *Mi último suspiro*, Barcelona: Plaza & Janés.

Cansinos-Asséns, Rafael (1978): *El movimiento VP*, Madrid: Peralta.

Canudo, Ricciotto (1998): «Manifiesto de las siete artes», en Homero Alsina y Joaquim Romaguera (eds.): *Textos y manifiestos del cine: estética, escuelas, movimientos, disciplinas, innovaciones*, Madrid: Cátedra, p. 17.

Caro Baroja, Julio (1988): *Historia de la fisiognómica: el rostro y el carácter*, Madrid: Istmo.

Cassou, Jean (1928): «Desafección de la palabra», *Gaceta Literaria* 44, p. 4.

Caws, Mary Ann (1997): *The Surrealist Look: An Erotics of Encounter*, Cambridge (Mass.)/London: MIT Press.

Chacel, Rosa (1972): *Desde el amanecer. Autobiografía de mis primeros diez años*, Madrid: Revista de Occidente.

Corrochano, Alberto (1928): «Panorámica», *Gaceta Literaria* 43, p. 3.

Dalí, Salvador (1927): «Film-arte, film-antiartístico», *Gaceta Literaria* 24, pp. 4-5.

— (1928): «Films anti-artísticos», *Gaceta Literaria* 29, p. 6.

De los Reyes, Aurelio (1991): «Los contemporáneos y el cine», en *Ensayos heterodoxos*, México: Universidad Nacional Autónoma de México, vol. II, pp. 183-209.

Del Pino, José Manuel (1995): *Montajes y fragmentos: una aproximación a la narrativa española de vanguardia*. Amsterdam/Atlanta, Rodopi.

— (1998): «Novela y vanguardia artística (1923-1934)», en Javier Pérez Bazo (ed.): *La vanguardia en España. Arte y literatura*, Toulouse: Cric & Orphys, pp. 251-274.

— (2004a): *Del tren al aeroplano: Ensayos sobre la vanguardia española*, pról. Antonio Gómez L. Quiñones, Boulder: Society of Spanish and Spanish-American Studies.

— (2004b): «El héroe (est)ético de la vida moderna: Charlot y los vanguardistas españoles», en *Del tren al aeroplano: ensayos sobre la vanguardia española*. pról. Antonio Gómez L. Quiñones, Boulder: Society of Spanish and Spanish-American Studies, pp. 93-106.

— (2004c): «Poéticas enfrentadas: Teatro y cine en Antonio Espina y *Revista de Occidente*», en *Del tren al aeroplano: ensayos sobre la vanguardia española*, pról. Antonio Gómez L. Quiñones, Boulder: Society of Spanish and Spanish-American Studies, pp. 57-74.

Deleuze, Gilles (1986): *La imagen-tiempo. Estudios sobre cine 2*, Barcelona/Buenos Aires/México: Paidós.

— (2003): *La imagen-movimiento. Estudios sobre cine 1*, Barcelona/Buenos Aires/México: Paidós.

DELGADO CASADO, Juan (1993): *La bibliografía cinematográfica española. Aproximación histórica*, Madrid: Arco/Libros.

DELLUC, Louis (1920): *Photogénie*, Paris: M. de Brunoff.

DÍAZ-PLAJA, Guillermo (1943): «Estética del cine mudo», en *El engaño a los ojos. (Notas de estética menor)*, Barcelona: Destino, pp. 75-118.

DOMÍNGUEZ MICHAEL, Christopher (1992): «Los hijos de Ixión», *Vuelta* 186, pp. 20-24.

DONAPETRY, María (1998): *La otra mirada. La mujer y el cine en la cultura española*, New Orleans: University Press of the South.

DUFFEY, Patrick (2005): «Un viaje inmóvil, una superficie profunda y el cine mudo», en Francisco Javier Beltrán Cabrera y Cynthia Ramírez (eds.): *Gilberto Owen Estrada: Cien años de poesía*, Toluca: Universidad Autónoma del Estado de México, pp. 87-98.

ECO, Umberto (1966): *Le poetiche di Joyce*, Milano: Bompiani.

EIKHENBAUM, Boris (1998a): «Literatura y cine», en François Albèra (comp.): *Los formalistas rusos y el cine. La poética del filme*, trad. José Ángel Alcalde, Barcelona/Buenos Aires/México: Paidós, pp. 197-202.

— (1998b): «Problemas de cine estilística», en François Albèra (comp.): *Los formalistas rusos y el cine. La poética del filme*, trad. José Ángel Alcalde, Barcelona/Buenos Aires/México: Paidós, pp. 45-75.

EPSTEIN, Jean (1927): «Tiempo y personajes del drama», *Gaceta Literaria* 24, p. 4.

— (1928): «Amor de Charlot», *Gaceta Literaria* 29, p. 6.

— (1974): «De quelques conditions de la photogénie», en *Écrits sur le cinéma*, Paris: Seghers, pp. 137-142.

ESPINA, Antonio (1923): «Libros de otro tiempo», *Revista de Occidente* 1, pp. 114-117.

— (1925): «Las dramáticas del momento», *Revista de Occidente* 10, pp. 316-329.

— (1927): «Reflexiones sobre cinematografía», *Revista de Occidente* 15, pp. 36-46.

— (1929): «Azorín: *Félix Vargas*. Etopeya», *Revista de Occidente* 67, pp. 114-118.

— (1965): «Ramón y los ismos», en *El genio cómico y otros ensayos*, Santiago de Chile/Madrid: Cruz del Sur, pp. 125-148.

FALQUINA, Ángel (1968): «Hacia una edad moderna de la crítica», *Cinestudio* 70, pp. 12-15.

FERNÁNDEZ COLORADO, Luis (2001): «Voces y sombras en una república de las letras. Escritores y cinema en España (1931-1939)», en Carlos F. Heredero (coord.): *La imprenta dinámica. Literatura española en el cine español*. Madrid: Academia de las Artes y las Ciencias Cinematográficas de España, pp. 39-55.

FERNÁNDEZ CUENCA, Carlos (1927): *Fotogenia y arte*, Madrid: Proyección.

FRUTOS LUCAS, Eva (1978): «1907-1931: Apreciaciones generales de la prensa cinematográfica durante este periodo», *Cinema 2002* 44, pp. 60-67.

FUENTES MOLLÁ, Rafael (1989): «Ortega y Gasset en la novela de vanguardia española», *Revista de Occidente* 96, pp. 27-44.

FUENTES, Víctor (1990): «El cine en la narrativa vanguardista española de los años 20», *Letras Peninsulares* 3, 2-3, pp. 201-212.

GARCÍA MONTERO, Luis (2000): «El cine y la mirada moderna», en Gabriele Morelli (ed.): *Ludus. Cine, arte y deporte en la literatura española de vanguardia*, Valencia: Pre-Textos, pp. 387-401.

GASCH, Sebastiá (1928a): «Etapas», *Gaceta Literaria* 29, p. 6.

— (1928b): «Films cómicos», *Gaceta Literaria* 39, p. 5.

— (1928c): «Cinema y arte nuevo», *Gaceta Literaria* 44, p. 4.

GENTILINI, Bernardo (1924): *El cine ante la pedagogía y la medicina, ante la moral y la religión*, Madrid: [A. Marzo].

GIMÉNEZ CABALLERO, Ernesto (1928): «Circo y Charlot», *Gaceta Literaria* 30, p. 6.

— (1930): «Articulaciones de la mano en el cine», *Hélix* s/n, pp. 2 y 11.

GÓMEZ DE LA SERNA, Ramón (1923): *Cinelandia*, Valencia: Sempere.

— (1922): *El incongruente*, Madrid: Calpe.

GÓMEZ CANO, Miguel (1927): *El cinematógrafo y las escuelas ambulantes de puericultura*. Madrid: s/e.

GÓMEZ L. QUIÑONES, Antonio (2004): «Prólogo. Prosa vanguardista: Escuela de la mirada», en José Manuel del Pino (ed.): *Del tren al aeroplano: ensayos sobre la vanguardia española*. Boulder: Society of Spanish and Spanish-American Studies, pp. ix-xx.

GONZÁLEZ CASANOVA, Manuel (2003): «El cine que vio Fósforo», en *El cine que vio Fósforo: Alfonso Reyes y Martín Luis Guzmán*, México: Fondo de Cultura Económica, pp. 9-121.

GUBERN, Román (1999): *Proyector de luna. Los escritores de vanguardia y el cine*, Barcelona: Anagrama.

— (2001): «Máquina y poesía. La generación del 27 y el cine», en Carlos F. Heredero (coord.): *La imprenta dinámica. Literatura española en el cine español*, Madrid: Academia de las Artes y las Ciencias Cinematográficas de España, pp. 263-272.

— (2005): *La imagen pornográfica y otras perversiones ópticas*, Barcelona: Anagrama.

GULLÓN, Ricardo (1984): *La novela lírica*, Madrid: Cátedra.

HEREDERO, Carlos F. (coord.) (2001): *La imprenta dinámica. Literatura española en el cine español*, Madrid: Academia de las Artes y las Ciencias Cinematográficas de España.

HERSHBERGER, Robert P. (1994): «Filming the Woman in Benjamín Jarnés's *El convidado de papel*», *Letras Peninsulares* 7.1, pp. 193-208.

— (2002): «Tales of Seduction on the Stage and Screen: The Beginnings of a Cinematic Mode in Benjamín Jarnés's *El profesor inútil*», *Anales de la Literatura Española Contemporánea* 27.2, pp. 179-219.

HIGHFILL, Juli (1995): «The Impossible Character: Allegorical Woman in Benjamín Jarnés's 'Andrómeda'», *Journal of Interdisciplinary Literary Studies* 7.1, pp. 57-81.

HUIDOBRO, Vicente (1928): «Harry Langdon», *Gaceta Literaria* 43, p. 1.

JARNÉS, Banjamín (1927): «De Homero a Charlot», *Gaceta Literaria* 22, p. 3.

— (1928a): «Encuesta a los escritores», *Gaceta Literaria* 43, p. 6.

— (1928b): «Cineclub», *Revista de Occidente* 22, pp. 386-389.

— (1931): *Rúbricas (Nuevos ejercicios)*, Madrid: Biblioteca Atlántico.

— (1936): *Cita de ensueños. Figuras del cinema*, Madrid: Galo Sáez.

— (2001): *Obra crítica*, ed. Domingo Ródenas de Moya, Zaragoza: Institución Fernando el Católico/CSIC/Diputación de Zaragoza.

JUNG, Carl Gustav (1966): «*Ulysses*: A Monologue», en *The Collected Works*, New York: Bollingen Foundation & Pantheon Books, vol. 15, pp. 109-134.

KAZANSKI, Boris (1998): «La naturaleza del cine», en François Albèra (comp.): *Los formalistas rusos y el cine. La poética del filme*, trad. José Ángel Alcalde, Barcelona/Buenos Aires/México: Paidós, pp. 101-133.

KRETSCHMER, Ernesto (1923): «Genio y figura», *Revista de Occidente* 2, pp. 161-174.

LANZ, Juan José (2000): «La novelística de Benjamín Jarnés en el primer exilio: hacia *La novia del viento*», *Bulletin Hispanique* 102, pp. 133-168.

LOUGH, Francis (2005): «Jarnés y el cine», en Mechthild Albert (ed.): *Vanguardia española e intermedialidad: artes escénicas, cine y radio*, Madrid/Frankfurt: Iberoamericana/Vervuert, pp. 407-422.

MAGNIEN, Brigitte (2005): «El cine en la novela de vanguardia (1923-1936)», en Mechthild Albert (ed.): *Vanguardia española e intermedialidad: artes escénicas, cine y radio*, Madrid/Frankfurt: Iberoamericana/Vervuert, pp. 441-456.

MARICHALAR, Antonio (1924): «Síntomas», *Revista de Occidente* 15, pp. 394-398.

— (1927a): «Charlot, solista», *Revista de Occidente* 17, pp. 249-254.

— (1927b): «Declaraciones de Charlot», *Revista de Occidente* 16, pp. 254-256.

— (1931): «Visto y oído», *Revista de Occidente* 32, pp. 193-204.

MARINETTI, Filippo, *et al.* (1998): «La cinematografía futurista», en Homero Alsina y Joaquim Romaguera (eds.): *Textos y manifiestos del cine: estética, escuelas, movimientos, disciplinas, innovaciones*, Madrid: Cátedra, p. 20.

MÉNDEZ CUESTA, Concha (1928a): «El cinema en España», *Gaceta Literaria* 43, p. 5.

— (1928b): «Encuesta a los escritores», *Gaceta Literaria* 43, p. 6.

MIJAILOV, Evgueni; Andrei MOSKVIN (1998): «La función del operador cinematográfico en la elaboración del filme», en François Albèra (comp.): *Los formalistas rusos y el cine. La poética del filme*, trad. José Ángel Alcalde, Barcelona/Buenos Aires/México: Paidós, pp. 157-167.

MONTENEGRO, Manuel (1930): *El dominio del gesto*, Madrid: Compañía Ibero-Americana de Publicaciones, Col. Biblioteca popular del cinema.

MORELLI, Gabriele (ed.) (2000): *Ludus. Cine, arte y deporte en la literatura española de vanguardia*, Valencia: Pre-Textos.

Morris, Cyril Brian (1980): *This Loving Darkness: The Cinema and Spanish Writers, 1920-1936*, New York: Oxford University Press.

Moussinac, Léon (1925): *Naissance du Cinéma*, Paris: Povolozky.

— (1928): «Las teorías, las ideas, las obras, en el cinema soviético», *Gaceta Literaria* 42, p. 4.

Mulvey, Laura (1990): «Visual Pleasure and Narrative Cinema», en Patricia Erens (ed.): *Issues in Feminist Film Criticism*, Bloomington: Indiana Univserity Press, pp. 28-40.

Ortega y Gasset, José (1924): «Sobre el punto de vista en las artes», *Revista de Occidente* 3, pp. 129-160.

— (1925): *La deshumanización del arte. Ideas sobre la novela*, Madrid: Revista de Occidente.

— (1964a): «La expresión, fenómeno cósmico», en *El espectador VII-VIII*, Madrid: Revista de Occidente, pp. 37-63.

— (1964b): «Vitalidad, alma, espíritu», en *El espectador V-VI*, Madrid: Revista de Occidente, pp. 75-122.

Owen, Gilberto (1979a): «Pájaro pinto», en *Obras*, ed. Josefina Procopio, México: Fondo de Cultura Económica, pp. 218-220.

— (1979b): «Poesía –¿pura?– plena», *Obras*, ed. Josefina Procopio, México: Fondo de Cultura Económica, pp. 225-229.

Peña, Carmen (2001): «Intertextualidad e intermedialidad. Pensar el cine desde la novela», en Carlos F. Heredero (coord.): *La imprenta dinámica. Literatura española en el cine español*, Madrid: Academia de las Artes y las Ciencias Cinematográficas de España, pp. 447-470.

Pérez Bazo, Javier (ed.) (1998): *La vanguardia en España. Arte y literatura*, Toulouse: Cric & Orphys.

Pérez Ferrero, Miguel (1927): «Búster Keaton», *Gaceta Literaria* 9, p. 6.

— (1928): «Fono contra silencio», *Gaceta Literaria* 43, p. 2.

Pérez Firmat, Gustavo (1982): *Idle Fictions. The Hispanic Vanguard Novel, 1926-1934*, Durham: Duke University Press.

Piotrovski, Adrian (1998): «Hacia una teoría de los cine-géneros», en François Albèra (comp.): *Los formalistas rusos y el cine. La poética del filme*, trad. José Ángel Alcalde, Barcelona/Buenos Aires/México: Paidós, pp. 139-156.

Puyal, Alfonso (2003): *Cinema y arte nuevo. La recepción fílmica en la vanguardia española (1917-1937)*, Madrid: Biblioteca Nueva.

Quirarte, Vicente (s/f): «Escritores en la diplomacia mexicana: Gilberto Owen», <http://www.sre.gob.mx/imred/difyext/transcripciones/radio02/vquirarte.htm>.

Rey, Gloria (1994): «Introducción», en Antonio Espina: *Ensayos sobre literatura*, Valencia: Pre-Textos, pp. 9-80.

REYES, Alfonso; Martín Luis GUZMÁN (2000): *Fósforo, crónicas cinematográficas*, pról. Héctor Perea, México: Conaculta/Imcine.

— (2003): *El cine que vio Fósforo: Alfonso Reyes y Martín Luis Guzmán*, ed. Manuel González Casanova, México: Fondo de Cultura Económica.

REYES, Alfonso; Martín Luis GUZMÁN; Federico DE ONÍS (1963): *Frente a la pantalla*, México: Universidad Nacional Autónoma de México.

RÓDENAS DE MOYA, Domingo (1997): «Introducción», en Domingo Ródenas de Moya (ed.): *Proceder a sabiendas. Antología de la narrativa de vanguardia española, 1923-1936*, Barcelona: Alba, pp. 11-57.

— (1998): *Los espejos del novelista. Modernismo y autorreferenia en la novela vanguardista española*, Barcelona: Península.

RODRÍGUEZ ARAGÓN, Mario (1956): *Bibliografía cinematográfica española*, pról. Carlos Fernández Cuenca, Madrid: Publicaciones de la Dirección General de Cinematografía y Teatro.

RODRÍGUEZ-FISCHER, Ana (ed.) (1999): *Antología de la prosa española de vanguardia*, Madrid: Castalia.

RUCABADO, Ramón (1920): *El cinematograf en la cultura i en els costums*, Barcelona: Catalana.

SALAVERRÍA, José María (1928): «Encuesta a los escritores», *Gaceta Literaria* 43, p. 6.

SALAZAR Y CHAPELA, Esteban (1928): «Encuesta a los escritores», *Gaceta Literaria* 43, p. 6.

— (1929): «Antonio Espina: *Luna de copas* (novela)», *Revista de Occidente* 24, pp. 383-388.

SÁNCHEZ-BIOSCA, Vicente (1998): «El cine y su imaginario en la vanguardia española», en Javier Pérez Bazo (ed.): *La vanguardia en España. Arte y literatura*, Toulouse: Cric & Orphys, pp. 399-411.

— (2004): *Cine y vanguardias artísticas. Conflictos, encuentros, fronteras*, Barcelona: Paidós.

SCHLIG, Michael (2004a): «Benjamín Jarnés's portrayal of women artists from 'Andrómeda' to *La novia del viento*», *Hispania* 87.2, pp. 258-265.

— (2004b): «La mirada masculina y el desnudo en *El profesor inútil* de Benjamín Jarnés», *Confluencia* 19.2, pp. 146-154.

SCHMELZER, Dagmar (2005): «La mirada fílmica sobre el mundo de las cosas en Jarnés: Un juego de ironía medial», en Mechthild Albert (ed.): *Vanguardia española e intermedialidad: Artes escénicas, cine y radio*, Madrid/Frankfurt: Iberoamericana/Vervuert, pp. 423-440.

SEIJAS, Gonzalo (2005): «El misterio del Trianón Palace», en Víctor Fuentes (ed.): *Cuentos bohemios españoles (Antología)*, Sevilla: Renacimiento.

SHERIDAN, Guillermo (1993): «"Los Contemporáneos" y la generación del 27: documentando un desencuentro», en *Cuadernos Hispanoamericanos* 514-515, pp. 185-193.

SHUTKO, Kirill (1982): «Preface», en Richard Taylor (ed.): *The Poetics of Cinema*, vol. 9 de *Russian Poetics in Translation*, ed. Ann Shukman, Oxford: RPT Publications, pp. 1-4.

SILVIO, Celso (1927): *El arte de la expresión*, Valencia: Sempere.

SKLAREW, Bruce (1999): «Freud and Film: Encounters in the *Weltgeist*», *Journal of the Amaerican Psychoanalitic Association* 47, pp. 1239-1247.

SKLOVSKI, Viktor (1998): «Poesía y prosa en el cine», en François Albèra (comp.): *Los formalistas rusos y el cine. La poética del filme*, trad. José Ángel Alcalde, Barcelona/Buenos Aires/México: Paidós, pp. 135-138.

SOLDEVILA, Ramón (1928): «La mujer marcada», *Gaceta Literaria* 32, p. 2.

SPENGLER, Oswald (1980): *The Decline of the West. Volume I: Form and Actuality*, New York: Alfred Knopf.

TORRE, Guillermo de (1926): «Cinema», *Revista de Occidente* 12, pp. 116-120.

— (1927): «Perfil de Antonio Espina», *La Gaceta Literaria* 4, p. 1.

— (1928): «Cinema y novísima literatura», *Gaceta Literaria* 43, p. 3.

TORRES BODET, Jaime (1930): *La educación sentimental*, Madrid: Espasa-Calpe.

— (1955): *Tiempo de arena*, México: Fondo de Cultura Económica.

— (1987): *Contemporáneos*, pról. Jorge Von Ziegler, México: Universidad Nacional Autónoma de México/Universidad de Colima.

TYNIANOV, Yuri (1998): «Los fundamentos del cine», en François Albèra (comp.): *Los formalistas rusos y el cine. La poética del filme*, trad. José Ángel Alcalde, Barcelona/Buenos Aires/México: Paidós, pp. 77-100.

UNAMUNO, Miguel de (1927): *Cómo se hace una novela*, Buenos Aires: Alba.

UTRERA MACÍAS, Rafael (2001): «Entre el rechazo y la fascinación. Los escritores del 98 ante el cinematógrafo», en Carlos F. Heredero (coord.): *La imprenta dinámica. Literatura española en el cine español*, Madrid: Academia de las Artes y las Ciencias Cinematográficas de España, pp. 221-245.

VELA, Fernando (1925): «Desde la ribera oscura. (Sobre una estética del cine)», *Revista de Occidente* 8, pp. 202-227.

— (1928); «Charlot», *Revista de Occidente* 20, pp. 231-237.

VICENTE GELABERT, Enrique de (1926): *Cinematógrafo «pro infantia»*, Madrid: Consejo Superior de Protección a la Infancia.

VILLANUEVA, Darío (ed.) (1983): *La novela lírica*, Madrid: Taurus, 2 vols.

ÍNDICE ONOMÁSTICO

Alberti, Rafael: 29-31.

Antem, Ángel: 163.

Ayala, Francisco: 13, 27, 29, 44, 85, 95, 103, 106, 126, 141-142, 162-163, 177.

Ayala, Óscar: 13, 65.

Azorín [José Martínez Ruiz]: 57, 108, 182.

Bacarisse, Mauricio: 145.

Balázs, Béla: 20-21, 73, 89, 96.

Barbéns, Francisco de: 164.

Barga, Corpus [Andrés García de la Barga]: 27, 54.

Baroja, Pío: 18, 45.

Benjamin, Walter: 20, 37, 159.

Blanco Fombona, Rufino: 47.

Bloom, Harold: 32-33.

Borbón, Alfonso de [Alfonso XIII]: 164.

Bourdieu, Pierre: 27-28.

Braque, Georges: 9, 113.

Buñuel, Luis: 19, 26-31, 34-35, 38, 46, 50-54, 60-61, 79-80, 92, 111-112, 122, 125-126, 163.

Cabezas, Juan Antonio: 136, 143, 166.

Cansinos Asséns, Rafael: 22-24, 26, 33, 35, 37, 178.

Canudo, Ricciotto: 20, 23, 37.

Caro Baroja, Julio: 87-88.

Carrière, Eugène: 151-152.

Cassou, Jean: 21.

Chabás, Juan: 123, 132, 162, 171.

Chacel, Rosa: 29, 98-99, 114, 145, 148, 155, 165.

Dalí, Salvador: 19, 28, 53, 111-112.

De los Reyes, Aurelio: 14, 55, 135.

Del Pino, José Manuel: 13-14, 17, 49, 55, 122, 127, 135, 140, 144, 148.

Deleuze, Gilles: 121-123, 126-127, 131, 134, 141.

Delluc, Louis: 20, 51, 74.

Díaz-Plaja, Guillermo: 21.

Diego, Gerardo: 25, 75, 81, 179.

Domínguez Michael, Christopher: 180.

Donapetry, María: 163.

Duffey, Patrick: 123.

Eco, Umberto: 154.

Eikhenbaum, Boris: 17, 31-32, 34-35, 43, 46, 51-53, 63-64, 162.

Eisenstein, Sergei: 30.

Epstein, Jean: 30, 74, 80.

Espina, Antonio: 13-14, 27, 35, 41, 44, 49-50, 54-67, 73, 75-76, 85, 95, 117-120, 122-123, 177, 191.

Fernández Cuenca, Carlos: 75.

Gasch, Sebastiá: 21.

Gentilini, Bernardo: 164.

Giménez Caballero, Ernesto: 27, 100, 102-103, 111-112, 114, 116.

Glimcher, Arne: 9.

Gómez Cano, Miguel: 164.

Gómez de la Serna, Ramón: 24, 26, 111, 178.

Gómez Mesa, Luis: 27.

Grigoriev, Boris: 151-152.

Gris, Juan: 113.

Gubern, Román: 14, 22, 24, 164.

Gullón, Ricardo: 13, 48.

Guzmán, Martín Luis: 19, 92-95.

Hershberger, Robert P.: 45, 55.

Huidobro, Vicente: 23, 130.

Jarnés, Benjamín: 13, 17, 27, 29, 36-38, 42-47, 50, 55, 62, 67, 85, 95, 96, 106, 109-110, 114, 117-119, 122, 128, 131, 158, 162-164, 168, 171, 177, 182, 191.

Jung, Carl Gustav: 154.

Kennedy, Randy: 9.

Kretschmer, Ernst: 88, 96, 97.

Laurencin, Marie: 151-152, 183.

Lough, Francis: 13-14, 45.

Magnien, Brigitte: 14, 135, 190.

Mallea, Eduardo: 170-171.

Marichalar, Antonio: 41, 123, 191.

Marinetti, Filippo: 20.

Martínez Sotomayor, José: 81, 85, 112, 115, 133.

Méndez Cuesta, Concha: 21, 53.

Mijailov, Evgueni: 60.

Montenegro, Manuel: 94.

Morris, Cyril Brian: 9, 13, 135.

Moskvin, Andrei: 60.

Moussinac, Léon: 20, 51, 74.

Mulvey, Laura: 163, 172.

Múñoz Arconada, César: 21, 27, 44, 162-163.

Obregón, Antonio de: 165.

Onís, Federico de: 19, 92-93, 95.

Ortega y Gasset, José: 19, 21, 39, 47, 54, 89-92, 96, 99, 100, 107, 114-115.

Owen, Gilberto: 15, 25, 67-68, 72, 75, 82, 85, 123, 152-153, 170, 177-183, 185, 192-193.

Pérez Ferrero, Miguel: 27, 53, 162-163.

Pérez Firmat, Gustavo: 11, 13, 32, 98, 108, 127, 144, 149, 151, 159.

Picasso, Pablo: 9, 113, 151-152.

Porlán y Merlo, Rafael: 108, 114, 156.

Puyal, Alfonso: 14, 22.

Quirarte, Vicente: 170.

Rey, Gloria: 60.

Reyes, Alfonso: 19, 92-95.

Ródenas de Moya, Domingo: 11, 13, 38, 42, 49, 100, 144.

Rodríguez-Fischer, Ana: 13.

Rucabado, Ramón: 164.

Salaverría, José María: 44.

Salazar y Chapela, Esteban: 41-42.

Salinas, Pedro: 67.

Sánchez-Biosca, Vicente: 14, 18.

Schlig, Michael: 171.

Seijas, Gonzalo: 165.

Silvio, Celso: 94.

Sklarew, Bruce: 120.

Sklovski, Viktor: 66.

Spengler, Oswald: 89.

Torre, Guillermo de: 41, 49, 191.

Torres Bodet, Jaime: 39-41, 85, 103, 108, 123-124, 143-144, 148, 150-152, 170-171, 177, 185.

Tynianov, Yuri: 53.

Unamuno, Miguel de: 35, 90, 130.

Vela, Fernando: 21, 27, 53, 73, 88-91, 94-96, 119, 148.

Verdaguer, Mario: 15, 25, 177-178, 190, 192-193.

Vicente Gelabert, Enrique de: 164.

Villanueva, Darío: 13, 48.

Villaseñor, Eduardo: 85, 128, 130, 153.

Villaurrutia, Xavier: 55, 85, 110, 116, 132, 169.

Ximénez de Sandoval, Felipe: 128-129, 158.